見證！1945-1948

大公報 新中華報中國日報〇 救國時報
抗敵報 中央日報 南寧民國日報 大剛報
新蜀報 新華日報 南京新民報日刊申報

中文報刊中的南京大屠殺罪犯審判報道

余小躍 主編 牢記歷史教訓 立志振興中華 1937.12.13 江蘇鳳凰美術出版社

雨花臺畔發掘骸骨〇京敵人罪行調查〇首都人民
陳述函件〇南京大屠殺案獲確證二千餘件〇犯罪
調查組即將在京成立〇谷壽夫提起公訴〇日本戰
犯月內受審〇屠殺中國人的劊子手鬆井自首〇血
債待清算〇南京屠殺案證人飛東京〇審訊屠殺南
京戰犯〇南京大屠殺案〇馬琪昨在東京陳述〇戰
罪調查將告結束〇鬆井與飯沼尚做狡辯〇武藤供
認確有其事〇鬆井罪行證據確鑿〇南京大屠殺鬆
井應負罪〇鬆井石根難逃法網〇日侵華戰犯應嚴
厲處罰〇東條等七戰犯今晨絞決〇日本戰犯磯谷
〇我審判戰犯辦法〇日戰犯二十三名今日由滬解
京〇殺人魔鬼谷壽夫〇谷壽夫明日偵審〇要求引
渡鬆井石根〇再審谷壽夫〇戰犯谷壽夫開第二次
調查庭〇證人六百餘人傳訊〇谷壽夫將上審〇谷
壽夫將在勵志社受審〇谷壽夫案不日公審〇谷壽
夫審三天〇中華門掘尸骨〇調查谷罪行〇谷壽夫
昨日在京開庭〇南京大屠殺案荒木竟稱不知〇公
堂擺骷髏大審谷壽夫〇南京大屠殺罪行將公布〇
南京大屠殺傳訊被害人家屬〇調查告一段落明發
掘叢葬處〇谷案昨開庭調查罪證〇軍事法庭續掘
冤塚〇谷壽夫連審三天〇南京屠殺案續獲新證件

見證：中文報刊中的南京大屠殺罪犯審判報道

主編
徐小躍

副主編
韓顯紅
許建業
全勤
姚俊元
王兵

執行主編
夏彪
蘇維

撰稿
夏彪
蘇維
史星宇
葉健

編輯
徐家愷
陳文
吳碧蓉
尤德艷
劉月
侯正歡

屠集準員調設侵
大收做委開，此
京了犯行展告這
南爲戰罪中文。
集，判人其登據礎
收後審敵與刊證其
織利爲查參還供了
組勝、調均會提定
府戰據了體員來尊
政抗證立團委前犯

殺證據
日軍制造南京大屠殺的
捕，國民政府在南京成
會，各黨政機關、社會
查。爲了擴大調查範圍
立陳訴信箱，呼吁市民
洛鐵證爲之後的審判戰

1945.11.24《中央日報》 戰罪調查將告結束

歡迎陳部長立夫

首都記者聯誼會
中訓團政校同學　昨舉行茶會

陳氏昭告新聞界人士
應鼓勵青年研究科學

中央組織部陳部長出席文化界首都記者聯誼會歡迎會席上

【本報訊】首都記者聯誼會暨中央組織部長陳立夫氏於昨晚八時歡迎陳氏。……

教育情形，陳氏於此時期，主持教育行政，幾近七年。據談：抗戰期間，經教部分發各校任用之淪區內遷教員，（自小學至專科以上學校）共二萬五千餘人。內遷自由祖國之學生約達三十餘萬人，亦由教部一一分發內地學校就讀。抗戰初起，我專科以上學校學生，一度曾因戰事影響自四萬一千人減至三萬一千人，嗣經教部在西南、西北竭力增設或安置內遷大學後，三十一年已增至五萬人左右，去年更增至六萬八千人，至年底總數約達七萬一千人。今若再加收復區學生數字，則我專科以上學生為數當可超過八萬。戰時中學生亦因各學校之增設而增加，自戰前七十萬人增至一百十一萬人。近年內地……

小學教育亦有顯著進步，平均每三保已有小學一所，後方各省兒童，平均百分之七十均能入小學。……九三二年之美國教育年鑑……是年美國已普及……學生竟有七十六萬人之多，……加強成學校，夜校併計，則總數竟達一百零六萬人。

陳部長等參觀本社

【本報訊】昨晚十時陳部長立夫，……馬市長超俊，……林司令錫鈞，李總幹事……參觀本社，由本報社長馬星野親自引導，……參觀後離去。本報並贈送十一月廿三日本報之紙型兩張，以資紀念。

戰罪調查將告結束
日軍在京屠殺暴行
有屍可尋者達廿萬
市民提控文件有如雪片

【本報訊】南京陷落時，日寇曾大肆屠殺民衆，造成震驚世界之暴行。首都戰罪調查委員會刻正加緊調查工作，兩週後或可一告結束。記者根據各種資料估計，直接死於日寇刺刀槍彈下，有屍可尋者至少二十萬人，其他沉入長江及餓病而死者尚不計。目前最有價值之文件為紅卍字會及崇善堂兩慈善機關之埋屍紀錄，彼等曾組織掩埋隊五個大隊，但仍感人手不足，竟於流過血液之市郊連續工作四月之久，共埋男女及兒童屍體十五萬五千三百三十八具，供為日寇暴行中之犧牲者。此外由私人掩埋之數字亦鉅，一時尚不易獲得具體文件作證。

惟截止昨日為止，市民向首都戰罪調查委員會提控罪行之文書如雪片飛來，所控之犯罪者百分之八十為「中島部隊」。該委員會已定於兩週後完成初步工作，並將結果呈報司法部及陸軍總司令部審核。

中中交三行元旦還原址

【本報訊】新街口中央銀行，定明年元旦遷回建鄴路原址辦公，原有中央銀行之行址，現為中國銀行借用中，屆時中國銀行亦將遷回白下路原址（現為陸軍醫院），交通銀行則遷回新街口原址辦公云。

馬市長今招待記者

【本報訊】馬市長為便利各報記者明瞭京市最近施政概況及今後施政計劃，定於今日下午三時在市府大禮堂招待記者。

首都警廳籌備冬防

【本報訊】首都警察廳對冬防工作，……

（又訊）中區警察局，……

陳部長談戰時教育

【本報訊】陳部長立夫……

法律問答

南京廣播電台

呼號 XGOB
週率六四〇K．C．
今日廣播節目

增闢社會服務欄啟事

三　職業介紹

（一）本門分求才與謀業二類。

（二）凡欲徵求人才者，須……

（三）凡欲謀職業者，……

（四）本報對投函求業者，……

（五）來函寄本報編輯部……

特寫
接收後的南京電台
酉廷

……

戰罪調查將告結束

日軍在京屠殺暴行 有屍可尋者達廿萬

市民提控文件有如雪片

【本報訊】南京陷落時，日寇曾大肆屠殺民衆，造成震驚世界之暴行。首都戰罪調查委員會刻正加緊調查工作，兩週後或可一告結束。記者根據各種資料估計，直接死於日寇刺刀槍彈下，有屍可尋者至少二十萬人，其他沉入長江及餓病而死者尚不計。目前最有價值之文件爲紅卍字會及崇善堂兩慈善機關之埋屍紀錄，彼等曾組織掩埋隊五個大隊，但仍感人手不足，竟於流過血液之市郊連續工作四月之久，共埋男女及兒童屍體十五萬五千三百三十八具，俱爲日寇暴行中之犧牲者。此外由私人掩埋之數字亦鉅，一時尚不易獲得具體文件作證。

截至昨日爲止，市民向首都戰罪調查委員會提控罪行之文書如雪片飛來，所控之犯罪者百分之八十爲「中島部隊」。該委員會已定於兩週後完成初步工作，并將結果呈報司法部及陸軍總司令部審核。

1945.11.25《申報》 南京大屠殺罪行將公布

申報
第二萬四千三百四十一號
發行人　陳景韓
今日本報壹大張
每份售國幣三十元（外埠另加郵費）

國軍三面包圍錦州
切斷通往葫蘆島交通
長春共軍爲蘇軍繳械

（本報北平廿四日專電）國軍越過山海關後，銳勢推進，向北閃擊錦州，共前鋒部隊已包圍錦州，國軍之第十三軍裝甲部隊進展之速，殊出共黨意外，該城位於山海關及瀋陽之間，爲國軍進入東北之第二道門戶，共黨在該處巡閑設有重兵，現國軍正推攻南西北三門，而錦州通往葫蘆島之交通，業被切斷。據確訊國軍已切斷錦州東北五哩之小村，因此葫蘆島亦陷於孤立地位，而失掉共軍事上重要性。

（本報北平廿四日專電）據確息，進入長春之共軍，已於十八日被蘇軍繳械，長春現由蘇軍警備，市面較前安定。此項消息，係由今日自長春飛返北平之人員傳出，並已證實。據談：當行營人員撤離返平之前三日，蘇軍即將共軍所接收之新聞局包圍繳械，局長張殿和亦被拘，附共之共黨份子均被驅出長春，……協助蘇軍維持秩序。數日來長春東北行營前，及上高級官廳均由蘇軍增崗警戒，……現國軍的負後準備，隨時飛往長春。

（本報天津廿四日專電）……北郊方向本月初三夜突遭共黨襲擊……中央第八軍開營迎戰，共黨見中央有備，引退始去。

我與蘇方談判討論焦點
中央軍開入東北
應解除一切可能武力抵抗

撤離長春接收人員
現留北平待機返任

政治協商會議

南京大屠殺
罪行將公佈

石志仁報告
通車狀況

西北歸來 2
房渝淇

三　速寫哈薩克

四　今日之河西

共軍自冀移向熱河
另路由包頭西竄圖擾綏西

豫南共軍
增援竄擾

洛???蓋斯等在渝
謁蔣主席商談東北局勢

美軍指定專門委會
協助抑平本市物價
魏德邁將軍昨表示決心

考慮撥派船隻
助我運兵東北

美留中印顆物資
我組織委會接收

租借案中物資
繼續交我政府

蔣主席定明日發表
政府擬採經濟措施

我通知美國批准國際貨幣協定

統一船舶調配
成立一新機構

遺送日俘回國
每日祇運三千

我科學家發明
胃潰瘍新療法

南京大屠殺 罪行將公佈

（本報南京二十四日電）首都日敵罪行調查委員會，月來積極工作，其初步調查，業已竣事，不日即可公佈，此一南京大屠殺之駭人罪行，將以最確鑿之證件說明其殘酷絕倫。根據紅卍字會與崇善堂報告，伊等曾聯合組織掩埋隊五大隊，連續工作四月以上，計埋男女兒童屍身一五五三三八人，而私人之掩埋隊尚不與焉，總估計我同胞之被殘殺者，至少在二十萬人以上。現京市市民，向罪行調查會控訴日寇之姦淫，沉江，慘殺者日有十數起。

1946.1.6《申報》 首都人民陳述函件

申報
第二萬四千三百八十三號
發行人 陳景韓
今日本報一張半
每份售國幣三十元（外埠另加郵費）
館址 上海漢口路三〇九號 電報掛號 六七八〇 電話 九二八四三 四線
中華郵政特准掛號立券認為新聞紙類

國軍首批空運部隊已由北平飛抵長春

（中央社長春五日急電）我首批空運部隊，今午由平飛抵長春，此為歷史上空運大批國軍至東北之開端，後續部隊將陸續飛來。

（合眾社北平五日電）自此間權威方面獲悉：國軍空運東北，於今晨開始，杜聿明將軍所部保安軍第二旅，乘運輸機離平，飛往長春。李延芳將軍所部第九十四軍，預料一二日內，亦將自天津一帶啟程前往。

（中央社錦州四日電）杜長官接熊式輝主任電告後，即決定派遣接管組，前往瀋陽，並派彭璧軍長學生為接管組主任，彭氏偕參謀、秘書、及隨員等四十一人，於四日晨由錦乘車前往瀋陽。

（又電）杜長官聿明，今晨乘專車沿遼縣、清河門，向阜新縣視察。

（合眾社重慶五日電）軍界人士謂：蔣委員長以現金作新年禮物，給與現駐東北之第十三軍與第五十二軍，以及現駐平津之第九十二軍與第九十四軍官兵，標準：軍官每人二千元，士兵每人一千元。

魏德邁在記者會上稱 助我運軍赴東北 新六軍週後由水路運瀋陽

（中央社漢口四日電）東北保安司令長官杜聿明將軍，率領幹部團人員，由昆明，於二日到漢。

北寧鐵路暢通無阻 津浦綫加緊修理即可通德州

七星巖發現忠骸八百具 守桂林殉難將士

陳納德將在華開辦航空學校

首都人民陳訴函件加緊分類整理中 檢舉大屠殺案驚心怵目

晉西中陽城被圍已百日 廣九路損失重大

新任法大使 梅理靄抵渝

政府共黨獲協議 停止衝突恢復交通等 推張羣周恩來即商議實施

張耀鹿鍾麟將分赴魯皖 劉文島昨離湘

津金鈔俱漲 黑市交易猖獗

國府發表公告 承認外蒙獨立

余漢謀抵廣州 即赴衢州就職

宋院長在津視察 昨下午召集黨政軍負責人訓話 沈怡等曾視察塘沽新港

廢除人力車 辦法研究中

潛逃法戰犯案 外部嚴重交涉

鐵路公路會議 定期在京召開

要聞簡報

粵澳兩奸逆 一被捕一擊斃

陪都各界慰勞盟軍 定九午兩晚舉行 馬歇爾特使等被邀參加

廣州片段

梁風

首都人民陳訴函件

加緊分類整理中

檢舉大屠殺案驚心怵目

（中央社京廿五日電）蔣主席巡視南京，所接受人民陳訴之函件，計共一千另卅六件，逐日加緊分類整理，初步工作業已完成，函件性質大致與在北平所接受者相同，仍以請求撫卹救濟及派委工作者爲最多，共二七九件，請求撫卹救濟者、多爲參加抗戰傷亡之軍民家屬及遭受敵僞暴行，家産蕩然，貧困無告之民衆。請求委派工作者，則多係曾參加抗戰工作之軍人及公務人員，亦有因案被押，請求查明開釋者，因親友參加抗戰失踪者，請求查訪者。次多爲檢舉敵僞罪行函件，共二百卌一件，其中六十七件係檢舉南京大屠殺案中之日寇暴行，所陳敵軍姦殺擄掠種種非常殘酷行爲，令人觸心怵目，想見當年面目猙獰之敵軍與慘痛人寰之呼聲，陳訴者多屬身歷其境，頗多極爲眞切與極爲珍貴之資料，如當日金陵女中收容所之紀錄，尤堪重視。此外，控告公務人員，貪污及接收人員違法失職者，一百五十件，身受痛苦，而呼籲者有之，仗義執言，而告發者亦有之。各項民事糾紛者，一百卅八件，多爲産業買賣租賃之糾紛，請求秉公處理，對軍事，政治，經濟各項建設，提供建議者五十三件，頗多足供參考。陳訴共産黨暴行廿件，以陳訴「新四軍」在蘇，皖各地搶掠物資，苛徵暴斂，殘殺青年，破壞交通等暴行最爲顯著。其他不屬於上述各項之陳述，共一百廿件，多爲對蔣主席領導抗戰，戰勝暴敵，使天日重光，而摒誠致敬，衷心表示感戴或報告歷年工作與服務志願及請求召見，面陳機密等。其不具姓名住址而陳訴者，亦有七十三件，所有函件，即將遵照蔣主席指示，作有效之處理，除無姓名住址者外，已開始函復陳訴人。至北平陳訴函件，除須待詳查者外，已分別積極處理，對陳訴人之復函，閩自前月卅一日起，已分批以航快郵寄，現已發出一千六百十二封。

1946.6.17《大剛報》 犯罪調查組即將在京成立

首討論五國和約

次為德·奧及義大利等問題的里雅斯特問題繫大會成敗

英堅決處理印局

決成立廣泛臨時政府

閣員十四人，國大六席，回盟五席，另三席歸其他黨派。

暹王之死大有文章

匈幣貶值飛馬加鞭

荷印日僑遣返將盡

英加將商防荒計劃

糧荒聲中喜訊美國豐收可卜

美仍擬貸款給蘇

第三次通知莫斯科要求開始貸款談判

戰罪調查組即將在京成立

積極進行戰犯審理工作 全國各地均設調查分組

江海關稅務司 白禮查昨就任

警備部成立浦口稽查分所

沉默不是辦法

救濟院地舞弊糾紛案 應該揭曉了

為了保護航權 滬航界決採對策

長江是中國的血脈！

教師登記 辦理極為嚴格

青年軍代表昨招待記者

處理義民委會遣散會已解決

有感於台幣及東北流通券

上海灘

京蕪道上匪徒逞凶 汽車七輛遭劫

百九十餘人被劫三千餘萬損失奇重 死者屍體迄今仍暴晒於途爲狀至慘

市府分期修路 需款九億五千萬

太平路菜場居民呼籲修整廁所

廁所失修，糞便橫溢 泱泱蕩蕩，一塌糊塗

京市拾零

瞭望世界

（自六月十日至十六日）　周祖德

歐局大清算的前夜

巴黎四外長會議又復會了，貝爾納斯，貝文，莫洛托夫，都已到了巴黎。

在這一年多中間，歐洲國際風雲的變化，這三巨頭二週三地橫生了許多不愉快的事，倫敦及巴黎二次外長會議都解不開這個結！

德國的三條路

西歐左傾政治的展望

短評

為蘇北難民呼籲

吉普抗令

京蕪路上又遭搶劫！

京蕪路上，發生搶案，已不止一次。在上月下旬，由蕪湖開往南京之商車一輛，亦曾在同一個地方遭遇「洗劫」。

戰罪調查組

即將在京成立

積極進行戰犯審理工作 全國各地均設調查分組

（中央社訊）戰犯處理委員會，決定於南京成立戰罪調查組，由國防部推派代表二人，行政院代表一人，司法行政部代表一人，外交部代表一人組織成立，人選現正遴選中；並決定於全國各大都市及重要地點，由有關軍政及司法機關會同組織戰罪調查分組，以期聯合督導戰犯處理工作及繼續調查敵人罪行證件，國防部陳參謀總長就任後，對戰犯處理工作，極為關切，曾令所屬機構切實進行。

無推諉責任之理由。目前祇
能靜待地方法院檢察處繼續
工作之籌佈矣。

1946.10.27《申報》 南京大屠殺案獲確證二千餘件

東台展開攻城戰

共軍千餘犯泰縣東南之張甸被擊退

運河沿綫下月實施綏靖

〔本報鎮江二十六日電〕抵達東台城郊之國軍，今晨起即展開攻城戰，據共軍據險頑抗，雙方仍在猛烈激戰中。又共軍千餘人，廿五日曾南攻泰縣東南方之張甸，經激戰一晝夜，共軍終被擊退。

〔本報鎮江廿六日電〕據明由蘇北政區來京之軍界人士談，由東南兩路向東台推進之國軍，正以扇形之運軍式直逼東台，未採包圍攻勢，祗已網開一面，預留西北水陸通路，便於共軍沿河撤退，現與北，東台通往興化之水道，幾爲共軍撤運物資之大小木船所擁塞，數約在千艘以上，並聞，此類民船有爲共軍封存二年以上者。

綏靖區政委會通過組急賑隊

〔中央社南京廿六日電〕行政院綏靖區政務委員會，廿四日下午三時舉行第五次會議……

全國商聯會邀齊代表談 東北工商業近況

接收工作太遲巨廠未能開工 將來外貨湧到前途危機可慮

〔本報南京廿六日電〕來京參加全國商聯會之遼寧代表李象九……

東北寒風刺骨 瀋陽長春飛雪

〔本報瀋陽二十六日電〕……

〔中央社長春廿六日電〕……

（上）哈爾濱之高處俯瞰天主教堂。（下）哈爾濱之道裡大街（東北新聞社攝）

社論 美蘇關係的癥結

全國商聯大會 代表開始報到

〔中央社南京廿六日電〕全國商聯合會，定下月一日開成立大會……

聯總駐贛代表 由羅慰利繼任

警察行兇踢死小販 香港發生大騷擾

羣情憤激與軍警衝突七小時

〔合衆社香港廿六日電〕……

昨曾參觀開灤礦 英商務團即赴滬

〔中央社天津廿六日電〕……

克夫人返抵閩 定明日飛延安

〔中央社福州廿六日電〕……

菲歧視華僑法案 陳質平提出抗議

認此事將影響兩國邦交

〔中央社馬尼剌廿五日電〕……

加拿大將在滬 重設商務機關

僑胞重返衛印 應請領新護照

〔本市訊〕……

外部電令調整 駐越領館人事

〔中央社河內廿五日電〕……

京滬杭公路網 下月動工興修

〔本報南京廿六日電〕……

潘逆毓桂判處……

各地均鬧煤荒聲中 焦作存煤山積

電廠修復大放光明

〔本報開封廿六日電〕……

鄂賜三登陸艇 改作武漢渡輪

〔本報漢口廿五日電〕……

急賑沙洋鎮火災 行總鄂分署撥米

〔本報漢口廿六日電〕……

江逆亢虎再受審 周逆佛海被傳到庭作證

已審結定下月二日宣判

〔本報南京廿六日電〕……

調查南京大屠殺案 獲確證二千餘件

其中敗案已送交向哲濬

〔中央社南京廿六日電〕……

錢逆稻孫 處刑十年

〔中央社北平廿六日電〕……

胡漢民先生 首都舉行紀念會

〔中央社南京廿六日電〕……

要聞簡報

調查南京大屠殺案

獲確證二千餘件

其中數案已送交向哲濬

【中央社南京廿六日電】京市臨參會前奉蔣主席諭，協助調查南京大屠殺案。該會曾分區展開工作，並作個別之調查，以期配合進行，務求普遍與確實。刻已整理結束者共爲二千七百八十四件，其中情形慘重急待救濟者共一百五十五案。前於敵人施行獸性屠殺時，從九死一生中逃出而親述其情形尚有傷痕可資佐證之碼頭小工柏鴻恩，及工人殷有餘，與被敵欲行強姦而搭門受傷之陸李秀英等之案件，連同調查表格照片等，已先行送交我國駐日檢察官向哲濬氏，提請東京戰犯法庭傳訊作證。茲誌敵人罪行已獲確鑿證據者之類別於後：㈠槍殺案一一五九件，㈡用刺刀刺殺者六六七件，㈢集體屠殺案三一五件，㈣拉夫案二八五件，㈤燒殺案一三六件，㈥打死案六九件，㈦先刑後殺案三三件，㈧先姦後殺案二十件，㈨炸死案十九件，㈩強姦案十六件，⑪施行體刑罰案十四件，⑫水淹案十一件，其他四十件，共計二七八四件。

1946.11.12《中央日報》 京敵人罪行調查

復區韓僑產業 查明後均發還

惟非法取得者則予接管

吳國楨發表談話 決嚴格管制紗價

嚴斥紗業理事長談話 警告紗商勿貪圖份利

紀念國父誕辰

首都各界開會慶祝

司徒大使

鑾巴立 離滬飛菲

新市長沈怡 十六日接任

平保公路 首次行車

籃球表演賽 今午兩場決賽

特務漢奸丁默邨 高院昨提起公訴

犯罪事實

組織偽特工總部 破壞我情報機構

證據

苦難的大同

察綏晉三省巡視記之二

訪吳國楨市長

漢奸一批判決

勾結日寇特工 陰謀組織突擊隊

看公事

撓撓手

可解決

文化人

地方官

合理的

管理後

受敵僞脅迫 純屬空言

猪肉漲價 每斤二千四百元

犯罪條例

京敵人罪行調查委會 昨舉行結束會議

航空郵資 昨起加價

世界學生日 京市籌備紀念

勞工報

京敵人罪行調查委會

昨舉行結束會議

【本報訊】南京市臨時參議會南京大屠殺案敵人罪行調查委員會，昨（十一）日下午四時於南京市臨時參議會會議室舉行，主席陳副議長裕光，計到南京市政府、高等法院地方法院、憲兵司令部、首都警察廳、市黨部、青年團、市農會、市總工會、市商會、蘇寧分署南京辦事處，國際問題研究所各有關單位代表及該會駐會委員二十餘人。主席報告該會於六月奉府主席諭，協助調查南京大屠殺案，乃根據行政院頒發盟國審訊戰犯所定之罪行三十三種，歸納爲：（一）槍殺，（二）刺刀刺殺，（三）集體屠殺，（四）燒殺，（五）打死，（六）先刑後殺，（七）先姦後殺等項。現已調查證有確證之案件二千七百八十四起，其中情形較慘重者，凡一百五十五案，並就被害人或其配偶親口所述而能出庭作證者，擇送十一案。目前業將全卷二七八四件，送作偵訊戰犯之參考。此外，蔣公敬君復將「陷京三月記」一書，記述淪陷初期日寇屠殺進行之血史，及市民吳旋呈獻敵於京大屠殺案敵寇罪行照片十六幀，一併送交軍事法庭，已於審訊戰犯谷壽夫時提出作證。此次調查工作之進行時，發現頗多因受害而全家死亡者，有被害家屬生活無法維持急需救濟者，第十一次參議會並經京委員會決議，分請主要機關設法，傳參議員視察，向有關機關請予救濟，計共一百五十三戶。至補充調查者，則以本會所送節約救濟捐款，分爲四萬或五萬之救濟金，發放救濟共廿六戶。該會因臨時參議會行將結束，決將未完工作移交下屆。

1947.2.20《申報》 德籍善士姓名已查悉約翰貝拉目前下落尚無所悉

彭部長答記者問 政府下月中改組

張治中談願爲和平奔走

（本報南京十九日電）中宣部十九日下午四時舉行記者招待會，彭部長對記者發問作答如左：

問：改組政府將於何時？答：[illegible]很快即可開始改組。

問：三月十五日以前，是否可以改組？答：可以。

問：孫院長科前曾對外記者談，和談將視[illegible]戰事結束政府有新決定；[illegible]

（本報合肥十八日電）張治中於十八日下午四時半，在此間省府招待記者。[illegible]

民社青年兩黨 駁斥羅隆基演說

民盟偏向中共乃不可否認事實

首都新運紀念會

通過向蔣會長致敬電

四十七對新人參加集團結婚

吉倫自京返抵平

當晚會與葉劍英晤談

美海軍亦將撤離中國

外部將發表聲明

我停止與菲談判

僑胞一致請揭堅決立場

宋院長闢謠

我未要求出售聯總物資

聯總中央委會開特別會

日軍在南京大屠殺時 德籍善士姓名已查悉

約翰貝拉目前下落尚無所悉

我籌備參加世界青年節

毛森奉命視察 江南各縣治安

木商同業案原判撤銷 省府令從重懲處

配合政府經濟緊急措施

主席召見 楊家駱等

薛篤弼西行 視察黃河水利

社論 太平洋島嶼的托管

[illegible]

要聞簡報

[illegible]

茲因外匯率調整進價增高經呈奉輸入臨時管理委員會核准自即日起上海油料售價改訂如左

[illegible]

德士古煤油公司 美孚行 中國石油有限公司 亞細亞火油股份有限公司 中華煤油公司 同啓

日軍在南京大屠殺時德籍善士姓名已查悉

約翰貝拉目前下落尚無所悉

〔聯合社紐約十八日電〕據文報紙「紐約州先鋒時報」今日載稱：一九三七年日軍在南京大屠殺時，曾保全無數華人生命之德籍善士，久經華方訪查，其姓名現已確定。該報兩主筆奧勃生道夫接洛狄與亞納多兩人來函各一件，證明其人為前任某德商公司駐京分行經理約翰拉貝。洛氏係前美國駐平大使館從繕職員，現服務於紐約州漢密爾登市柯爾凱大學，亞氏係前德國軍官參贊軍顧問，現居紐約，自聯合社南京六日電稱，市長沈怡等正在竭力訪查該人下落，擬給予經濟援助，國際救濟會美國會員亦欲令此德人回華，畀以養老金，藉酬其功，彼等聞悉之餘，遂來函報告。據稱：拉貝曾創辦難民收容所，保全數千華人生命，並主持國際救濟協會南京分會，嗣於一九三八年返德，因發表演說，展覽照片，暴露日軍在京暴行，遭秘密警察加以逮捕，閉置集中營內，至於目前下落，彼等亦無所悉。

遠東國際軍事法庭審判
根據《波茲坦公告》等
犯的要求，1946年1月
國代表組成遠東國際軍
立，負責審判日本甲級
殺設立專案調查、審判
專項說明，并判處對此
根死刑、

大屠殺戰犯
一系列協議關于嚴懲戰
19日，由十一個同盟
事法庭在日本東京成
戰犯。法庭對南京大屠
在判決書中對此予以
負有直接責任的鬆井石

1945.12.22《新華日報》 日本戰犯月内受審

英荷軍續攻爪哇人民

旅美爪人罷工抗議荷蘭反動政策

法艦四艘又在越南東北海岸登陸

△綜合報導：歸放印度尼西亞人民反對荷蘭帝國主義的戰爭，現在仍未能有解除的報導。據二十一日各方消息來，荷軍及英軍仍在繼續進攻中。

蒙巴頓總部發明說：荷屬東印度盟軍司令克里斯蒂遜並未奉命干涉爪哇政局，其任務僅限於解除日軍武裝，處理盟國戰俘和被禁居民，現已佔領爪哇和蘇門答臘的重要地區。」在聲明中，肯定了：「除英軍控制地區外，整個爪哇現在印度尼西亞人的手上」，而爪哇人民即「蘇卡諾領導下的共和政府處理。」但另一個蒙巴頓總部的聲明，則表明英軍統率下的廓爾喀軍隊已佔領原來在印度尼西亞人的手上的爪哇第三大城三寶瓏。蓋且說：「更多的荷軍和法軍將陸續調赴局勢不安，以及當地民族主義者與盟方佔領軍發生衝突的地區。」

茂物原來也在印度尼西亞人的手上的，現在也已為英荷軍所佔領。在巴達維亞，除一部份日軍與英軍「維持聯絡」外，其餘日軍則全趁在萬隆是英荷軍與印度尼西亞人發生戰爭的三寶瓏。由此可見，英荷軍甚至包括日軍，是向着印度尼西亞人所已佔有的地區前進的。據舊金山廣播，英荷軍仍繼續在爪哇登陸中。

印度尼西亞人民仍在繼續英勇反抗荷蘭的帝國主義政策，蘇卡諾領導的印度尼西亞共和政府還控制着爪哇的大部地區。

據舊金山廣播，印度尼西亞人獨立領袖二十日又向美總統杜魯門呼籲，請求制止荷蘭軍隊登陸。據紐約二十日合眾電，紐約港內荷蘭船隻上的印度尼西亞籍侍者和廚房雜務人員紛紛離船，以抗議荷蘭的反動政策。各船員等并向美國國家海員工會及其他團體呼籲，要求支持。

越南情勢，英印軍駐紮部隊已到二萬四千人，英軍佔領西貢城南北許多重要地區，法艦四艘又在越南東北海岸登陸。

何思源喪心病狂

勒索人民慰勞敵寇

替漢奸洗刷・誣蔑解放區軍民

山東旅渝同鄉會認為何氏談話與事實不符

△本市消息　旅渝山東省旅渝同鄉會訊：本月廿日中央日報載魯主席何思源談話謂：（一）山東麥棉豐收，（二）接收工作已大部竣事，（三）漢奸亦已就逮等語。在渝外縣中委、參政員、立法委員、監察委員及旅近來渝之魯參議會議長等共十五人，於二十一日在上清寺舉行茶會，以此等談話完全與事實不符，當議定共同致函何氏，請其對第一點從速更正，對後二三點從速宣佈詳情，以釋羣疑，而免淆亂聽聞。

△本報特訊　中央社昨（二十一）日發表山東省主席何思源的談話，「督省八年來抗戰經過」，誣蔑山東解放區的軍民為土匪，信口雌黃，混淆黑白，喪心病狂實已達於極點。何思源的這篇談話，是對本報十八日的一則消息而發的。本報該日新聞揭露了何思源最近在山東欺壓人民，蒐隊來仇的一部分罪行，事實畢竟是事實，何思源的狡辯無恥談話，只不過是不打自招，提供了一些個行逆施的證據而已。

第一，在這篇七百多字的所謂「抗戰經過」中，何思源裝扮為一個抗敵的英雄，但是關於打敗人一點，却只不零碎碎提到了兩三句，而且，是怎樣打的，具體戰況和戰果如何，何思源都說不上來，只能用一些空洞的字眼如「犧牲甚大」，「雙方損失均大」，「山東行政專員殉職者竟達十人」之類以敷衍搪塞。與此相反，這篇所謂「抗戰經過」講究樣打「土匪」的卻佔了絕大的比例，而且舉得出數字和人名來，據他說：「我軍與匪變方五千人以上之戰役凡廿八次，第一區專員中從周，第十五區專員梁鍾亭……均以身殉。」「敵人宣佈盜受波英坦……何氏率部西進

△山東九月十五日通訊　「偽警察還提手拿武器……」

濟南市的怪現象

武裝敵偽橫衝直撞

漢奸報紙照常出版

中揭露何思源進入濟南以後，勒索巨款慰勞那些因為進攻解放區軍民而受傷的日寇傷兵，何思源說是「博山淄川等地日偽，會受土匪侵擾，退到濟南後，無衣無食，我方予以百萬元以示救濟。……何得謂「倒行逆施」」。可是

△曼谷二十日電　遣奸數人被捕

再也遮蔽不住了

社論

人民的身體自由

在「政府與中共會談紀要」中的第四條說：「關於人民自由問題，政府應保證人民享受一切民主國家人民在平時應享受身體、信仰、言論、出版、集會、結社之自由，現行法令，當依此原則，分別予以廢止或修正。」這一條的內容既是雙方同意的協議，政府代表已簽字於下，就可視為政府當局保證人民自由的一紙宣言，人民就有充分權利根據這個宣言要求看到新的事實。

身體信仰言論出版集會結社的自由，都是民主國家中人民所應享的基本自由權利。尤其身體自由，那是人民的基本權利中的最基本的。中國人民的權利——身體自由也從來沒有享受到過。在封建社會中，任何政府機關都可以任意加以拘禁，處罰，處死。在法西斯國家中，集中了一切權力的國家統治者，運用警察和集中營制度，操縱着千百萬人民的命運，人民的起居行動以至整個生命的自由都完全喪失。這兩種情形，在中國現實中竟兼而有之！有無數軍事和政治的機關以至鄉村中小小的區鄉機關，都能自行拘押和審判人民，像新疆督辦公署那樣大的監獄里有暗無天日的地獄，就是街頭巷尾的特務機關也每天發生許多無辜小民性受摧殘的黑暗事件。再加上所謂特務人員橫行，無所忌憚，社會上就產生了一切離奇的事件。經濟學名流忽然……

全世界人民督責下

日本戰犯月內受審

工作進行遲緩預計為時兩年

△東京二十一日電　盟軍統帥部消息，月內開始審問日本各戰犯，現在被捕的日戰犯六百名中，有曾在我國犯有重大罪行的土肥原和南京大屠殺主犯橋本大佐。麥帥將派遣國際法庭的法官，主持審判。

△東京二十一日電　麥克阿瑟元帥總部的……

洛克昨飛廣州

△本市消息　美國杜魯門總統私人代表洛克，昨日由渝飛廣州視察當地經濟情形，如時間許可，或將飛台灣視察後再回重慶。（中央社）

新鄉城鬼氣陰森

敵偽奉命維持秩序

構築工事大捕壯丁

△台冀豫通訊　據太行九月二十六日訊：新鄉城內秩序極為混亂，人民惶惶不安。「奉命維持秩序」的日偽軍，帶着武器，到處恣意橫行，甚至公開搶劫，許多商號被搶掠一空。敵偽搶得貨物，又在通衢大街公開拍賣，某些老區的市民，化錢買了這種贓物回家……

台灣大漢奸逆獻堂

公然在滬活動

曾經會晤蔣伯誠，說是和「收復」台灣。

是喬遷之喜，還是進集中營？

——上海日本人進了指定區

△上海航訊　十月廿三日，是上海的日本僑民集中到「指定區域」去的最後一天，前一天整個虹口像被搬動了的蜂窠。板車，黃包車，腳踏車，……這都是日本人的「搬場行列」，老太婆穿着怪醜陋的紫腳褲的「國防服」，年輕一點的女人都改穿了不稱身的洋服和中國服了。大包小包，提箱攜籠，匆忙地向指定區域前進。

日本人的表情，本來是難以判斷的，可是我們從他們的態度上，可以看出像這樣一個日子，似乎毫沒有懺悔的心情。他們在笑，在喊，在和我們談話，但，像是隨隨便便的搬家，而不像是戰敗國民進集中營的情景，我想起了日寇佔領香港當時迫使英美人進集中營的情狀了，……

即將返綏活動

合衆社記者報導德王等逆僾游渝市的情形

蒙奸德王等在渝「公畢」

△本市消息　蒙奸德王和李守信，自乘機來渝後安富蒙藏委員會，現聞公畢，下星期內即將返綏有所活動。（H）

△本報特訊　關於內蒙大漢奸德王在重慶的情形，十五日，合衆社記者在他的「訪問記」中有所報導：

國共商談

關於雙方軍隊停止前進等問題

△本市消息　政府與中共代表，昨日繼續商談關於雙方軍隊停止前進，恢復交通和國民大會解放區等問題。（H）

英大使由滬回渝

△上海廿一日電　英大使薛穆爵士廿一日離滬赴渝。

潘文華由渝返蓉

國民黨部隊向豫北前進

遺恨渤海留殘業

陪都各界追悼范旭東

△本市消息　范旭東先生追悼會，昨天（二十一日）下午三時，在南開中學「午晴堂」舉行。到政府官員、參政員、工業界、教育界人士約五百人。

怪事出在中國

外蒙公民分區投票

庫倫市民踴躍參加

△庫倫二十日電　決定外蒙獨立的公民投票，已於二十日上午六時起分在外蒙各地舉行。這項工作事前曾經外蒙當局的縝密籌備……

善後救濟總署

△華盛頓二十日電　聯總準備增加對華援助……

犯並[illegible]前後的規定，但我們自然能首先審判最大的戰犯，不過小戰犯的犯罪証據比龔編東條等巨犯的詳細罪狀更容易，因此較小戰犯或者將首先受審。（合衆社）

△……

全世界人民督責下

日本戰犯月內受審

工作進行遲緩預計爲時兩年

△東京二十一日電 盟軍統帥部準備月內開始審問日本各戰犯，現在被捕的日戰犯六百名中，有曾在我國犯有重大罪行的土肥原和南京大屠殺主犯橋本大佐。麥帥將選派國際法庭的法官，主持審判。應受審的各戰犯，將包括發動瀋陽事變的份子，至於附逆和偽政府的主角，以及以叛國罪被控的奸徒，將由有關各國的法庭分別審理（中央社）

△東京二十一日電 麥克阿瑟元帥總部的戰罪組主任卡本德上校向報界說：日皇和各皇室不是可以免受戰犯審判的，如果得到充分的證據，戰罪委員會也將加以審問。盟國調查日皇時，不是以他個人的行動爲斷，而是要研究日本政府的檔案，日本的投降條件中，並無禁止審問天皇的一條。日本的戰犯現已達六百名，不久且將超過一千，戰犯的審判

1946.1.20《中報》 東京組國際軍事法庭審訊遠東戰犯

亞塞爾拜然省事件 伊朗正式提申訴

世界首相人選潘爾遜呼聲最高 聯合國大會定下週三開始討論

聯大會結束辯論

今後將進入小組委會階段 法代表演辭引起伶衆注意

繼辛斯基 行踪詭秘

一說曾訪土耳其

美海軍次長 由鮑萊繼任

英美蘇法外長代表 商討對五國和約

英外相與義副揆長談

馬尼剌新電台落成 將開辦俄語播音

謀增進美蘇兩國互相瞭解

印度代表呼籲 種族社會平等

東京組國際軍事法庭 審訊遠東戰罪犯

法官至多為九名由麥帥選任 影佐禎昆谷壽夫均作階下囚

美對我貸款

三千三百萬元用以購棉 經美國進出口銀行批准

美石油專家 啓程來華

助我發展煉油業

將學成歸國 我留美海軍官

美總統承認調解失敗 鋼鐵業將大罷工

八十萬會員週一晨實行

日本幣原內閣 受三土控制

韓學生示威反對託治 警察開槍斃兩命

並有一百十九名被捕

死亡之休假

紐約製箱工人 同時發生罷工

轟炸機互撞

醫院今闢配備 贈與宋慶齡

本年度先產獎技 錦標由兩人平分

禁山越嶺 跑單帮

要錢不要命

加緊徵糧 強制令

法國懲奸政策 西準備對付

十六國軍事團 將赴德境考察

法海軍捕獲 越人武裝船

英派遣特使 赴巴達維亞

觀察印荷談判

日商用炸藥 八百噸運華

匈牙利將宣佈 成立共和國

財產移交與美 夏威夷日領館

猶太人走私 遭英艦截獲

柏德遜抵印 會晤魏菲爾

澳核准對暹條約

國際點滴

各地通訊

松江　杭州　蘇湖　溫嶺　慈谿　湖州　平湖

東京組國際軍事法庭

審訊遠東戰罪犯

法官至多爲九名由麥帥選任
影佐禎昭谷壽夫均作階下囚

（聯合社東京十九日電）盟帥今日下令組織國際軍事法庭，審訊遠東戰爭嫌疑犯。並同時頒佈詳盡審判規程。法庭地址設於東京。法官人數至少五名，至多九人，由參加簽署日本降書各國提名，然後由聯合國最高統帥選任。法庭成立後，即迅速公平審訊遠東各戰爭要犯，處以應得之罪。凡個人或任何團體份子，被控有危害和平罪行者均將受審，其他犯有非人道罪行者亦在被審之例。法庭首席法官及檢察官均由盟帥任命，但對日本作戰各聯合國得任命助理法官。法庭務使審訊時期不致無謂延擱，與審訊無關之各項申訴不予受理。法庭並可決定被告在體力或心理上是否宜於受審。

（中央社東京十八日專電）盟軍總部本日下令逮捕日軍官及日僑嫌疑犯一百十一人，內有將官五人，其姓名爲我國人民所稔悉。五人爲影佐禎昭，谷壽夫，磯谷廉介，和知鷹二及川口，均對中國戰爭負重大責任。被捕之五人中，最爲吾國人所熟知者爲影佐中將，渠爲僞南京政府之智囊，汪逆精衛之密友。渠曾在磯谷廉介麾下，在中國施行進攻。另一使國人聞之切齒痛恨者，爲谷壽夫，渠爲前日軍第六師團長，渠進入南京時，造成中日戰史上可恥之「南京大屠殺」。磯谷廉介爲關東軍之參謀長，與和知鷹二於中日戰事一觸即發之前，爲土肥原之左右手，川口於戰事爆發後爲北平日軍事發言人。

（合衆社北平十九日電）前德國駐日大使歐金奧特今日押解赴東京途中，將被審訊有關東條內閣之各項問題，因日本前首相東條不久將以戰爭嫌疑犯受審。渠於過去三年中居住於北平，於星期四日爲美憲兵所逮捕，昨日由飛機送往日本。奧氏自一九三八年四月至一九四二年一月任德國駐日大使，在該時期中對加強德日軸心關係曾起重大作用。渠參加反共協定之談判，並爲德日簽訂三國協定之簽字者之一。

1946.3.8《新華日報》 屠殺中國人的劊子手鬆井自首

要求改善生活獲得解決 黔渝電訊職工復工

中央印製廠及中航公司工潮也已解決。川東郵務工昨一度怠工。

▲本市消息 黔渝電信職工三千多人，向當局請求改善待遇，昨已解決。渝黔雙方同意的解決的結果如下：一、職員補助費照生活補助十分之三發給，即得一萬二千元，中指去九千元作基本數（即自己拿出九千元），如以九千元購米一石，不敷時，由公家外貼，以現在米價一石計算，須外貼四千元。二、年賞獎金按照薪水內加成數計算，加百分之三十，但須從二十元到一百元止。三、救濟費，職員發八萬，工人發六萬五千元，一次發給。依照上面的解決辦法，除救濟費一項以外：例如服務一年以上，年在四十左右，薪水是五千元的，較過去增兩萬元左右，實現這新的辦法後，可得到六萬元左右，當局答應解決在三月開始實行。這次職工們的要求，已得到絕大部份的成功，並於昨日上午九時復工。（H）

▲貴陽七日電 貴陽電訊會職工自接渝局復工息後，即在今天下午二時全部復工。（中央社）

▲貴陽七日電 中航公司容勛工作者怠工問題，已得到解決，各線自昨日起均已恢復照常飛行。（H）

▲本市消息 秦于嵐至中央印製廠工潮僵持甚久，最近已告圓滿解決，自本月初起工人業已全部復工。按該廠工人於二月十四日曾爲要求發給米貼獎一億六千萬元，及取消超額獎金制度，改實行三八制等項而開始怠工，僵持至二月底，廠方除發給紅獎一億六千萬元外，發給獎金三月一項，有所變更，至於要求三八制，超額獎金及例假不上工，取消工作超額獎金制度等項，廠方業經全部承認實施。（生活社）

▲本市消息 太平門川東郵局醞釀已久的爲要求提高待遇事，昨天上午曾一度怠工，到處貼有標語，及全體職工致該局局長的信，陳述他們的痛苦（員工獎金，低者每月二萬多，最高的也不過四五萬），和要求提高生活待遇，後由該局局長顧希伯於上午十時左右召集各組組長談話，答應將職工要求轉呈總局，而以職工立刻復工爲條件，所以下午全體復工以靜候答復。（H）

▲鄭州七日電 此間電信職工，七日尚在怠工中。（中央社）

▲南昌五日電 贛電報局員工自一月二十三日下午四時開始怠工後，迄今十一日，據管局息，交涉已提出解決辦法。（中央社）

慶祝三八婦女節

蘇共中央號召全蘇婦女爲鞏固社會主義國家而鬥爭

▲莫斯科六日電 蘇聯共產黨中央委員會關於國際婦女節——三八節的決定如下：蘇聯的勞動人民，正在蘇維埃人民已經勝利地總結了偉大愛國戰爭，並且重新開始了自己的和平創造勞動，爲發展國民經濟與文化更進一步的繁榮而鬥爭的情況下，來迎接今年的國際婦女節——三八節。

在爲反對法西斯侵略者而進行戰爭的艱苦歲月中，作爲蘇維埃社會偉大力量的蘇聯婦女們的重要性，已特別有力地顯示起來了。蘇維埃婦女們證明了自己是我們社會主義祖國的熱烈的愛國者。蘇維埃國家的婦女們爲了對敵人爭取勝利而自強不息地工作。愛國戰爭期間空前的勞動功績，必將永遠銘記在歷史中。

蘇維埃婦女們所以能夠光榮地貢獻自己對祖國的天職，就是因爲布爾塞維克黨，蘇維埃政權，已把婦女們從過去的不平等與壓迫中解放出來。在蘇聯，婦女們在國家生活、社會生活、經濟生活與文化生活的一切領域中，都已獲有和男子完全同等的權利。

蘇維埃婦女們是社會主義工業和農業中的偉大力量。千百萬勞動婦女們，在企業中，在鐵路上自覺地工作着，自強不息地增進自己的熟練程度，順利地掌握新的複雜技術和事業。成萬的婦女們，在工廠和製造廠中，領導着工作隊、工作班和工作間。許多婦女們當了工廠和製造廠的經理。單說在工業方面工作的女工程師和女技術師，就有二十五萬名以上。

蘇維埃婦女們，在社會主義農業的所有各部門中，都起着極大的作用。有二十五萬四千名婦女已精通現代耕耘技術，當了拖拉機工作隊隊長，拖拉機司機和收割聯合機司機了。

蘇維埃婦女們，在我國積極參加發展科學。因爲在科學、技術、藝術與文學方面，完成卓異的勞作，一百一十六名婦女已榮膺斯大林獎金。我國的婦女們在文化領域中從事巨大而有效的工作，七十五萬名女教師在教育界工作，成萬的婦女們當了學校校長，教育局督學員，並在教育機關中擔任其他重要職位。約有十萬名婦女們在保健機關中服務。

只有蘇維埃制度能夠提高千百萬婦女們的創造的主動性，培養出工業，農業和農業中的女性斯達哈諾夫式工作者，培養出女性蘇聯英雄和女性社會主義勞動英雄，培養出女性斯大林獎金得獎人，培養出政府中的女領袖。

蘇維埃政府對於做母親的女性，享受到像在蘇聯享受到的這樣的關心，是任何國家做母親的女性所沒有的。已有七十五萬名以上的母親獲得「母親光榮」勛章和母性獎章。「女英雄母親」稱號已頒與五千八百五十位蘇維埃婦女們，國家特撥巨款以協助母親和孩子。單說過去一年內，大家庭的母親和獨身母親，就已共計領了二十億盧布的政府津貼。蘇維埃婦女——公民和工人——光榮而可敬地貫徹着她養育新生一代的高尚而負責的天職，做母親的婦女們，以蘇維埃愛國者的資格，以奮不顧身對祖國效忠的精神養育自己的孩子們。偉大愛國戰爭，已對全世界顯示出我國做母親的婦女們已養育出多麼英勇的一代蘇維埃人民來了。

婦女們積極參加蘇聯最高蘇維埃的選舉，生動顯示出蘇維埃婦女們高度的政治自覺性和組織性。在蘇聯最高蘇維埃代表之中，就有二百七十七位是女性。有一千五百名以上的婦女們當了各加盟共和國的和各自治共和國的最高蘇維埃的代表，有四十五萬六千名以上的婦女們當了地方蘇維埃的代表們。在蘇聯，千百萬婦女們和男子平等地參加國家行政工作。

蘇聯共產黨中央委員會訓令所有一切黨的組織，以更進一步組織勞動婦女們團結在共產黨的周圍，在新的五年計劃時期的年份中，順利完成社會主義建設方案的精神，來紀念國際婦女節——三八節。黨的組織必須對所有一切勞動婦女們廣泛說明：社會主義工業、農業和國家文化的新的繁榮，人民生活標準的提高，戰爭所引起的一切困難的從早克服，在很大的範圍內都要看她們的努力而定。黨，蘇維埃，職工會和共產主義青年團的一切組織，必須更廣泛地吸引蘇維埃婦女們來積極參加我國的全部政治生活，經濟生活與文化生活，幫同提高婦女們的自覺性和組織性。在蘇維埃的、經濟的、職工會的和黨的組織中，把前進的婦女們提拔到領導地位。

蘇聯共產黨中央委員會，要求黨的組織，應每天加深對婦女們和孩子們的關心，記住：教育孩子們是具有頭等的國家重要性的大事。所有一切蘇維埃的，黨的和社會的組織，必須給予婦女們一切的協助，以養育新生的一代。應該不惜作一切努力，以貫徹政府以更進一步改善婦女們工作條件及生活條件爲目的而作的決定，從事擴張托兒所和幼稚園、產婦院、保健機關，公共食堂和食品供應機關的網，並且改進他們的業務。

向爲確保各國人民間的穩定與永久的和平，爲自由與民主而奮鬥的愛好自由的各國的婦女們致敬！

蘇聯共產黨中央委員會，向蘇聯的所有一切勞動婦女們致敬，並表示堅定的信心：蘇維埃婦女們今後也必將不惜作一切努力，以更進一步鞏固我們社會主義祖國的強盛和力量。（塔斯社）

陪都各界婦女 今日紀念三八節

紀念大會在川東師範舉行

▲本市消息 陪都各界婦女三八節紀念會籌備會，對紀念會工作，連日積極籌備結果，已告順利完成。並決定今天下午二時，在本市川東師範禮堂擴開紀念大會，過開時即改在陪都青年館舉行。大會主席團已選定由婦女指導委員會等十五團體擔任，大會總主席定爲蔣夫人，大會講演人李德全、張藹真、鄧穎超及劉衡靜等四人及美、英、蘇、法四國駐華使館婦女。大會總指揮由熊芷女士擔任，總招待爲陳紀彝、鄧道真、及鄭英華三女士。

▲本市消息 中華婦女節制協會華西區江北分會爲慶祝全江北婦女，爲使她們自身幸福，並服務社會人民，特邀請當地婦女，籌備「三八」婦女節紀念會，今天將在該國校舉行音樂會，由中華交響樂團主奏，有市參議員任百鵬，當地保甲長及她們的丈夫參加，由高國秀等擔任主席團。

又訊 該會已在一日開辦了兩個識字班，有近百名婦孺失學者入班。她們正籌辦診所，爲當地因病無法就醫的人服務。（H）

▲本市消息 財台大學女同學爲慶祝「三八」婦女節，特於今（八）日晚七時，假該校礎齋召開聯歡晚會，以資聯歡，並請李德全、鄧穎超、安娥、史良等到會講演，並有遊藝節目助興。（生活社）

邱吉爾倡導英美軍事同盟 美國會及輿論猛烈抨擊

指出邱吉爾這項主張將挑起第三次大戰，英美軍事同盟將成爲第三次大戰前奏，將使世界形成兩大對立集團。

▲華盛頓六日電 英前首相邱吉爾的演說，業使美國會陷於激烈爭論中，共和黨議員史密斯說，邱吉爾「正企圖將我們捲入第三次大戰漩渦中」。美前民主黨若干議員則稱邱氏絕史氏說：邱氏企圖欲使美國捲入戰渦，「杜魯門總統是否一如過去故羅斯福總統一樣諸信其言耶？英美軍事同盟無疑即爲第三次世界大戰的前奏，而在此大戰中美國一如過去仍將任最大之損負」。邱吉爾提議的同盟，「形成一集團反對另一集團的聯盟」，「實導於過步之域」。「這同盟一向引起戰爭。」英希斯議員對邱氏演詞中所示英美是世界上惟有的文明國家一語表示遺憾。

前鋒論壇報說：「勿論共用什麼方法去取得蘇聯與西方國家間的友好諒解，都是今天所必需的，而在安理會中，美國及不列顛聯合國因其思想上制度上以及利益上的共同，在基本上永爲團結一致」。紐約下午報說：「邱氏的演說，實爲一思想上的宣戰，而英人如未獲他國的援助，實無力使其發生效力。美國人會要受他的蠱惑呢？我們是很難相信的。杜總統已將他的政府的全部威望置於邱氏演詞中，自此以後，危殆只有尖銳化而已。」芝加哥太陽報說：「設美國追隨此偉大而育月做邊之人所樹立的旗幟，世界就將遇世界最後的戰爭」。世界電訊報說：「英美關係對英蘇關係的實際考驗，是各國是否誠實遵守與維護聯合國憲章爲準，破壞該憲章的任何國家，均應自食其果」。（合衆社）

▲紐約六日電 對邱吉爾演說，紐約先鋒論壇報表示，以爲英美兩國見解制度及傳統相同，向靜在根本上融合一致。至於邱氏提出永久性的英美軍事同盟一節，此項意見對於若來反對涉及承平時代同盟的美國，殊感駭異。對於若干過去六年英美軍事合作之人士，也必認爲此種軍事同盟難於接受者。邱氏所說英美之間在事實上「同手足之誼聯合」，似應成事實。該報謂邱氏建議之內涵，對於其主張的是否可行一點表懷疑，並提出若干問題：其一、邱氏所說：「誼同手足」的軍事聯繫，是否必須美國確認英國在希臘、近東、印度、緬甸及馬來亞的地位。其二、設此一聯繫的目的，是阻止目前蘇聯「無盡止的擴張勢力」，則此是否與美國深所表明對於一般與英異途的受難人民所負的責任相悖。（中央社）

▲華盛頓六日電 美國會大多數議員都反對英美軍事同盟。但一般承認自從國際情勢日驟嚴重，但今日因無人相信或預料第三次世界大戰已迫在眉睫，無可避免。大多數議員認爲締結軍事同盟，不但不能增進聯合國組織利益，且將「迫使我們世助英國對其全球各殖民地的政策」。（中央社）

對美英法三國聯合宣言 西共和政府感失望

發表公報，要求各國與佛朗哥西班牙斷絕外交關係，並承認共和政府。

▲巴黎六日電 西班牙流亡政府，今天在巴黎發表公報，對英、美、法三國對佛朗哥西班牙的聯合宣言，極表失望。公報說：「西班牙共和政府雖對法國政府在該判期間所盡的努力，深表感謝，但對三國宣言仍獲痛苦印象。」「西班牙未曾自行或藉外力取消佛朗哥政權及長槍會，其理由斷非西班牙正當持三強的宣言，而係因西國人民正飽受武裝迫擾，故自知絕對無法完成這事業」。公報認爲解決西班牙問題的唯一途徑是，各國與佛朗哥斷絕外交，並承認西班牙共和政府，西班牙共和政府將權力在國內努力與法國密切合作，務求完成它的使命及理想。（中央社）

▲倫敦六日電 英下院今天開會時，有人問英外相貝文，問他是不是決定以西班牙問題提交聯合國安全理事會。貝氏答覆說：「我甚懷疑這事是否在聯合國憲章範圍之內」，又說：「英美法三國已以聯合宣言送交西班牙政府」。（路透社）

▲羅馬六日電 在佛羅倫薩舉行的抗議佛朗哥在西班牙實行恐怖政權的大會，通過決議敦促意大利政府與佛朗哥西班牙斷絕外交與商務關係。（塔斯社）

新德里羣衆遊行示威 阻止勝利閱兵

警察開槍死傷羣衆多人

▲新德里七日廣播 今天下午在新德里舉行勝利大閱兵時，竟發生連續幾次的羣衆遊行示威，企圖阻止這次閱兵。並且還向區遊鐵行，市府大廳，係路車站燃大火，而數度渲大燄燃，參加的人有許多學生與工人，警察趕來鎮壓，開槍射擊，結果有五人斃命，數人受傷，從件事情發生後，印度治安當局即宣佈晚九時到晨五時戒嚴，而且禁止二十四小時內的一切集會遊行。參加兵士有一萬人，預定的閱兵原是照常舉行，攜帶各種新式武器由印軍總司令奧欽勒克帶領，印督魏菲爾與蒙巴頓將軍都在三時以前到達會場。

英接獲法照會

法建議舉行四強會議

▲倫敦六日電 英外交部發言人今天證實，英政府已接獲法政府照會，建議英法蘇美舉行四強會議，討論魯爾、萊因區及德國的中央行政等問題。記者同時自非官方人士獲悉，法國建議此會當於巴黎舉行。（中央社）

聯合國組織

租用紐約亨特學院

▲紐約七日電 聯合國組織與紐約市簽定租約，租用亨特學院，以供安全理事會之用，訂明自三月一日至五月十五日止，每月租金九千三百卅三元。這是聯合國第一次簽訂合同。聯合國組織於倫敦借用會大廈，不付租金，所租的中央大廳爲付租金，則未簽定合同。（中央社）

正式協定尚待商討 法越協定草約簽字

草約規定法承認越南自治

▲河內六日電 法越協定六日下午由胡志明、桑泰尼代表越法雙方簽訂草約，雙方並邀請中美英三國在越人員參加作證，正式協定路等日後局勢安定再行商訂。今所簽訂者，僅爲決定一般原則的草約，規定越南爲法聯邦之一部。法承認越南有自治權，越南政府得自行設立議會，享有財政與軍事的自主權。越南政府並得控制東京、北圻、中圻、南圻地位，俟三個月後舉行公民投票，決定法國得在越南駐兵二萬五千人，其中一萬人爲土著兵。（中央社）

熊克生將獲釋

不法警長已被拘留

▲本市消息 熊克生醫師，爲參加參議員競選，被警長楊建臣等誣爲煙犯，無理拘押三月餘，衛戍部請醫院驗查，久無結果。前日衛戍部軍法處提審，警長楊建臣等士文敏白等，證人與陳代表，當面治諸等誣事，楊發到場，當由衛戍部軍法官審訊，結果警長楊建臣及吳志剛拘留衛戍部看守所，文敏白等取保候傳，熊醫生仍拘押，但此案諒不久即可大白。（H）

胡文瀾等發起 糧民請願團

▲本市消息 川省各縣糧民，以省政府及省參議會從法徵借中央發還四川糧民歷年借谷本息，特在成都發起徵借償還團，嗣因各法案遺發款，參議會已達八十餘市縣。該團近又派代表來渝聯絡川東各縣人士，一致響應。爲申張正義，謹留渝人士。此間紳耆胡文瀾何籍等及各縣旅渝人士響應此項運動，特發起組織四川糧民借谷索償請願團，定本月八日招待陪都新聞界。

中華同志會 宣告成立

▲本市消息 中華同志會業於最近成立，並於昨日午后假青年會招待記者，說明該會的性質及主張。其宣言中認爲對政治協商會議各項決議「無可非議」，「國人皆應督促其實行」，在國際上主張「一主權獨立領土完整的民對國際問公開經濟平等合作」，「一切秘密外交」，及「與世界永久和平，以進世界於大同」。該會會員包括國民黨員及工商文化各界人士三百餘人。（H）

星島英國當局 規定僑匯辦法

每月華僑僅四十元

▲新加坡六日電 英國當局今天宣佈自三月十八日起，華僑可開始僑匯。但㈠須由銀行或經核准的匯兌莊匯出。㈡每月至多得匯馬來幣四十元。㈢華僑每戶不得有一人以上作此項匯款。㈣此項匯款須作爲養家費用，不得爲其他用途。英當局並宣佈：所有僑匯局，匯兌莊匯出，且警告所有僑匯都受外匯管制。凡犯財政規章或上列各條者，均將處徒刑三年，罰款一萬元。我國政府公佈金掛牌法幣二千零四十元後，星加坡市場上的法幣黑市價格爲法幣一萬元合馬來幣十八元，一月前則合馬來幣三十五元，故已跌百分之五十。（中央社）

沙利告記者

借停戰令不久可發下

▲倫敦七日廣播 巴達維亞訊，印度尼西亞共和國總理沙利告訴記者說，他相信停戰令在兩期內就可以發下。

扶助和發展民營工業 中小工廠聯合會成立

▲本市消息 中小工廠在數月來生死的掙扎中，經過月餘的籌備，已在昨天下午成立「中國中小工廠聯合會」，成立大會在西南實業大廈舉行，到百餘個廠家的代表，由徐崇林主席，報告該會成立的意義說：必須扶助和發展中小工業，才能建立起一個工業化的新中國，但目前在中國中小工業的面前，尚有重大的困難，必須經過自身的聯合努力才能解決與我們自己利益相關的問題。主席報告畢，即討論並通過會章，並選出理監事卅二人。（H）

松井自首

◇屠殺中國人的劊子手

▲東京六日電 中國戰事爆發時，日本駐華軍隊司令松井石根，已向巢鴨監獄自首。該監獄管理人哈代上校說盟軍當局早已下令逮捕松井石根，因他適在病中，乃准予緩捕。（合衆社）

杜魯門邱吉爾 將同返華府

▲華盛頓六日電 白宮今日宣布，杜魯門總統今日下午將近三時前飛返華府，以便處理預定的一切約會，邱吉爾仍在總統之專車中，預計明晨可以抵此。（中央社）

美總統與財長 會商對英貸款

▲華盛頓六日電 杜魯門總統今日午後自密蘇里及俄亥俄州返此後，隨與財長文森會商對英貸款事宜，文森現於參院委員會中就貸款事提出報告，一般相信文森乃唯一可克服參院反對貸款英國之一人。（中央社）

伊朗總理 離蘇返國

▲倫敦七日廣播 伊朗總理沙丹納已經由莫斯科返國。他在動身以前發表談話說：他對於蘇聯的招待非常感謝，他沒有放棄將來與蘇聯建立互相瞭解的希望。

隨馬張周三將軍巡視華北記

本報特派員 周而復

集寧機場一小時

一點二十分鐘後，到集寧機場。這時，晉綏方面綏遠軍區司令員張宗遜，政治部主任甘泗淇，及集寧軍區司令員姚喆，綏蒙政治部主任[illegible]，執行小組克瑞格上校、蔡文欽上校、孫志遠少將等已在機場等候。

一下飛機，寒氣逼人，狂風大作，塞外氣候，果然不凡。記者二十天前曾在集寧停留五日，那時氣候之好，甚至不知身在塞外，今天確實領略了塞外風寒了。

馬張周三將軍下了有五星標誌的飛機，即到其餘人員所乘的飛機上開會，聽取集寧小組美方代表克瑞格上校報告工作，三將軍聽完以後，做簡短談話：今天小組解決問題要根據政治協商會議及整軍方案大原則去談，與大問題無關的小事，勿斤斤計較。此外，馬帥更強調今天不是誰是誰非問題，而是要尋求解決問題的途徑，要有互讓互諒的精神，最後勉勵小組已得的成績，很好。

當他們在飛機上舉行會議時，記者無事，正好賀龍將軍未參加聽取小組工作報告，中外記者希望訪問賀龍將軍。記者乃請賀將軍去記者專機，上去接着就被記者們的一個個問題所包圍住了。賀龍將軍叼着他那一隻似乎永遠不離嘴的煙斗，坦率爽快地一一答中外記者問。

晉綏軍區現有四百五十萬人口，七萬正規部隊，軍事三人小組任何命令，一定徹底實行，現正着手準備復員，使戰士解甲回家務農，要是戰士回家沒有土地，政府給予金錢，做爲生產資金。老解放區人民生活，一般地都提高，自己生產棉花棉布，解決吃飯穿衣問題，做到自給自足程度，即使縣外邊區糧食，邊區以內軍民也有飯吃。新解放區人民生活，也已改善，過去敵人統制時，人民布匹糧食油鹽都配給，每年不夠穿吃，現在可以隨便買賣，自由貿易了。

賀龍將軍的話尚未談完，中共方面請他去開會，而記者專機政府方面樂借它開會。記者於是下來。美方馬帥、羅伯森先生、伯榮陳准將、克瑞格上校則平行背風而走，邊走邊舉行會談。馬帥的淡棕色的呢大衣，給羅伯森先生的咖啡皮子大衣一襯，風中，馬帥精神更見煥發。

三方面各自舉行完會談，即各返原機，三時四十分鐘起飛，四時五十五分抵平。

周恩來、賀龍二將軍到南河苑寄明非中共人員去面住宿，召集中共全體人員講話。六時許，馬張周等三將軍赴懷仁堂政勤殿，應李宗仁將軍之宴。

濟南一幕

九時零五分起飛，十時三十五分降落濟南機場。當馬張周三將軍快檢閱儀仗隊時，記者們才提將上去，沿途特別戒嚴，路上不見一個行人，每隔數十米遠，就有一挺機槍，數名大兵放哨，但一入市區，情況迥然不同，大路兩旁站滿羣衆，大路當中懸掛橫幅標語：「歡迎馬歇爾元帥」，「歡迎和平使者」……羣衆手中不少持有三角旗，也是標語，記者在路上觀察發覺有如下的標語：

——打倒汪精衛第二毛澤東！

——制止共軍沒收人民財產！

在歡迎行列裏，有一處有四個人在羣衆當中高豎：「打倒共產黨，反對共產黨壓迫人民」——但願者多數的羣衆都不隨聲而呼。所以這呼聲就特別使人注意，足見少數者，畢究是少數者。

我不知道這時候什麼「和平」，一面要歡迎人家發出要和平的樣子，而一面又要打倒這個，打倒那個，這怎麼能夠「和平」起來？這大概叫做「濟南式的和平」吧？

但另外還有一幕精彩戲在省議部門內國場上演出。

馬張周等一行被歡迎從前的日本領事館，現在的國民黨山東省黨部裏，一到，立即開會，爲濟南小組美國代表克上校報告工作，十五分鐘後，張治中將軍首先發言，代表政府對小組代表的努力，表示感謝，目前的困難是糧食，人民沒有糧食是最痛苦的，所以亟需解決這一問題。

繼起致詞的是周恩來將軍，他說山東小組是最艱巨的，地區也特別大，對於執行時要特別致以謝意。但是在打棒球時，使方都不守規則，評判員又打不起球來。所以執行的事，還希望雙方去做。

周恩來將軍說：山東的問題，因爲大部分偽軍加委，變成國軍，比較困難；但是要解決。糧食問題，也很困難，由於過去在敵我中，城市與鄉村處於對立狀態，一時不易改變過來，但是要改變。交通問題，因爲在戰爭時期分割數段，非短時期內所能解決的，同這張部長意見，要對於各個問題的解決，要嚴格遵照各項決議去看，不要孤立的看，就是「一定要各方面嚴格調查，就地解決」。濟南小組成爲模範小組。

馬帥因表示美國的困難，只是變少的許許制員，不過許許制而已，不能執行，這就等於打棒球的一樣。美國國民政府之不許干涉到中國來，因此事，只提出三個問題：一是流亡外面沒有飯吃；一是許多同學家鄉淪陷要求回家；一是請一講東北現狀。當他說話時，有人說他不能代表大衆意見，他急着跑過來給大家說：「原諒你們小弟弟，你們都是老大哥，有什麼不對，請多指教」。話說這麼說，他自己卻以羣衆代表姿態去找張周馬去了。馬帥已答應講，張將軍因怕，不準備講，周恩來將軍說因爲三人小組，都是兩方同時接見，只要張部長出來講話，他一定來見諸位同學。但是這位張發才抑出來對羣衆說：「周恩來不願意講我們講話，叫我們回去，你們同意不同意」？在他鼓動與歪曲之下，羣衆自然不同意。這位青年真是會煽動，只是有一個缺點：叫做撒謊。親身知道此事的周恩來將軍英文祕書黃華先生，過去和何思源先生談，希望何先生對此學生不滿意的傳達，有個說明。何先生只是對學生說張將軍忙，叫學生回去。這以好由黃華祕書聲明真象，羣衆馬上熱烈鼓起掌來了。

這時，有出來省立醫科專門學校、濟南市立中學、濟南中學、培才中學、齊西南十六縣民衆代表請願團：「歡迎馬歇爾元帥爲偉大公正的和平統一中國……」等。一個掛着濟南各界歡迎馬歇爾元帥歡迎會出入證的中年人，跑到學生面前來他證工作，而受檢查說：「一定要求周恩來出來講話，你們呼口號，要外交要和緩，內容態度要硬」。這位先生指示完走了，站在省立醫專校旗下的幾位同學低低地說：「我們是學生，也不是黨員，別的事不管，我們只要求回家」。

另外有位穿黑制服的濟南中學學生張發才跑到前面來前去動員，叫他們最後出說的是周恩來將軍的共同意思。

馬帥說：現在是中國最艱苦的時期，我們到中國就看出來了。我們羣我們，你們的和平，讓你們力量能爲此目的而努力。我們在此的青年們，要努力。你們希望要得到一個和平統一繁榮強盛的中國。謝謝你們。

一會，張將軍出來說：我可以告訴大家，我們對你們的歡迎，表示感謝。

「各位先生，我和馬張兩將軍到此，受各位熱烈的歡迎，甚爲感謝。諸位的犧牲很慘痛，就是要和平。抗戰勝利後，我和馬將軍不斷努力的，就是要全國實現和平。山東在八年抗戰當中，在敵人殘酷的統制下受盡了痛苦，我現在來慰問諸位先生。現在鄉村和城市不應該再隔絕了，應該交通了。城市父老需要糧食，鄉村父老需要商品，我們應該保證實現這個。我看見王耀武將軍和陳毅將軍握手言歡，我很高興，這可以保證山東的永久和平。這次我們三人來，諸位所最關心的一個，中央關懷山東父老、兄弟姊妹的幸福、和平，也才能保證世界和平。山東是最有文化，最偉大的一省，中央要如此，才能保證遠東和平。山東的父老兄弟姊妹，一定能得到和平安樂幸福，一定會實現的」。（未完）

松井自首

▲東京六日電，中國事變發時，日本駐華軍隊司令松井石根，已向巢鴨監獄自首。該監獄管理人哈代上校說盟軍當局早已下令逮捕松井石根，因他適在網中，乃准予緩捕。（合衆社）

1946.3.22《中報》 南京大屠殺的劊子手 本間死有餘辜

蘇要求安理會延期開會 中英美一致反對

杜魯門否認建議舉行三巨頭會議 傳蘇對美照會已有答覆

（本報訊）聯合社廿一日廣播：杜魯門總統今在記者招待會席間宣稱：安全理事會擬於下屆開會，決不延期，蘇方請求延期一節，杜魯門總統表示反對。

（本報訊）舊金山廿一日廣播：杜魯門總統今在記者招待會中宣稱：渠並未建議舉行三巨頭會議，並謂：在戰時由三國領袖所處理之問題，在目前應由聯合國機構所代之。

毀造原子武器設備 全部應予毀滅

我代表在聯總會席上 責糧食分配不公

中英貿易漸見恢復

戈林所集古物 值五千萬馬克

本間死有餘辜 麥帥批准維持原判 令史幫友執行槍決

爪哇續有戰事 英以飛機大砲轟擊 東印軍司令請停戰

邱吉爾返國

蘇新大使抵德黑蘭 伊閣召緊急會議 史達林有照會致伊朗總理

傳蘇特族成立自治共和國

伊朗前總理突然被軟禁

蘇聯修改憲法 設委員會推辛斯基爲主席 檟有大批部長名單經批准

華萊士演說 正告蘇聯

傳蘇聯潛艇出現於爪哇

成立僞九日比內閣總辭職

適應國防需要 印三軍應現代化

印度法案

保政府辭職

韓境美蘇委會 會談進行順利

拘汝瑰抵東京

國際一點滴

鑽錠

英指揮之波軍 將被遣返回國

社論 新行動與提高警覺

各地通訊

蘇州　鎮江　江陰　嘉興　湖州

南京大屠殺的劊子手 巴丹島的一條毒蜈蚣

本間死有餘辜

麥帥批准維持原判 令史帶友執行槍決

〔聯合社東京廿一日電〕八打雁屠殺案主犯本間雅晴中將，前由馬尼剌軍事法庭判定槍決，今日東京麥帥批准，並下令西太平洋美軍司令官史帶友中將予以執行。麥帥並未對山下奉下令去其軍服，故本間得以軍人資格在菲律賓就刑，惟行刑時日尚由史帶友中將決定。

〔聯合社東京廿一日電〕日政府早於去歲十月十八日，即已對本間雅晴施以最嚴厲之懲戒，下令褫奪其陸軍中將一切榮譽，並禁止穿着日軍裝，故本間大約將穿便服，受美軍槍決。

本間雅晴是日本的陸軍中將，早年曾留學法閥，與鈴木貞一同樣犯了侵華侵美的兩大罪名。當日本開始侵華之初，松井石根在上海吃了敗仗，於是派本間到中國來，攻打南京是他登龍門的開始。他的部下據說上自軍官下至伍卒，都是智識份子和學生們所組成，可是屠殺起南京和四郊的百姓來，比那些北海道的野蠻日人還要狠毒。本間的部隊後來在我國境內也曾攻打武漢，屠殺過長江沿岸的人民。他在民國廿八年受任「天津防衛軍司令官」，封鎖英租界，強取我方存儲的大批白銀，並且教使漢人和日本人合作，惡化淪陷區，殺戮人民，這是他的「輝煌傑作」，也是我們永遠忘不了的一回事。太平洋戰爭掀起之時，本間任駐台灣日軍司令官，馬上奉命攻打菲律賓，麥帥因猝不及防而棄了菲島，巴丹島上的特種部隊，也遭了這個「混世魔王」本間的猛攻，歷戰一個月，據說特種軍因彈盡援絕而被俘，但本間部隊的元氣也受到重創。本間因此在佔了巴丹之後，爲消滅後患起見，他便將所有的被俘，以及當地民衆，巴丹島上的血，幾乎染紅了地面。在這劫後的島上，本間成了一條毒蜈蚣。後來本間被調回國，充預備役，及至勝利的號角響了，盟軍佔領了三島，逮捕戰犯之際，本間終於自首，做了階下囚，不久就要被槍斃了。

1946.5.10《中央日報》 血債待清算

外長會議即結束
美英法外長祕密會談
蘇不同意下月開和會

羅保疆界恢復原狀
羅蘇疆界維持現狀
邊境二省決定劃讓與蘇

美外交界權威稱
歐洲分割局勢形成

對韓問題生異見
美蘇會議停頓

美向聯合國建議
設報道自由小組
婦女小組提出廢娼建議

美記者宣佈
在蘇採訪難

我駐日代表團
業告成立

向中國人學習
寶庫·最好的市場
施恩作
潘煥昆譯
中國人喜歡美國
黃連樹下彈琴
中國人不會失敗
生活與哲學

旅美僑胞
共七萬七千人

聯總舉行理事會
聯合糧食局工作至今年底
英樞密大臣將飛美商救災

安理會通過美建議
伊朗問題延期討論
盼伊於二十日前提出報告

英埃談判
進行順利

荷印總督返任
最近重開談判

越南又徵收苛稅
對華僑更多留難

澳外長深懼
日武力再起

血債待清算
日讀賣報知刊載
南京大屠殺慘況

審訊戰犯或出庭
日皇將提前遜位

鮑萊抵檀香山
擬移出東北非必需設備
以助中國及菲律賓重建

爪哇僑胞
切望祖國援助

英印會談
今日又休會

羅哈斯赴美
經日曾晤麥帥

原子彈試驗
美邀請參觀

歐戰結束一週年
美並未鋪張紀念

巴勒斯坦糾紛
蘇聯準備參加

國際鱗爪

美發明一雷達器
能引導飛機降落

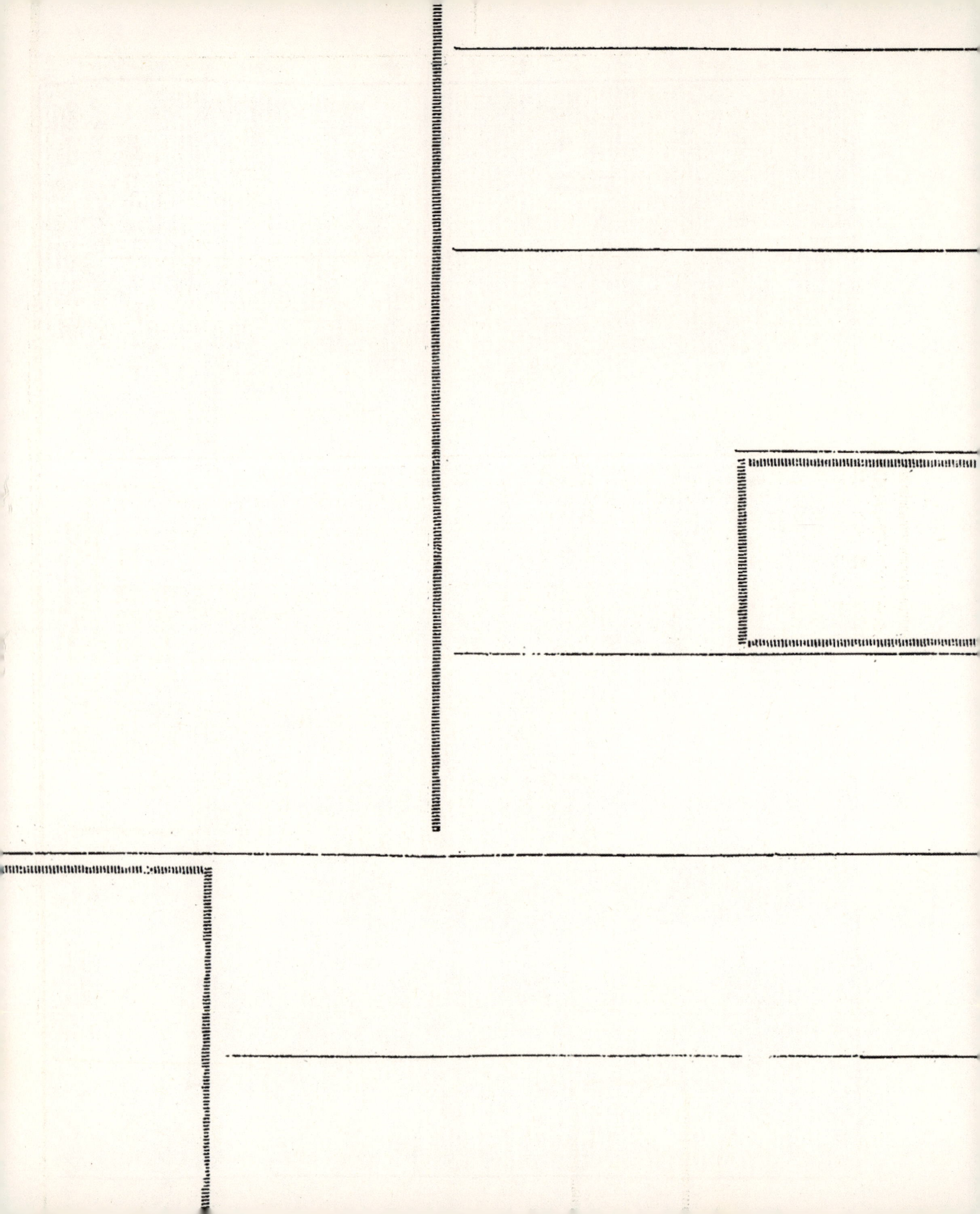

血債待清算

日讀賣報知刊載 南京大屠殺慘況

【中央社東京九日專電】讀賣報知今日刊載：曾於一九三七年十二月及一九三八年一月，隨日軍入南京之前日本戰地記者石川訪問記一文，敘述目睹日軍在南京恣意從事強姦屠殺及其他暴行之事實，由於石川描述殘難想像之暴行，前攻南京日本總司令松井石根及他十一人，將據國際軍事法庭所提第四十五號訴狀而受審。該起訴書稱：俟其入南京時，街頭陳屍之衆令人驚愕，日軍以石油傾於多數房間之地板上，而後投擲手榴彈，居民因之殞命，多數中國人被圍於閱兵場，用機槍掃斃，日軍爲用子彈殺人未免浪費，故將人投入長江，日軍驅成羣中國人民往長江橋上，而後以刀斬梟彼等之首。日軍在長江下流架機槍守候，有自橋上躍入江內而仍抱木板桌子等具等浮物，企圖游水逃生者，即向之射擊。石川聲稱：軍人在情緒興奮時，往往有不守紀律之行動，然就南京而論，其行動誠屬殘暴之至，有來自三重縣之陸軍傳教師名片山者，竟拋棄其新婚妻而作殺人魔鬼，彼左手持經，右手持槍，殺斃無武器之中國士兵凡二十名之衆。石川於書中並描述中國婦女被強姦之情況，然陸軍當局於戰事期間禁止其刊出此敘，中央公論雜誌於一九三八年三月號因刊載其書之一部份，而被迫停刊，石川本人亦入獄四月之久。讀賣報知本日刊載石川訪問記，引石川之言曰：以軍隊主義自傲之日本人民，對其陸軍在中國之野蠻行動，應有所悉知，彼希望該項報導對於日本人民能發生若干作用。石川又稱：彼不知日軍總司令松井石根是否知悉此等暴行，然一九三七年十二月十七日松井入南京時，該城猶充滿血腥氣，余聞當局曾下令，凡抵抗者固殺，平民亦殺無赦，然不知此令係師團長抑部隊長所發。

1946.6.7《申報》 清算南京大屠殺案首批證人即赴日

申報
第二萬四千五百三十五號
發行人 陳景韓
今日本報貳大張
每份售國幣壹百貳拾元（外埠另加郵費）
地址 上海漢口路三〇九號　電話 報館 八二八四九 四二三〇（?）
中華郵政特准掛號立券之報紙

蔣主席昨頒布命令 東北國軍停止前進

今日正午起期限十五天

（本報南京六日電）停戰十五日之臨時協定，經政府與中共代表及馬歇爾特使會同簽字後，六月午十一時，中央宣傳部遂以閃電式之行動，立刻以電話通知各報及上海各報駐京辦事處，在中宣部舉行中外記者招待會，由彭部長學沛主持，即席宣布國府蔣主席六日頒發之停戰令。

（中央社南京六日急電）國民政府蔣主席六日正式宣布：余頃已對我在東北各軍下令，自六月七日正午起，停止進擊，前進及攻擊，其期限為十五日，此舉在使中共再獲得一機會，使其能確實履行其以前所簽訂之協定，政府採取此一措施，絕不影響其根據中蘇條約有恢復東北主權之權利」。

下列各點必須在此十五日內獲得完滿之解決：

㈠完全停止東北衝突之詳細辦法，

東北停戰十五日命令 國防部電令遵照

陸定一稱延安亦即下令

英相在下院 談對華政策

蔣主席親擬公告 三項重要提示會加紅圈

國軍渡松花江

蘇省臨參會揭幕

漢市準備歡迎 退伍鄂籍青年

川糧源源運漢 前後共廿一批

軍調部沉悶空氣一振 白魯德飛赴長春 修路整編等即恢復談判

伊寧事件解決 協議昨晚簽字

漢蒜民求救濟 與行總起爭執

平工程學分會 慶祝工程師節

財政收支系統會議 昨晨舉行揭幕式 並開首次大會討論提案

歸僑出國復員 政府給資輸送

四處內地港埠 外輪准予卸貨

魏道明返國述職

公務員待遇調整 分區新標準本月起實行

粵市府借債度日 陳策招待記者報告工作

何應欽上將 短期內出國

清算南京大屠殺案 首批證人即赴日 許傳音曾目睹全部經過

廣州稅捐 徵收統計

國府命令

要聞簡報

清算南京大屠殺案

首批證人即赴日

許傳音曾目覩全部經過

〔中央社南京六日電〕舉世聞名之南京大屠殺案，最近可望於遠東國際軍事法庭中得一總清算，茲悉，該庭刻正審理日本主要戰犯廿八名，渠等對南京大屠殺案直接，間接均負有重大責任。該庭方面為求確實公允，特派美籍檢察官索頓律師前來南京，向我國政府請求推選南京大屠殺案之見證人，聞我方對此頗為重視，連日有關方面正在積極物色目擊此一慘劇之各方人士，刻已有許傳音博士，程瑞女律師等十餘人與索頓律師接觸多次。首批證人許博士等一行，將於六月八日啟程赴滬，轉飛東京。按許氏為美國意利諾大學經濟政治科博士，在教育交通界服務數十年，並曾擔任紅卍字會副會長，南京淪陷初期，許氏曾在京親覩大屠殺之全部經過。

1946.6.11《救國日報》 南京屠殺案證人飛東京

解決對德政策僵局
美準備向俄提最後通牒
列舉二項辦法任擇其一
德國應建為自治聯邦美已同意英國建議
俄阿恢復外交關係美深為不安

（中央社華盛頓十日合衆電）記者今日獲悉，美已準備於巴黎向蘇聯提出最後通牒，……

中阿談判訂立商約

貞理報猛烈抨擊貝文演說
謂建議召開和會心懷叵測

亞塞爾拜然總理 攻擊伊朗左翼黨派

瑞士首任駐華公使 昨向主席呈遞國書

瑞士公使頌詞

主席答詞

公使略歷

「風」謎之今始揭破
原係英國珍珠港之暗號

義大利定昨晚 宣佈為共和國

荷印印尼談判迄無進展
華僑盼祖國採保僑措施

蘇俄科學家 下月赴堪察加研究火山

雅爾達協議內容 始終保守秘密

暹王因槍爆炸致死事 攝主席囑外部專電致唁

暹童年國王因槍爆致死
新王浦米那阿杜德出任

李拉爾 即將赴法

防止海員罷工 煤礦工潮已解決

日紡織工廠 十三家受控制

布勞德即將返美

國際扶輪社會議閉幕
我代表王正廷發表演說

蒙哥馬利赴中東 考察撤兵諸事項 研究新國防基地

朝鮮兩教士 遭俄軍謀殺

美報評論 印度獨立方案

國際民航會議 已告閉幕

法社會黨 拒絕參加新政府

傳司盟將接受印督建議
印政委同盟可獲五席

美國陸軍試驗飛彈 直入高空二百二十里

分配救濟物資 限於收復區

青年團二全大會 改在南京舉行

主席召見京參議長
并諭令對南京大屠殺案協助調查

南京屠殺案 證人飛東京

吉田茂派員向社民黨 解釋政府對新憲草態度
日皇宮由盟軍士兵守衛

市參會決議

京市佈置優美營地 招待復員青年軍
首批復員青年軍已抵滬

首都高等法院昨日宣判
莫逆國康處徒刑十年
沒收漢奸財產及酌留問題 高院業經呈請司法院解釋

天津冀高一分院 初審巨奸徐良

中國運輸學會 開會員大會

田耕莘 昨謁主席

褚逆之妻 又狀請再審

某海軍部隊 招考男女隊員

錦湘粵鹽 補納糧價

連瀛洲 赴滬轉返新局

浙主席沈成章

南京屠殺案
證人飛東京

（中央社訊）東京遠東國際法庭，週前派塞頓上校等來京，邀請南京大屠殺案目擊者，赴東京作證。我政府選定許傳音，尙德義，陳福寶，及前金大校長貝士博士（da boty）等爲證人，已於八日赴滬，定昨（十）日飛赴東京，東京國際法庭方面，並邀請國防部秦次長德純，及前任經濟部部長壽文顏氏赴日，以便對日關發動戰爭，及經濟侵略等罪行，提供有力證據。現聞顏氏因公不克前往，秦次長則將於日內成行。

1946.6.19《大剛報》 審訊屠殺南京戰犯

外長會議初步進展
對義和約經濟部份獲有協議

【本報巴黎特派記者十七日專電】

法政局益趨複雜
新制憲會今選舉總統
共產黨已退出新政府

（中央社巴黎十七日專電）

爪哇華僑生命
亟望祖國保障

【本報訊】上海電訊

伊朗即將總選
伊政府謂伊內政外交
決不容任何國家干涉

（中央社倫敦十七日專電）

制裁佛朗哥問題
安理會辯論仍未有結果
英主張提交聯合國大會

〔逞越糾紛還決向安理會申訴〕

【本報收聽舊金山十八日廣播】

英訪印團聲明
國大同盟未有反響

【本報收聽舊金山十八日廣播】

巴力斯坦猶太人
展開反英運動
破壞鐵路橋樑并有暴動

【本報訊】上海電訊

美又發明
新型轟炸機

（中央社底特律十八日合衆電）

日本土地改革
對日委會提出建議
將待麥帥總部決定

【本報舊金山十八日廣播】

原子能委會
擬就程序規則

（中央社紐約十七日專電）

中宣部
今招待記者
宋子文出席報告

【本報訊】

金陵座談會
昨舉行三次會

【本報訊】

審訊屠殺南京戰犯
鮑威爾等抵日作證
遠東法庭阻止辯護律師囉叨
日皇不受審檢察官表示不滿

（中央社東京十八日合衆電）

夏令衛生宣傳隊
昨舉行首次會議

（中央社訊）

紐倫堡法庭
審訊月底終結

戈林等將判處絞刑

（中央社柏林十七日專電）

抑平張風
各業未經核准之前
不得擅自提高價額

（本市訊）

吉普車做生意
·兼載乘客·

（本市訊）

青年軍昨遊行
·謁蔣主席致敬
並接受檢閱·

（中央社訊）

復員青年軍在南京
蔣主席檢閱 中央社攝

上海灘

困窘日深·絃誦難安
蘇省教員總請假
發佈宣言籲請調整待遇

（本市訊）江蘇全省中等學校教職員

宣言

補習學校
未登記者即取締

（本市訊）

南國足球健將
定期來京比賽

（本市訊）

敵偽傢俱
今日拍賣

（本市訊）

郵局試行
簡化手續

（中央社訊）江蘇郵政管理局

短評
一為被侮辱的與被損害的控訴

京市拾零

一新聞一

金融 食糧 麵粉 紗布

五洋

各地金融行情

：商情：

審訊屠殺南京戰犯
鮑威爾等抵日作證
遠東法庭阻止辯護律師囉叨
日皇不受審檢察官表示不滿

（中央社東京十八日合衆電）目睹日本侵略中國情形之美籍證人三人，已於昨日自美抵此出席遠東國際戰犯審判法庭作證，此三人為前上海密勒士評論報發行人兼主筆鮑威爾，曾任南京鼓樓醫院內外科醫生目睹南京大屠殺時日軍暴行之魏爾遜，以及日前于耶魯大學研究之聖公會牧師麥克基，麥氏亦曾目睹南京淪陷，魏氏曾將日軍攻入南京後之行動攝為電影，此項電影將於法庭審判日本戰犯時放映。

（中央社東京十八日專電）日本主要戰罪嫌疑犯二十八人之日美籍辯護律師，本日遞函遠東國際戰犯審判法院迅速結束審判之堅決心，緣彼等本日詰問第一個證人盟軍總部教育組長納珍中校時，庭長威比曾三次插言，並謂此項詰問「毫無所用」。威比庭長繼彼等所詰問諸點過於瑣碎，乃宣佈任何問題業經辯護律師詰問後，另一辯護律師即不得再度提出，同一被告之日美籍辯護律師不得一致詰問證人。

（中央社華盛頓十七日合衆電）審判日本戰犯之美國首席檢察官季南宣稱：目前盟國高級方面之政策為不審訊日皇裕仁，官方認為使日皇受審為一錯誤，然如檢察官均不表同意。

1946.6.30《大剛報》 南京大屠殺案

義殖民地問題討論毫無結果
貝爾納斯重提召開和平會議

【本報巴黎特派記者李振二十八日專電】今日爲四外長預定完成歐洲五國和約工作之期限，昨日之會議，因莫洛托夫突然改變態度，對多德卡尼斯群島，法義邊界，保加利亞海軍額及羅馬利亞賠款等若干爭端獲致協議，但五國和約之重要懸案仍多有未經解決者，尤以的里雅斯德港及多瑙河自由航行兩問題，爲英美與蘇聯爭執之癥結，觀察家認爲除非發生神蹟，四外長欲于今晚以前完成五國和約之草案，實乃不可能之事。

四外長會議原有議程本將巴爾幹諸國和約先行討論，其目的在着爭執較小問題之解決，造成談判有利之環境，故四外長特巴爾幹諸國及芬蘭和約，列于義大利和約之後，現因的港問題之懸而未決，故四外長特巴爾幹諸國及芬蘭和約……芬蘭和約僅與蘇芬兩國直接有關，性質最爲單純，而於巴爾幹諸國和約最複雜之問題莫過於多瑙河自由航行問題，美蘇之意見各趨極端，貝文外相提一折衷建議即四强聯合宣言聲明多瑙河應自由開放於所有各國，不應有差別待遇，莫洛托夫反對將四强宣言列入此項條款，謂此乃對多瑙河沿岸諸國主權之蹂躪，但貝文與貝爾納斯則以爲蘇外長之異議無理由可言，因捷克及南斯拉夫業未表示改變其一向贊同國際共管多瑙河之戰前立場。

除多瑙河問題外，四强未能協議之問題尙多，如義大利殖民地，剩餘軍艦之分派及聯合國人民在義受損害之賠償等俱是。其中殖民地問題已決定延遲一年討論，此一年之過渡時期中，義殖民地之管理辦法由四外長指派之特別委員會討論之，特委會現以對於蘇聯建議成立四國委員會以統治過渡時期之義殖民地辦法未能獲致協議，故又送四外長會議討論。

外長會議當前之僵局大部尙未打開，貝爾納斯已準備重提七月十五日召開二十一國和平會議，或將歐洲和約問題運交聯合國大會討論之建議，此乃蘇聯所最欲避免者，莫洛托夫昨日所取妥洽之態度殊堪注意，惟莫斯科逐日加緊反美宣傳攻勢，使觀察家對外長會議前途仍難樂觀，蘇京對美之宣傳攻勢，幾具有全球性，美國之西半球防禦政策，軍市投降政策，及西南太平洋政策，俱遭蘇聯電台之攻擊。

【本報收聽舊金山二十九日廣播】巴黎四外長昨日會議達三小時半，對義大利和約中之的里雅斯特，義國領土賠款及海軍之大小問題皆未能得有具體協議，由於法國外長之提議取消的里雅斯特問題，由於蘇外長之提議義國海軍之大小亦被擱置不談，會議延至今日下午四時（巴黎時間）再開，美國務卿貝爾納斯提議召開全體和平會議以解決四外長所不能解決之問題。

義大利總理加斯波里發表批評四外長對於義法邊界之劃定，因四外長未經義國同意擅專巴爾帶斯水電廠讓與法國也。

尼可拉當選義總統
加斯巴萊政府於日內辭職
組織新政府談判即將進行

（中央社巴黎廿八日專電）四强外長會議將於明午討論二十一國之和平會議問題，今午之會議由貝爾納斯主席，渠於會議將近結束時，堅持和平會議問題必須包括於明日之議程內，渠强調稱：此問題必須獲得一解決之道。今午各外長對義大利殖民地問題作激烈而毫無結論之辯論，四外長於事先已同意義國應放棄其殖民地之原則，且已組織義大利殖民地委員會，此委員會由外長代表組成，旨在研究此項原則之各方面，並草擬在對義和約中有關此事之條款，英外長代表傑布今日代表委員會宣佈委員會對草擬條款已告失敗。

【本報收聽澳洲廿九日廣播】義大利制憲會議選舉前，下院院長尼可拉爲義大利共和國臨時總統。

（中央社羅馬廿八日合衆電）義大利國民議會，今晚選舉尼可拉爲義大利總統，加斯巴萊政府將於今晚或明日辭職。選後組織新政府之談判將迅速進行，尼氏於一九二一年選出自由黨後，甚少公開參與政治活動。

（中央社羅馬廿八日路透電）義大利議會廿八日推選尼可拉爲新義大利共和國首任總統，尼可拉爲前義大利議會議長，且爲發令人稱讚之律師，一般人認爲渠對多次高位之機會，如總理等職均表拒絕之次數較任何義人爲多。渠現年六十九歲，因爲義大利南部人，故新共和國對其在南部之努力倚畀甚殷，藉以控制南部之主張君主政體者。

日勞工罷工遊行 要求增加工資

（中央社東京二十九日專電）日本勞工今日午後發生第一次向佔領軍抗議而罷工之事，美軍軍火廠雇用之一千八百日本工人，實行罷工，並使還未給其發卸貨於停頓。據工人要求不再發給零碎之米貼，但應增加每月工資百分之五十，並要求每人發給千元臨時津貼，此第一次對佔領軍之罷工者，向爲佔領軍所雇之三十萬同行呼籲，請求響應，並支持彼等之行動。罷工者以長條紅旗前導，向宮庭廣場遊行，經麥帥總部時，並停隊於爲佔領軍雇用工人之中央聯絡局前。遊行中工人高唱日本共產黨所印發之歌曲，兩名工人代表與中央聯絡局官員商談數分鐘，一切記者均在門外，工人代表及中央聯絡局官員均拒絕將會議結果發表，但工人領袖於會外出現時，立即命令示威工人解散，同時今日有一萬五千名政府公務人員舉行大規模示威運動，以向政府拒絕尤准勞工管制生產事表示抗議。

火箭炮射程 創造新紀錄

【本報訊】聯合社新墨西哥白沙城二十九日電：重十四噸之V-2飛彈一枚發射升入新墨西哥之晴空約七十五哩。陸軍部宣稱，在此間另一次之試驗中，飛彈之昇空高度將更大。飛彈之未能昇入百哩高空，據海陸軍專家所獲指示，乃因飛彈中之十噸酒精與液體養氣燃燒時較預定時期早四秒鐘。飛彈發射七十七秒鐘後，即昇至眼不能見之高度。

（中央社華盛頓二十八日合衆電）據戰時軍官訊，據陸軍部人士稱：德國製造……午十二時三十六分試驗，飛彈射出後於七十七秒鐘內仍可看見，結果在四十七英里外發現。

明日試驗原子彈
瓜加林島上空氣緊張
記者暨參觀者均抵達

【本報收聽舊金山二十九日廣播】原子彈第一枚在比基尼投擲時間迫近，據預定時間爲世界標準時間，星期日廿二點三十分，南京時間，則爲星期一上午七點三十分，於收音機中可錄得聽爆炸聲波，全世界正以最緊張心情，期待實驗記者之新鮮報導。

（中央社記者宋德和瓜加林環礁叢礁廿八日電）各記者及參觀者，今日行抵瓜加林小島，美陸海軍飛機包括B29式機等六十餘架，於試驗時將自此出發，裝載原子彈前往比基尼，瓜加林一如舊觀。無非暫時有超次搭乘及陸海軍將領之出現，令人耳目，當局顯然密切注意不准各記者與已來島上數週之科學家有過多之接觸，島上有一部份，嚴禁英記者及其他外國記者及參觀者參觀。記者今日已得與原子彈作生平最大之接近，而余從來所希冀接近之程度，亦即如此，除一小部份人士因以觀處置原子彈得以目睹外，其餘概無人得見，甚至於試驗日期前往投彈之飛行人員，在未登飛機之前，亦不知原子彈究竟何似。當B-29式機載原子彈起飛時，當有各種預防措置，以保障島上人員之安全，凡非必要之人員，一概仍繼續工作，若無其事，并無驚恐現象。

（中央社記者宋德和瓜加林環礁二十八日電）據瓜合部隊工作有關之美高級海軍官員表示：一部份美海軍界人士，堅信於第一次試驗時，在比基尼各目標艦上空所投原子彈爆炸時，不致擊沉其中任何主要戰艦。

（中央社記者宋德和在比基尼環礁叢礁中美艦內華達號二十九日專電）此一美國舊主力艦（內華達號）將用作此次原子彈試驗所用目標艦投之中心，艦上備有各種樣式之軍事配備，上至坦克飛機，下至個服布料及食料，若原子彈投下後依照預計者爆炸，則上述各種配備及物資，均將入於原子彈所引起自然及放射作用中，內華達號漆上鮮紅色及「雲白」之白色，俾使可能使原子彈投彈者，明顯可見，此假爲一滑稽之舉，蓋一切軍艦之漆色均儘可能使人不易發覺者。今日各記者俱獲准往內華達號參觀，然僅許參觀外表，外表酷似一現代之軍事科學博物館，內儲列坦克，大砲，水陸兩用軍輛，飛機，尙有各種不同材料所製成之各式飛機，交通工具，一英寸以內之裝甲鋼板，各種不同原料及不同顏色之厚布料，尙有數百種箱及容器內盛所容何物不得而知。要之，凡現代戰爭中所用之一切物件及新近發明而以前從未試用之各物，均將在原子彈爆炸下作試驗。在原子彈投落之數小時前，艦上人員即將棄艦而去，而以豬羊及老鼠代之，此等動物已在艦上，屆時將分置不同地點，其中若干之毛將剪短，亦有若干完全剃去，在其皮膚作特殊準備，在此中心目標之週圍尙有其他船艦七十餘艘，均與內華達作同樣準備，此等目標船旋泊極接近，如所投原子彈爆炸情況恰如所理想者，則一枚炸彈似即可將所有目標船完全擊沉或受重創。日本主力艦「長門」號，輕巡洋艦「佐川」號，距內華達號數百英尺，艦身極爲殘破，由美海軍駕駛，德巡洋艦「歐根親王」號則外形極優美，記者深願此等集中目標，並憶及過去數星期來，美方對新聞記者關於此次試驗準備善創情形之多次報告，不禁感歎此等精力與熱情，反不用於平時生產方面。

印度學生 願作試驗品

（中央社華盛頓廿八日合衆電）法賈茱印度大學學生致函與原子彈試驗有關之美官員，謂其自願獻身作「人類豚鼠」，供比基尼島試驗原子彈之用。其所要求之惟一補償，即死後須將其屍體葬於聯合國組織大廈附近之土中。該學生建議美當局將其載於與供作試驗之諸綿羊及其他動物同一艦上，則試驗當局可確知原子彈爆炸力影響人身之完全效果，該學生并請當局通知其父母，謂渠係因意外事件致死，例如汽車失事等，該生名字未被發表，當局已勸其謂無一活人將被故意用於試驗。

原子能委會 下週三重開

【本報收聽舊金山二十九日廣播】原子能管制委員會昨開秘密會議，會後澳洲代表宣稱：下週三重開會議時外人可以旁聽。美總統杜魯門再三聲明擁護美代表巴魯區在該委員會之政策。

【本報收聽舊金山二十九日廣播】原子能管制委員會決定設立一個小組委員會，以澳代表伊文克主席，討論國際共管原子能。

（中央社廿八日專電）出席聯合國原子能委員會美代表巴魯區，今日在該會之常務委員會中發出警告謂：「爲時已甚迫切，每逢一日，世界之安全亦益見減少」，故須從速進行草擬世界管制原子能之方案。巴氏并向委員會提出一表，上載歷次會議中美蘇衝突各點，該表並指陳美蘇意見中若干點協商之門，仍然留開，例如關於原料之控制及國際調查等，該表中有二點爲美蘇間重大衝突之所在，其一，美國堅持在原子能方面應廢除否決權，而蘇聯則希望保留該權；其二，蘇聯堅持一切原子彈應於國際管制機構成立前予以銷毀。今日常務委員會通過成立一小組委員會，以研究各代表所提出之一切建議及起草可能計劃之要點，供常務委員會考慮，易言之，覓取折衷方案之重大職務，現已付託該小組委員會。又聯合國原子能委員會主席澳代表伊文特稱：小組委會之組織將於下月一日發表，同時原子能委員會之全體會議定三日舉行，討論該委會之程序規則，現除蘇聯一國外，其他各國均承認，凡成立一切決議之規則，均須由多數票決定，但蘇代表葛羅米柯仍堅持對實質問題須由三分之二之多數票決定。

盟國放寬對奧管制
予奧政府充分權力
并准許其恢復外交關係

【本報收聽舊金山廿九日廣播】四强管制委員會現已批准奧國政府之外交權，惟四强保留否除納粹組織之權。據該協定，奧國可與外國訂約及交換外交使節，此協定之成立係因奧國和約尙未訂立，和約一旦訂立，臨時協定即應取消。

（中央社維也納二十八日路透電）盟國管制委員會已簽訂協定，除若干有關佔領國之特殊事項外，已授予奧政府以充分權力。據公報稱：奧政府得執行其充分權力，但仍保留盟國管委會指令之條約，奧政府得在較少限制之管制下，訂立國際協定及某種法律，且得與各聯合國政府建立外交與經濟關係，不必先經管制委員會之批准，……

胡佛宣稱 用於救荒糧食 已逾一千萬噸

【本報收聽舊金山二十九日廣播】美前總統胡佛在加拿大宣稱：假使目前之救濟飢荒政策繼續施行下去，世界各地就可以避免大饑荒，但此項估計尙未包括中國內地飢荒之情形，因該地交通不便，不能得到正確消息。

【本報收聽澳洲二十九日廣播】美總統糧食調查專員胡佛於其考察世界各……

華僑再瀕危境 坦其隆騷亂又起

（中央社巴達維亞二十八日專電）據坦其隆方面消息：昨日常有穿制服及便衣之印尼恐佈分子，向吉但阿區進逼，並砲擊坦方廊喃喀軍所守衛之地，廊喃喀軍被迫還擊，坦其隆區域華人，警察之數目已自十名增至二十五名，但除非盟軍有效制止恐怖主義者，則華僑難民及居民將因恐怖向坦其隆逃避，而最終並向巴達維亞逃避也。同時華僑慈善團體救濟工作之繁重，無與倫比，印尼之殘暴行爲，日有所聞，即較日軍尤見狠毒也。

杜魯門遇挫折
改組聯邦計劃遭否決
美兩院通過延長物價管制法

（中央社華盛頓廿八日專電）杜魯門總統今在國會中遭受另一挫折，因衆議院以絕對多數之票數拒絕其改組聯邦機構之計劃，此計劃已將若決之決議送交參院，杜魯門之計劃於五月十六日送交國會，包括三項計劃，即將若干聯邦機構移併於農業部，國務院及勞工部內。

（中央社華盛頓二十八日合衆電）美國會於數小時前通過法案，延長物價管制局之存在期限至一九四七年六月卅日爲止，然其以前管制物價之權力，已被削減，經濟穩定局長鮑爾斯爲此已於本晚憤而辭職，表示抗議，因此杜魯門總統對於該項法案大致將拒絕接受。

（中央社華盛頓二十八日專電）美參議院頃通過延長物價管制法案一件，並送交白宮杜魯門總統請擇即簽署此已殘缺不全之議案，抑或使用否決權取消一切物價管制，今日國會領袖曾力勸杜魯門簽字此一法案，但迄今爲止，杜魯門究採取何法尙無表示。

（中央社紐約二十八日路透電）加拿大掌管穀物官員，二十八日以三十一萬蒲式耳之穀物裝入香檳貨輪阿斯巴里孟號，運往印度，此爲其最後一批之穀物矣，此船爲準備開始以來之第一次，但在九月以前是否尙有穀物可供出口，當屬疑問。穀物之普遍缺乏，係由於海外需輸太多，缺乏燃料及海員罷工過久之故。

【本報訊】聯合社倫敦二十九日電，據威方面觀察，英波經濟條約已於星期一在倫敦簽字，但須俟波政府得保證，波蘭將享有自由選舉，始於批准，唯有如此，波國始可得到此四百萬鎊之借款。此間波大使館幾知英方態度強硬，後方所發聲明者爲儀納之強硬批准，波政府已正式宣佈，並當將舉行自由選舉，但表示國內政權不願受其他國家訂經濟協定之牽涉。

南京大屠殺案 即在東京開審
八證人將出庭申述日軍獸行
永野修身獨負偷襲珍珠港罪

（中央社東京二十九日專電）國際檢察處不久即可開始中國方面之戰犯審判，至少有八名見證人出庭申述陸軍上尉一人南京醫官一人，及九死一生自日本大屠殺逃出之國人一名作見證，金陵大學醫院外科醫師衛爾生當時曾救出中國人數百，金陵大學教授麥奇會將罪行攝照，兩氏均在東京，以道述當日南京之野蠻故事。

【本報收聽舊金山二十九日廣播】八名日本高級軍官即將受美國軍事法庭之審判，因渠等前在台灣曾下令處死十四名美國飛行員。

【本報收聽舊金山二十九日廣播】日本主要戰犯之一永野修身海軍大將，在東京戰罪法庭答其辯護律師曰：日本偷襲珍珠港之事，由渠一個人負之。

奎松遺體 由美運菲

【本報訊】聯合社華盛頓二十九日電：菲律賓總統奎松之遺體將於星期一日在此由航空母艦普雷斯頓號裝運，經陸馬尼拉。裝屍體由華盛頓運來之火車，可於星期日下午二時十五分抵此，而普雷斯頓號則可於該日上午到達。該艦起運前，將在北島船塢舉行簡短儀式。

美工潮又起

（中央社紐約二十八日合衆電）價值數百萬美元之……鐵路工人萬名罷工……服裝，因快車鐵路公司工人罷工……影響之一萬人罷工而無法運輸，服裝製造商稱：若干服裝已改用郵寄，此項罷工或將使全國服裝缺乏情形更趨嚴重，且亦將影響紐約糧食之供應。

英在巴勒斯坦 捕捉猶太人

【本報訊】聯合社耶路撒冷二十九日電：司法方面消息，在巴勒斯坦之所有猶太事友人員，皆已予逮捕，被軍警拘捕人員之姓名目前尙未能獲悉。現僅有猶方團體人員十人被英政府承認可爲猶太人在巴勒斯坦之代表。

【本報訊】聯合社耶路撒冷二十九日電：英國駐巴勒斯坦高級專員昔甯漢爵士發佈宣言，內稱：英中東司令部已訓令採取步驟，俾絕滅法恐怖主義，猶太社團之份離予暫時佔領，已屬必要，蓋根據吾人所獲證據，彼等曾與實行暴力反抗政府之武裝合作，並參予指導組織事宜。

印看守政府成立之前 設新總督行政會議
委員八人中印人佔兩名

（中央社倫敦二十九日路透電）印度事務部本日宣佈：在與印度各政黨再事談判之前，先成立臨時看守政府，爲達到此一目的而成立之行政會議，有委員八人，其中有印人兩人，即後傳爵士與海達理爵士，兩者將負責商務與自治領關係，勞工，工程，鑛產，電力，供應，藝術與衛生。

（中央社新德里二十八日合衆電）據確悉：……

夏令宣傳週 明日起開始

【本報訊】夏令衛生運動委員會定於明日起至七日止舉行夏令衛生宣傳週，除由衛生機關組織宣傳隊外，並於各報章刊載宣傳文字，中央廣播電台並請合衆寶聲，于下月一，二，三日播講衛生防疫問題。

各同業公會建議 籌組經濟委員會 以援救京市經濟危機

【本市訊】社會局昨日下午三時召集各同業公會理事長，舉行聯席會議，討論如何挽救和防止經濟危機及向金融界低利貸款具體辦法，研商結果，最後并議決組一經濟委員會，以便繼續解決。（貫理社）

水費收不到 水廠將停水

【本報訊】據自來水管理處方面長談稱：該廠每月入不敷出，借貸渡日，已臨危境，且有五百餘用戶水費無法收取，工人前往收費，又受辱罵，廠方已決定自下月起會同憲兵分五區收取水費，若仍不清付，決將停止供水，萬一個別停止供水仍受阻礙，則不得已恐將該及附近用戶，將附近總管處停水。

南京夏令營 下月十五開課

（中央社訊）三民主義青年團南京夏令營，現正積極籌備，頃已決定自七月九日起報到，十四日入營，……日至十日止，在南京……十二號辦理京鎮爲三地調訓學員報到手續，該部係送京臨大及先修班學生入營受訓名單，將於七月三日在中央和平兩日報公佈，調訓學員報到後，即送湯山入營編隊，並定於十四日舉行入營典禮，十五日正式上課。

空餘房屋 配建會準備分配

（中央社訊）行政院房屋配建委員會爲在首都舉行之首都公私房屋登記調查，結果計有十四萬戶填列表格，經行政院統計室三星期之詳細審查統計，全市無人住居之空房共有五八九一．五間，又三十九幢，另餘房九〇六戶。（所謂餘房係指有人房住而尙可緊縮者）此項調查所得，配建委員會準備充分分配使用，以濟目前首都之房荒，除公有及敵僞所有之空餘房屋，仍由該會統籌分配使用外，該會頃已將十間以上之空房列表分送各黨政機關，俾作租賃辦公房屋之參考，至民有空餘房屋，則依照南京市房屋租賃管理規則之規定，即將移交市府處理，公用房屋，該會根據調查登記情形，即分別函請有餘房之各機關，自行調整，俾將餘屋移讓尙無辦公處所之其他機關使用。

褚逆民誼 重審有來歷
〈汪逆之婿判處徒刑〉

【本報訊】褚逆民誼原判死刑後，又發回重審，重審理由，已遵承辦檢察官逐點予以揭序，是非明昭在人耳目。據熟知此事內幕者云，此次褚逆之獲得重審機會，其眞正理由爲某某二元老簽名極力說情所得之結果。

（中央社訊）首都高院於昨日宣判漢奸案兩起，一爲汪逆兆銘之婿何孟恢，處有期徒刑二年六個月，褫奪公權五年。二爲僞關務署代理署長徐叢澤，處有期徒刑五年六個月，褫奪公權六年。以上兩逆全部財產，除酌留家屬必需生活費外，均予沒收。

首都各界 昨公祭殉難憲兵
張鎮主祭情狀至哀

（本市訊）憲兵司令部公祭抗戰剿匪殉難殉職憲兵將士典禮昨日在瞻園路該部隆重舉行，八時許各界代表前往祭奠，祭堂佈置簡單肅穆，上懸陣亡將士遺像，及抗戰剿匪殉難憲兵將士靈位，兩旁滿佈花圈輓聯，計有蔣主席「以死勵來世」，中執監會「取義成仁」一輓，「吳山秦嶽各千秋」，宋子文「碧血丹心」，鄒魯「取義成仁同不朽，鍾山湄水各流芳」，吳鐵城「郭國許身碧血丹心昭正氣，瑞佈英風軍自馬弔英魂」等，九時許，由憲兵司令張鎮主祭，其次由國防部長代表參祭，政治部主任潘礦中等分別祭奠，各機關團體首長前往祭奠者，有實總司令顧祝同，南京市長馬超俊，南京市各同業工會代表等，下午爲殉難家屬祭奠，殉難家屬，倚門悲慼不自勝有痛哭流涕者，有悲不成聲者，狀極淒慘。（大剛社）

石城橋崩塌 一卡車落水
五人重傷四人慘死

（本京訊）漢中門外石城橋木橋，年久失修，木頭腐朽不堪，行人時有危險之慮，昨有京貨卡車號碼五四二三乙號，滿載磚頭從石城橋東街上開過來，經木橋西首，後面追來汽車乙輛，木橋忽告崩塌一角，卡車翻身下水，一時急救無術，車上九人，四人均遭慘死，餘受重傷。

京市拾零

△東南合作印刷廠已全部遷抵京，該廠對文化事業貢獻甚多，下月中旬可望正式復業。

△青年劇社成立劇委員會，由余上沅，李健吾，顧仲彝等任委員，並公開徵求劇本。

△新運糾察隊昨決議下月初暫停活動，所有工作人員一律參加社會服務事業協進會。

△民路報下月一日可出版有關京聞及側面新聞等文字。

△第二區區民代表向臨參會建議，要求恢復成橋中山公園。

△基督教協國新禧禮拜今日下午四時在莫愁路漢中堂舉行由馮玉祥將軍講道。

△青年館創設青年文化廣播電台，定七七日開幕。

短評 一四百餘戶

京市公共汽車，因爲成本不敷，而且有一部份搭乘客拒不買票，虧本不起，決定自七月一日加價一倍，這「不買票」的負担，算是加到一般市民的身上了。

現在自來水管理處，又宣佈每月虧本二千萬元，自來水用戶中有四百多戶，用水不給錢，還要毆打收費員。希望管理處再不要把「不付費」的損耗嫁到一般市民身上。

自來水用戶，總是有名有姓的，我們倒希望管理處把他們的姓名發表出來，讓我們瞻仰一下，這四百多位特權階級的尊貴面目。

堂堂首都，軍警森嚴，而「不買票」和「不付費」者，仍然大胆無忌。不禁使人發生一項疑問：特權究竟是爲誰而設立的？

公共汽車加價
參議會已予通過
並提出三項要求作交換條件

（本市訊）臨時參議會駐會委員會於昨晨十時舉行第三次臨時會議，討論㈠大屠殺案調查委員會組織簡則，㈡大屠殺案調查委員會工作計劃，㈢第七次例會來了各案，並報告各參議員對公共汽車調整票價之意見，統計之結果，三十參議員中同意加價原則者佔十七位，故下月之公共汽車漲價加一倍已無問題，惟各參議員之附帶要求條件即㈠增加行駛車輛，㈡限制乘客人數，㈢改善管理。（遠東社）

新聞一 麵粉現貨微缺

【金融】外匯市場開盤時，中央銀行掛牌美金平穩，大致爲自一百六十萬至一百八十萬，照目下銀行挖價觀之，似其幅度業已提高，故金價本暫時趨堅下游，昨日飾金價格迄下午三時并未更動，收市時又上漲二千元，牌價爲收進十九萬八，售出廿一萬八，美鈔上午跌，下午復堅，結果爲收進二千六百五，售出二千七，該銀港幣無變化。

【食糧】外江粳船廿七艘，見粳米一千石，小麥三千石，內河及西南街各粳糙米一千二百石，小麥三百石，合計約見糧米一千二百石，小麥三千二百石，供求順利，市價迄無榮辱。

【麵粉】無錫現貨缺乏，南京定貨必在一星期之後始能兌現，故來源又感呈短絀之象，且本幫去化亦活，各粉市價均微漲二百元。

【紗布】蚌埠，蕪湖，六合，均有客幫，實銷又轉旺，全日做出約在廿七八件之間，市價微挺，除十六支以下粗紗原盤外，廿支各紗均漲一萬元至兩萬元，廿二支各紗均漲二萬元，四十二支各紗因無做出，均保原盤，棉布久入呆定狀態。

【雜項】捲烟去化轉呆，供過於求，市價互有漲跌，洋燭雲湖絮問津，市價漲至四萬元，皂燭平平，豆油來源發滯，價又上揚。

各地金融行情

（天津廿九日電）今日行情，見金價廿萬零九千元，收廿萬八千元，美鈔二千六百一十元，粳米每斤五百八十四元，麵粉每斤五百元。

（北平廿九日電）本日黃金略趨平穩，爲廿萬〇六千元，美金二千四百八十元，大米每斤四百六十元，麵粉每斤四百六十元。

（台北廿九日電）金價稍跌，每兩出一萬一千元，進一萬元，法幣價每百元出四十一元五角，進四十元，紗出九十八元，進九十四元。台灣匯率仍一對廿四，米價按跌，蓬萊米每斤十二元，本地米十一元八角，紅米十一元。（均台幣）

食米	
上熟米	[illegible]
中熟米	[illegible]
次熟米	[illegible]
淨秈米	[illegible]
次秈米	[illegible]
雜糧	
大麥	[illegible]
小麥	[illegible]
元麥	[illegible]
黃豆	[illegible]
青豆	[illegible]
綠豆	[illegible]
紅豆	[illegible]
蠶豆	[illegible]
玉米	[illegible]
芝麻	[illegible]
菜籽	[illegible]
麵粉	
天鵝	[illegible]
綠兵船	[illegible]
棉紗	
10支九鶴	[illegible]
10支雙龍	[illegible]
16支雙鹿	[illegible]
16支金元寶	[illegible]
16支光明	[illegible]
20支	[illegible]
32支藍鳳	[illegible]
42支	[illegible]
棉布	[illegible]
絲綢	[illegible]
捲烟	[illegible]
日用品	[illegible]
雜項	[illegible]

南京大屠殺案

即在東京開審

八證人將出庭申述日軍獸行

永野修身獨負偷襲珍珠港罪

（中央社東京二十九日專電）國際檢察處不久即可開始中國方面之戰犯審判，至少有八名見證人出庭申述獸性而野蠻之南京大屠殺案之事實，東京現正期待我國陸軍上尉一人南京警官一人，及九死一生自日本大屠殺逃出之國人一名作見證，金陵大學醫院外科醫師衛術生當時曾救出中國人數百，金陵大學教授麥奇會將罪行攝照，兩氏均在東京，以追述當日南京之野蠻故事。

【本報收聽舊金山二十九日廣播】八名日本高級軍官即將受美國軍事法庭之審判，因渠等前在台灣曾下令處死十四名美國飛行員

【本報收聽舊金山二十九日廣播】日本主要戰犯之一永野修身海軍大將，在東京戰罪法庭告其辯護律師曰：日本偷襲珍珠港之事，由渠一個人負責。

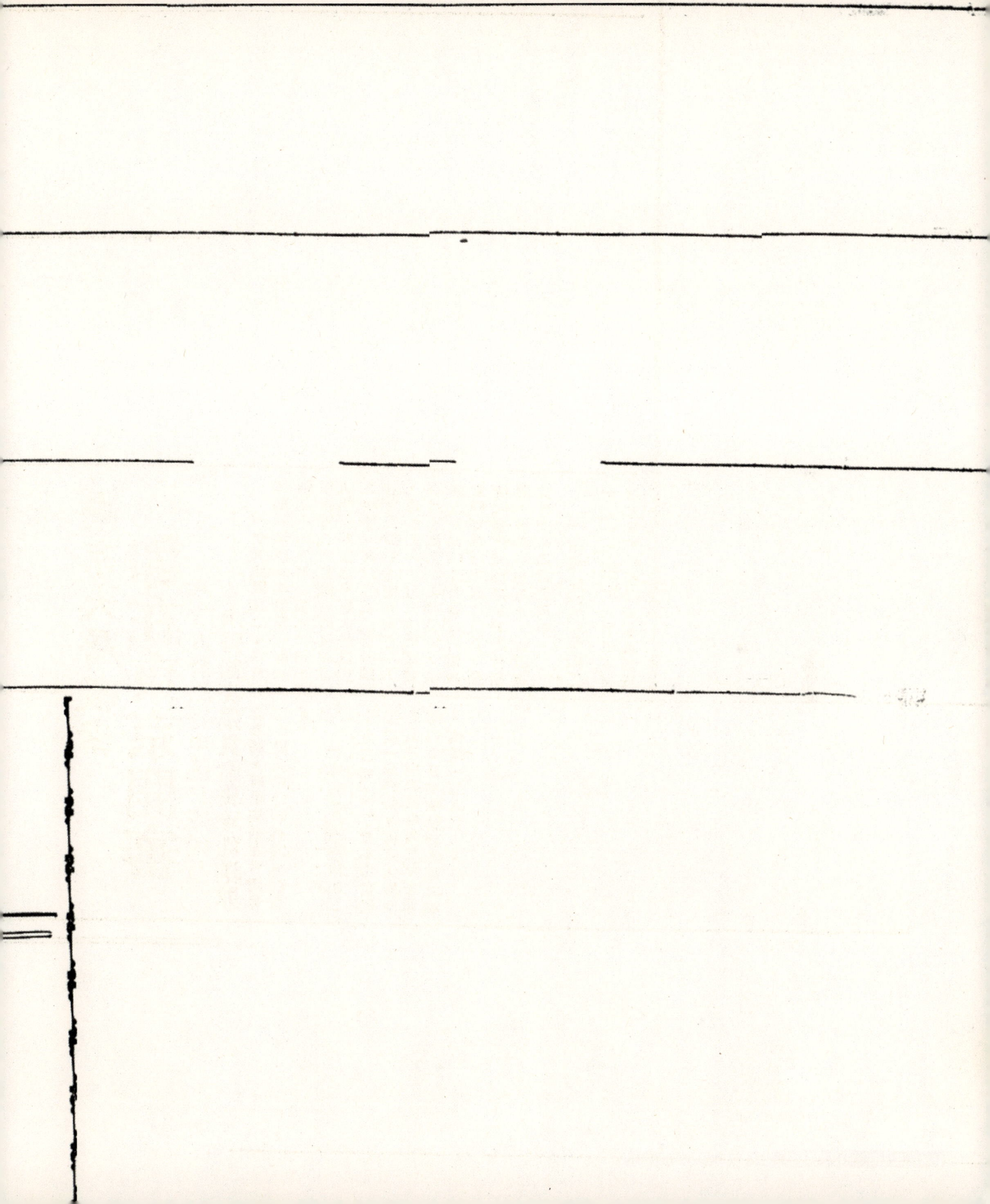

1946.8.16《中國日報》 馬琪昨在東京陳述

討論匈和約及芬蘭問題

【中央社巴黎十四日專電】王外長世杰明晨將首次擔任和會主席，貝爾納斯今日午後在全體休會議中宣佈，根據輪流制度明日起將由王外長任主席三日，明晨之全體會議中，捷克首席代表馬薩理克將討論匈牙利外長就對匈和約所發表之聲明，同時芬蘭代表團將就對芬和約發表意見。

【中央社巴黎十四日路透電】匈牙利今日於和會大會中提議設立二調查委員會，調查匈牙利與其二鄰國即羅馬尼亞與捷克間之問題，此係匈外長卓尼基今日午後出席和會大會時所提出者，渠當時曾陳述匈牙利政府對於四外長會議所擬就之匈牙利和約草案之意見，渠謂：倘一旦匈國與其鄰國直接談判破裂時，匈牙利所要求調查之二問題，為（一）達琅西里瓦尼亞問題，該區北部依照和約草案應歸還羅馬尼亞，緣該地係一九四〇年納粹強依維也納判決書自羅馬尼亞奪去者。（二）匈牙利在斯洛伐克境內之少數民族問題卓尼基謂匈國要求渠回達琅西里瓦尼亞全部土地十萬零三千平方公里中之二萬二千平方公里，蓋該地區於第一次大戰前，原屬匈國，渠斷言羅國所公佈之非羅馬尼亞籍人民，亦獲有平等權力之政策，已因地方政府之過份愛國主義。渠復要求和約草案中經濟條款之規定，應捷克外長馬薩里克請求予以充分時間考慮，匈代表之聲明後，貝爾納斯乃宣佈大會休會，俟明晨十時，再行開會，屆時馬薩里克，當為第一發言人，貝氏並稱：討論匈牙利聲明後，即將討論芬蘭問題，而於聆取及討論芬蘭問題後，大會即着手決定召開各種委員會之籌備事宜。

考列契甫在和會呼籲 對保國作公正裁判
並要求希臘返還色雷斯西部

【中央社巴黎十四日專電】保加利亞外長考列契甫，今晨於和會上為保國呼籲時，請求對保國問題有公正之判斷，考氏代表新保國聲稱：渠不冀將保國與德合作者之罪愆，縮至最小限度，惟認為不能阻止一九四一年三月一日希特勒軍權高張時與德國訂立違法盟約一事之保國人民，無須負道義上之責任，渠實有義務為保人否認此項責任，故王曾利斯及法西斯政府之親德政策，考氏惜恐在和約序言中稱保國為「德國附庸」之事實，就形式之觀點論，此事固甚合理，惟所顯重要者，並非法定形式，而為前後有關之事實及為此項形式所欲表明之史實。考氏拒絕希臘修正希保疆界之要求，並要求希臘返還色雷斯西部，俾保國有通愛琴海之路。考氏聲稱：保國業已實踐停戰條款中所規定賠償義務，並將再在和約中承認賠償實際加諸南希之損失，惟希臘所稱希領土內之損失，係德軍單獨加予者，保不負賠償之責，考氏稱：和約中諸經濟條款並不公平，考氏並批評諸軍事條款有損保國之尊嚴，渠謂，新保加利亞無侵略企圖，保政府業已自動裁減陸軍，並將再度大量裁減，惟認為強迫裁軍，乃不公正之責罰。

王外長宴哈里曼

【中央社巴黎十四日專電】王外長世杰昨晚設宴招待美駐英大使哈里曼，郭泰祺、傅秉常亦在座。

紐約各報重視 蔣主席文告
以首頁顯著地位刊載

【中央社紐約十四日專電】紐約時報及紐約前鋒論壇報，均以首頁顯著地位刊載蔣主席於對日作戰勝利紀念日發表之文告，然未加評論，多數標題著重蔣主席保證結束一黨統治一點，紐約時報刊載聯合社之電訊，其標題為「蔣主席籲請共黨在新政府中為統一而努力，呼籲結束內戰，以紀念中國對日戰爭勝利一週年，和平政策業已擬具，蔣主席要求共黨撤出糾紛區域」。前鋒論壇報刊載合衆社電訊亦加以四行標題，即「蔣主席警告共黨，應共同為爭取和平而努力，渠于日本投降週年紀念日指出進步甚為遲緩，勸告共黨勿事叛亂，允諾結束一黨統治，謂國民大會仍將于十一月十二日召開」，二報并均刊載此間中國新聞社所發之蔣主席聲明全文，共他紐約報紙在內頁刊載蔣主席之聲明，斯克里浦斯霍華德報系之世界電訊報之標題為「蔣主席警告共黨停止叛亂，參加政府，渠稱不能容忍一國之內，另有政府私有軍隊，」紐約郵報之標題為「蔣主席籲請共黨「致力和平」允諾渠等如放棄侵略，可結束一黨政治」，每日新聞標題為「蔣主席呼籲和平，允諾結束一黨統治」，共產黨之每日工人報僅以十一行之篇幅，刊

日本投降一週年
聯合國記者巴黎播講

【中央社巴黎十四日專電】今為日本投降週年紀念，中、英、美、蘇、法及其他聯合國家記者，今均假法國廣播電台發表簡短演說。

【中央社紐約十四日專電】美國人民在抑制及稍帶失望之情緒中，舉行宗教儀式及愛國集會，以紀念此對日戰爭勝利第一週年日，官方文告，着重戰爭中戰士所作之犧牲，並促民衆以新穎感恩之方式，紀念此日，一年前之今日，美國人民慶祝此戰爭告終時歡欣若狂，而時至今日，彼等紀念此節目，則淡然處之，蓋深知世界之艱險，方興未艾，紐約城曾舉行集會，並懸掛國旗，但未宣佈放假，工作照常進行。

貫澈政治解決
日月星

任何一個中國人甚至全世界消息靈通人士對於中國目前局勢的演變已深深地感覺極有可能威脅世界和平而焦慮不安。由於長時間國共雙方談判的複雜性與關係的祕密性，中國大多數人都摸不清問題究竟伊於胡底，日前馬帥司徒聯合申明發表後總算把問題的癥結概略地指出，而蔣主席的「八一四」文告以及中共方面的談話，又給我們一個更清楚的畫面。再加上近來美國輿論界的激盪，和國際間直接間接對中國事件的評論，已經使大家不能塞耳不聞，並且有予以詳盡研究和密切注視的必要了。尤其是這一切都直接關係國人本身的利害。

首先，我要求大家把頭腦放得格外冷靜，把利益完全歸於全體人民的天秤上，把眼光放得客觀些。中國所有政黨猶如世界上一切政黨一樣，沒有不在它的黨綱和政策上向大家宣佈以人民利益為開始以人民利益為依歸的。這是不成問題的，因為有這樣一個共同事實是太顯明了：即沒有人民就沒有政黨，猶如沒有地基就沒有房子。是故世界上一切優越的政治家總是避免所行不必要的戰爭而使人民安居樂業，決不會為少數人的利益而把人民拖來犧牲。

那麼，從馬帥司徒的申明中，至少使我們慚愧國人不能善自處理問題，蔣主席文告重申政治解決，遵守政協決議，擴大政府基礎，應該為全國人士一致贊慰。但是我們根據過去雙方邊談邊打的方式，始終不以為是最好的方式，如果要保證和平的真正實現，我同意大公報的主張，「光談不打」。這理由非常淺近：「政治解決」充滿和諧氣氛，如雙方繼續打，和諧氣氛全失，是決然談不好的。以「不打」建立雙方誠意，那麼根據政協精神，擴大政府基礎，相信全國人士必定樂意促成各黨派和無黨無派的合作團結，而且召開國民大會亦同樣可在合作號召之下順利進行。這些國家大問題，全國上下都應該拿出理智，不可感情用事於一時，而貽國家災難於未來長遠的日子。

其次，美國近來輿論界對中國有兩種不同的論調：一種是繼續援助政府，不必撤退美國駐華海陸軍，而且須有進一步的舉動以免美國在中國失掉聲威與勢力。一種是感覺中國局勢頗為悲觀，如不過問中國則已，要使四萬萬中國人民免遭浩劫，必須積極協助政府與各黨派完成和平民主，並根據莫斯科三國協定精神進行。生為中國人聽到美國方面的輿論，不管是屬於那一方面，都要感覺慚愧，各黨既然都以中山先生的主義為號召，既然都談民族獨立，民權普遍，民生改進，為什麼不拿出一點中國國格和人格呢？

最後，我深深地感到一切的悲慘莫過於一般惟恐世界不發生第三次世界大戰，而且惟恐中國不鬧到一點推動的責任，這是再可怕沒也沒有了。如果真有所謂第三次世界大戰，中國有什麼好處？中國還不够犧牲與慘痛嗎？愛因斯坦說：「吾人之思想體制必須從新改造，精神文明必須跟上原子時代；否則科學進步毫無意義，徒將人類引入更悲慘的局面耳。」紐約前鋒論壇報稱：「中國的戰禍如不設法戰止，實爲舉世之大不幸，目前美國的決意，爲竭力避免捲入戰禍，中國和平，亦美國之福。渴望中國成爲民治獨立之國家，實爲吾人一貫希望。」友邦人士之言，盼全國朝野人士三思之。

……商報，今早以「誰應負和平商談失敗責任」為題，指稱共黨應負造成我國混亂與嚴重局勢之責，并相信和平商談確已絕望，而武力解決雖將招致災禍，然非不可想像者也，此舉至少可能解救人民，使免長期受苦，該報繼稱：共黨違反本年正月政協決議者，計有三方面：（一）軍隊整編：依照協定，政府軍與共軍之比數，應為五比一，但共黨反對此點，竟要求增加有利於己之比數。（二）地方政權問

……席。又今日此間所有華文報紙均於首頁刊出主席之文告，此間人士能獲機會閱讀當日發出之領袖文告全文，尚屬初次，各報對 主席之文告，尚未見加以評論，惟我留此間僑胞，已加注意矣。

麥帥并未要求退休

【中央社東京十五日合衆電】麥克阿瑟元帥新聞發言人，今日直率否認華盛頓所傳麥帥已要求退休之說。

對巴力斯坦計劃 美有覆書到英
杜魯門表示大體可接受

【中央社倫敦十四日路透電】據官方證實：艾德禮首相已接到杜魯門總統對於英美專家擬就之巴力斯坦計劃之意見書，為研究杜魯門之答覆起見，英內閣不久將召開特別閣議，杜魯門覆文細節，尚無從獲悉，但表示彼將接受聯邦計劃，以為談判之基礎。

【中央社倫敦十四日專電】據悉：杜魯門總統對英美專家所擬新巴力斯坦計劃之決定，并已電達此間，其決定詳情雖無所悉，但信杜魯門已大體批准該計劃，或許對若干細微之點，如擴大猶太省地區，及予猶太地方當局以管理移民之較大權力，提出修正意見。

【中央社倫敦十四日合衆電】莫斯科官方電台今晚廣播稱：英國在巴力斯坦建立猶太人及阿剌伯自治省之計劃，乃違背聯合國憲章者，此為蘇聯對英美專家所擬聯邦計劃之首次半官方反響，并暗示蘇聯或在下月召開之聯合國會議中，提出英國在巴力斯坦之行動問題。

財政部一俟國內局勢安定，即將着手統一全國幣制工作，惟目前實施此項工作準備尚未成熟，以台幣而論，台灣情勢較內地各省安定，如立卽以法幣收回台幣，則難免影響台省人民之經濟生活、至中共在盤踞區發行之大量紙幣，目前自無法加以處置，東北方面則以情況未臻安定，流通券乃繼續進行，僅東北蘇聯紅軍之軍用票，已開始收兌，比例為一比一，惟恐有假造紅軍軍用票擾亂法幣情事，決定票面一百元以下者，免換法幣，一百元以上者祇准作為存款。

△據經濟部長王雲五表示，滬市工商請願團此次會同京市商會及蘇省商會代表等，在京所呼籲之請求政府低利貸款予海上及京市工商界一事，渠已將彼等所陳各節向當局請示辦理，當局對該代表等所請求之貸款數額及貸放方式，在原則上承認設法予以維助，但需要貸款之工商仍應依照現有手續，分別向主管機關辦理，而所請整批貸放一事，超逾現規，恐難照辦。

四聯總處開理事會

四聯總處昨日上午十時舉行第三一六次理事會，各理事均出席，由徐部長堪代理主席，除核定民生公司等重要放款案十件外，並將該處業務檢討會議所擬有關改善放款及存匯各種原則及辦法，提出討論，並分別予以修正，又該處為便利後方公務人員贍家費匯款起見，近復規定將每人每月贍家費匯款數額增為十萬元，由國家行局免費承匯。【中央社】

猶太民族運動者 將在某地舉行大會

【中央社耶路撒冷十四日路透電】猶太民族運動者之核心委員會，本日在此決議，於本年十一月間在歐洲某地舉行世界猶太民族運動者大會，並限定十月十四日以前選定出席大會之代表。

【中央社巴黎十四日專電】猶太人協會執行委員會昨晚發表公報，指責英國在巴力斯坦之統治與委任統治地之字義與精神，均不相稱，并謂即使猶太人在歐洲之情況有所改進，歐洲之五十萬猶太人，仍盼離歐，猶太人民大規模之移入巴力斯坦，為自然現象，非如英政府所傳為小猶肆無顧忌之猶太人及極端猶太民族主義者所發動，猶太人民中實無極端派與溫和派之別，彼等僅懷一種希望即重返其故土。

【中央社耶路撒冷十四日路透電】英國駐巴力斯坦高級委員會本晚在此發表聲明，宣佈英國政府已與聯合國救濟善後總署成立協議，遣返刻在巴力斯坦之波蘭籍難民返波，聯總在巴力斯坦之代表，已開始登記波蘭籍難民，以便早日遣送彼等返國，

聯總濟華物資 將延長限期
遠東小組會提出報告

【中央社日內瓦十五日專電】聯總理事會政策委員會今午仍繼續討論流亡人民問題，並對奧地利收容所之情況，特別提出討論，聯總署長拉加第亞報告稱：聯總供給奧國人民之生油，被蘇聯佔領軍當局沒收一萬五千噸，并轉售於捷克，同時聯總所供應之巨量糧食，亦為蘇聯兵士所沒收，故拉氏請求委員會設法阻止此種情事，蘇代表費奧尼夫乃又發表冗長之聲明，旨先堅決否認拉加第亞所報告之一切事實，旋復認為此純屬政治方面問題，而非聯總理事會所應處理者。美代表伍德繼起發言，請委員會密切注意聯總法規第九十一條，并認為委員會對此類事件，應採取措置，英代表貝克對美國建議表示贊同。拉加第亞乃繼稱，委員會僅有三途可循：（一）立即命余辭職。（二）嚴格遵照聯總法規之九十一條。（三）對余之措置予以支援。委員會辯論多時，未獲決議，旋宣布散會，俟下次會議時，再討論此問題。

【中央社日內瓦十四日專電】聯總理事會遠東委員會所設立三小組委員會，今日午後已向理事會提出報告，以供採納。小組委員會之設立，係為研究延長聯總對華計劃運輸截止日期之問題。

威爾斯遺體 將行火葬

【中央社倫敦十四日路透電】據悉：昨日逝世之聞名全球之英國作家威爾斯，將舉行火葬，其典禮將不公開，喪禮日期亦不宜佈。

國人忙于慶祝八一五

馬琪昨在東京陳述 南京大屠殺實況
七七老婦亦被日寇強姦二次

【中央社東京十五日專電】美籍證人馬琪、今午於東京戰犯法庭陳述日軍於南京所為之驚人暴行稱：「南京大屠殺」誠為一「不可置信之恐怖之行為」。馬琪為美國聖公會南京傳教師，渠稱：日軍進入南京後，即開始殺人，不久即變為有組織之屠殺，散見各處，中國人民之屍首，致車輛無法通過，某巷中積滿屍體，須改道而行。馬氏陳述一極為殘酷之暴行，即有日軍二名圍困驚惶失措之中國人民二人，並槍斃之，「兩日軍仍繼續吸烟，並談笑自若，一如射死二野鴨然」。馬氏復稱：日軍之強姦中國婦女，亦為「不可置信之恐怖」。渠歷歷陳述日軍在南京之強姦醜行，馬氏亦為當時竭力保護中國婦女之外籍人士之一，渠稱：即七十七歲之老祖母，亦為日軍強姦二次，其十二歲小孫女，則再三受日軍之強姦，南京新開路七號某姓十五名家人中，有十三名俱被日軍殺死，女性則在殺害前先予強姦。我國檢察官向哲濬今午於開訊此事時，向法庭宣讀「日軍對中國人民之暴行，及在華施用鴉片及其他毒品」之聲明，向氏稱：日軍圖藉於行一舉摧毀中國之抗戰意志：「東京統帥部及其司令官完全護悉此舉，并予默許」，「南京大屠殺決非零星事件」，據中國司法部官方報告稱：日軍自一九三七年至一九四五年，在各淪陷省內之暴行，共達九萬五千起，向氏稱：「此乃典型之日軍戰術也」。關於鴉片及毒品，向氏稱：「日軍企圖藉此降低中國人民之抗戰意志」，并藉此獲得巨額收入，以供應其軍事及經濟之侵略之日軍利用已淪陷之各區，作為對毗鄰各區之毒品攻勢之基地，蓋此等區域即為下次軍事侵略之目的地。

【中央社東京十五日專電】居華頗久之美記者戈德，今日繼續出席遠東國際戰罪法庭，對日本在我國之政治及經濟侵略提出詳盡之證據。

賴伊盼聯合國大會 不致再延期召開
希望和會能早日結束

【中央社紐約十四日專電】聯合國秘書長賴伊今宣布：渠仍希望業已一度延期之聯合國大會能于九日二十三日召開。賴氏赴歐洲作七週旅行返美後之首次記者招待會中，解釋謂：大會如繼續延期，將行致損聯合國之威望，并有保留旅社之困難，渠希望和會能按預定計劃結束工作，并指陳和會目前尚有一月以上之時間，然據悉：賴氏本人對於和會可能結束之日期，極少可靠消息，巴黎和會若仍以目前之速率繼續進行，則聯合國家之外長及其他重要外交官至九月二十三日時，仍將忙于締造和平之問題，猶憶聯合國大會係由九月三日延至二十三日，以避免與和會衝突。

甘地代表 訪艾德禮

【中央社倫敦十四日路透電】甘地駐倫敦私人代表高席，今晚在此與英首相晤談一小時後，即宣稱英工黨政府對印度已決定採取適當措置，高席曾為甘地與英內閣訪印團間非正式之聯絡員，渠拒絕發表其與艾德禮談話之詳情，唯悉對印度局勢曾加檢討，高席所言僅「余與首相會晤甚感欣幸，「余相信工黨政府已決定對印度採取適當措置」，高席後又訪樞密大臣兼工黨下院領袖樞密大臣摩里遜，據悉：高席已受其英保守黨友人之勸促，往訪前首相邱吉爾，邱氏現為下院反對黨領袖，高席或不久即往拜訪。

溥儀對日極度憎恨

【中央社東京十五日專電】據權威方面消息：國際軍事法庭明日將出席作證之前偽「皇帝」溥儀，將提出最有力之證據，以反對日本在華之政策，而尤以其在中國東北之政策為然。據同一方面消息，溥儀將提證四項要點：（一）日本在東北之統治，（二）日本對中國最富庶地區之搾取，（三）日本視溥儀為傀儡皇帝，（四）東北中國人民所受之待遇，據聞溥儀對日本在其「統治」東北十三年中，予其本人「滿洲國」官員及東北中國人民之待遇，極端憎恨。溥儀在其受審察處初步詢問時，曾對其任「皇帝」時之缺乏自由，以及東北中國人民之被奴役，表示極端憤恨。

蘇門答臘科克附近 發現郁達夫塚
郁氏曾化名趙廉隱居

【中央社巴達維亞十五日專電】據棉蘭民主日報訊：向為國人熟知之我國作家郁達夫氏，在蘇門答臘遭日軍捕殺時，該地日軍已投降，郁氏遺塚在距科克要塞七百公尺地方，茲已被發現。該報獲自可靠方面訊：郁氏化名趙廉，隱居於蘇門答臘西部將近四年，於去年八月二十八日遭日軍拘捕，一月後與歐洲人數名同時遭槍決，葬於坦德安科他地方。

土總理申明決意 保衛領土完整
但願參加修改蒙特婁條約談判 仍希望能與英國繼續保持友誼

【中央社倫敦十四日合衆電】土耳其總理柏克於安卡拉發表廣播演說，重申土耳其保衛其共領土完整之決心，但表示願作修改蒙特婁條約之談判，土耳其認為條約之修改，必須與其他簽字國共同行之，此次廣播，乃為土耳其第一次對蘇聯照會之反應，該照會要求達達尼爾海峽，應由蘇聯土耳其及其他沿黑海之國家管制。柏克稱：對此不久將有更詳細之答覆，但最重要者，乃吾人必須保障國家領土與主權之完整。柏克繼讚揚第二次世界大戰蘇聯之英勇戰績，渠並表示繼續希望與蘇聯訂立條約，俾更適合目前之需要，但從事進行談判之各種努力，迄今已告失敗。彼稱：吾人之目的，仍希望與英國繼續友誼，因吾人之友誼，並不限于鄰邦也。

伊軍增防 亞塞爾拜然邊境
蘇軍集中說未證實

【中央社德黑蘭十四日合衆電】伊朗中央政府軍一師，計一萬五千人，今日奉命駐防開茲文，以為戒備。因聞亞塞爾拜然民主黨人，刻正集中於開茲文以北約一百英里處，民主黨之集中原因不明，英駐伊朗大使古特，曾召集英總領事商討對伊朗政策之改變後，彼等已各回原位，上月此間傳聞，英巡洋艦出現於波斯灣後，即經常接獲報告，謂蘇軍沿亞塞爾拜然邊境正大軍密佈，關於此項傳說，迄未證實，亦無否認者，伊朗軍政部長語記者稱：吾人無從得悉真實情況，因吾人與蘇聯之亞塞爾拜然邊境無直接接觸也。

我駐美大使館 舉行授勳典禮

【中央社華盛頓十四日專電】今日午後我駐美大使館舉行授勳典禮，美陸軍軍官卅七人，包括陸軍航空隊技術總隊司令梅耶斯少將在內，悉由我政府授予勳章，按梅氏係榮獲雲麾勳章，授勳時由顧維鈞大使代表我政府致辭，對渠等之勳績及參與我空軍學生訓練計劃之辛勞，備加讚許，參加授勳典禮者，有美陸軍部官員，大使館人員及各方友好，典禮完成後，即舉行雞尾酒會。

美允參加電訊會議

【中央社華盛頓十四日專電】美國務院發言人今日稱：美國已接受蘇聯所提出五國電訊會議之邀請，唯提議將會期自八月二十八日改至今年九月半以後，展期之目的為予美國代表以充份時間作赴會之準備。

胡西尼將恢復自由

【中央社開羅十四日路透電】阿剌伯同盟會議在十月開會時，將考慮取消限制耶路撒冷大主教胡西尼自由之方案，胡西尼刻為埃王法魯克之上賓，彼被囚於巴黎附近，潛逃後於五月二十九日抵埃。

菜場

品名	價格
公鷄	[illegible]
母鷄	[illegible]
鴨	[illegible]
鴨蛋	[illegible]
黃芽菜	[illegible]
綠豆芽	[illegible]
青菜	[illegible]
紅辣椒	[illegible]
洋山芋	[illegible]
蔥	[illegible]
毛豆	[illegible]
醬瓜	[illegible]
絲瓜	[illegible]
東瓜	[illegible]

品名	價格
愛迪士林	[illegible]
16磅細布	[illegible]
四君子嗶嘰	[illegible]
萬壽圖元布	[illegible]
60上條府	[illegible]
·捲烟	
十支大前門	[illegible]
大英	[illegible]
老刀	[illegible]
特紅	[illegible]
三星白蘭地	[illegible]
仙女	[illegible]
樂華	[illegible]
秋海棠	[illegible]
翠鳥	[illegible]
藍吉	[illegible]
紫金山	[illegible]
發達爾	[illegible]
金字塔	[illegible]

品名	價格
·皂燭(箱)	
日光	[illegible]
日本	[illegible]
朱雀	[illegible]
120黃群芳	[illegible]
美孚	[illegible]
·日用品(斤)	
豬肉	[illegible]
牛肉	[illegible]
白糖	[illegible]
·蚊香	
月虎	[illegible]
三星(盒)	[illegible]

品名	價格
·白貨	
三星牙膏(個)	[illegible]
利華藥皂	[illegible]
四合一香皂(個)	[illegible]
42支線汗衫(件)	[illegible]
60支線汗衫	[illegible]
60支府綢襯衫	[illegible]
普通襯衫	[illegible]
·食糧(石)	
上熟	[illegible]
中熟	[illegible]
次熟	[illegible]
糯米	[illegible]
黃豆	[illegible]
青豆	[illegible]
綠豆	[illegible]
赤豆	[illegible]
小麥	[illegible]

品名	價格
·棉紗(件)	
32藍鳳	[illegible]
20雙魚	[illegible]
20萬象	[illegible]
20天馬	[illegible]
20天官	[illegible]
16光明	[illegible]
16天馬	[illegible]
10雙牛	[illegible]
10雙貓	[illegible]
·金融(錢·元)	
金 進 / 出	[illegible]
美鈔 進 / 出	[illegible]

馬琪昨在東京陳述

南京大屠殺實況

七七老婦亦被日寇強姦二次

【中央社東京十五日專電】美籍證人馬琪、今午於東京戰犯法庭陳述日軍於南京所為之驚人暴行稱：「南京大屠殺」誠為一「不可置信之恐怖之行為」。馬琪為美國聖公會南京傳教師，渠稱：日軍進入南京後，即開始殺人，不久即變為有組織之屠殺，中國人民之屍首，散見各處，某巷中積滿屍首致車輛無法通過，而須改道而行。馬氏陳述一極為殘酷之暴行，即有日軍二名圍困驚惶失措之中國人民二人，並槍斃之，「兩日軍仍繼續吸煙，並談笑自若，一如射死二野鴨然」。馬氏復稱：日軍之強姦中國婦女，亦為「不可置信之恐怖」。渠歷歷陳述日軍在南京之強姦醜行，馬氏亦為當時竭力保護中國婦女之外籍人士之一。渠稱：即七十七歲之老祖母，亦為日軍強姦二次，共十二歲小孫女，則再三受日軍之強姦，南京新開路七號某姓十五名家人中，有十三名俱被日軍殺死，女性則在被害前先予強姦。我國檢察官向哲濬今午於開訊此事時，向法庭宣讀「日軍對中國人民之暴行，及在華施用鴉片及其他毒品」之聲明向氏稱：日軍圖藉暴行一舉摧毀中國之抗戰意志：「東京統帥部及其司令官完全護悉此舉，并予默許」，「南京大屠殺決非零星事件」，據中國司法部官方報告稱：日軍自一九三七年至一九四五年，在各淪陷省內之暴行，共達九萬五千起，向氏稱：「此乃典型之日軍戰術也」。關於鴉片及毒品，向氏稱：「日軍企圖藉此降低中國人民之抗戰意志」，并藉此獲得巨額收入，以供應其軍事及經濟之侵略之日軍利用已淪陷之各區，作爲對毗鄰各區之毒品攻勢之基地，蓋此等區域即爲下次軍事侵略之目的地。

「中央社東京十五日專電」居華頗久之美記者戈德，今日繼續出席遠東國際戰罪法庭，對日本在我國之政治及經濟侵略提出詳盡之證據

1947.9.13《中央日報》 南京大屠殺案荒木竟稱不知

日本經濟分散方案 片山內閣昨日通過
預料議會討論將有激辯

（中央社東京十二日專電）日本片山內閣今日通過一經濟分散方案，此方案定不久交議會討論。據悉：此一爲日本盟軍所劇烈爭辯之方案，係由盟軍總部交予片山內閣者。片山曾屢言渴望麥克阿瑟元帥及麥帥總部經濟科長馬克特少將，請收回成命，但未獲成功。按經濟分散方案，旨在粉碎日本財閥組織及防範今後任何壟斷控制之復活，但日本財政及經濟界大多數人士均認爲：此一方案將分化日本之經濟。日內閣書記官長西尾末廣今日宣佈內閣決議事項：內閣將採取最大讓步之態度，俾使該方案不致影響日本平時經濟之生產及避免引起「不安與騷動」。預料新方案交予議會後，將成爲爆炸性之辯論中心。

（中央社東京十二日專電）據日閣書記官長西尾末廣稱：今日內閣會議中曾討論經濟分散法案（此種法案對於解除日本財閥對經濟機構之影響極具革命性），政府贊成將此法案提交議會，而不願經由政府作爲法令公佈。自由黨領袖正欲利用此類不受歡迎之法案作爲成立保守派內閣，以應付未來和約運動之起點。以前政府所提國家管制煤礦之法案，曾遭反對黨之抨擊，但經濟分散法案尚能反應稍佳，據經濟安定本部估計，對上述法案在議會通過，則將有三百家至五百家之企業公司須立即停業。根據內閣現在計劃，政府僅決定如何確定分散範圍之若干抽象規定，詳細辦法由公司清算委員會決定。時事新聞社稱：片山內閣意圖將此不受歡迎議案之責任諉諸他人，因其不願內閣失去人民之愛戴，此在目前爲極重要之問題；再者，鑒於最近各報常攻擊政府濫用立法權，不經議會通過，即頒佈法令，故決定將上述法案送議會解決。政界人士相信此案係由盟軍總部發動，因衆認爲內閣不致提出此不受歡迎之提案，以危及其不甚穩定之地位，如議會拒絕通過此案，內閣將遭受極大困難，且將受盟軍總部申斥，其不利於內閣固不亞於失去民望也。

（中央社東京十二日專電）日外相蘆田均頃於旅行本州北部時曾作預測，謂日本將進一步請求美國再予貸款。據日本報紙報道消息：渠曾聲稱：美國對日之五億美元信用貸款已使日本前途重見光明；渠預期日政府將請求美國作進一步之貸款。蘆田均預料盟國對日和約將於明春簽訂。

（中央社東京十二日專電）盟軍總部政府組織公共事務管理科科長來治爾中校今晨稱：惟日人自身可防範包括財閥、壟斷等經濟被壟斷者於對日和約簽訂後之再起。盟總發言人繼告稱：彼已崩潰之舊日國家經濟命脈者，如容其再度控制國家之財政與工業，則彼等可以盡將再度引導日人爲經濟所困。又稱：除盟總日本私人外，並應致力使內閣列入壟斷者於佔領結束後之再起。

改善世界經濟情況 苦幹金錢同等重要
國際貨幣基金會目標不變 居德表示仍望協力復興

【本報訊】據十二日新加坡廣播：世界銀行行長麥克勞今日宣稱：吾人不能認爲馬歇爾計劃爲對歐洲之貸款，世界銀行之貸款實只援助馬歇爾計劃，但吾人不能忽視苦幹與金錢同樣重要。

（中央社倫敦十二日合衆電）國際貨幣基金會總經理居德于下午全會中表示，該基金會將盡全力以謀世界強有力經濟之建立。居氏于其所提之報告中稱：渠認爲實無任何理由改變基金會所定之諸目標。爲達到此等目標計，世界需有力經濟之建立，實爲不可缺少者，該基金會將以全力促其實現之。

（聯合社十二日倫敦電）世界銀行與世界貨幣基金會宣佈，歐洲戰後經濟之主要努力，必須由歐洲國家自行承担，然該兩金融組織亦願歐洲亦須以供給貨物方式，援助外援協助，尤以美國爲然，以增進生產。彼等認爲生產乃問題之最後解決。該兩組織於向其監事會提出第二年度報告中並稱：彼等缺乏供給現行需要之巨大援助之資力與權力，此種援助必須取自各國政府。

（中央社倫敦十一日專電）國際銀行行長麥克勞，在其向該行監事會第二屆年會所提之報告中，透露該行除已貸款與法、荷、丹麥、盧森堡四國外，尚已接受其他五國貸款之申請。此五國爲智利要求貸款四千萬美元，捷克三億五千萬美元，伊朗二億五千萬美元，墨西哥二億九百萬美元，波蘭六億美元。所有申請者，均曾說明其使用貸款之計劃，例如使鐵路系統現代化，或發展水電工業等。

（中央社倫敦十二日合衆電）國際建設復興銀行行長麥克勞，今日提議建立「技術專家之公正機構」，以對各國之外債問題，簽訂一公正解決該法。麥氏於該行之第二年度報告中稱：國際建設復興銀行，願意并希望對此種方案有所貢獻，以利一私人資本自由流通。」麥氏並指稱：清理外債或爲多數國家藉以改進其信用標準之最有效步驟。渠繼稱：「此並非建議未償付大量外債之國家，均應減少或均衡其債務原定條款償還債務，然在必致法人義務情況下，有時調整實爲唯一實際解決方法。此外若干外債原定條款所假定之情况，目前已證明確屬錯誤，故此等償款，實不能成爲有效清理債務之基礎。另一方面，最重要者，各有關國家實應明白表示願盡力與債權者協議。」

世界糧農組織 三屆會議閉幕

（中央社日內瓦十一日專電）第三屆世界糧農組織大會，於開會三週之討論後，本日下午已在全體大會中閉幕。閉幕以前，大會會選舉下列十八國爲該會執行委員會委員，十八國爲捷克、丹麥、法、義、荷蘭、英、中國、印度、埃及、南非聯邦、巴西、加拿大、智利、古巴、墨西哥、美、菲律賓以及澳洲，大會選舉澳洲代表布魯斯爲執行委員會主席，最後並選舉奧爾爲該組織秘書。

英指責保共 圖謀取政權

（中央社倫敦十一日合衆電）英外交部爲抗議保加利亞解散反對黨及農民黨聯盟一事，於本日晚指責保共產黨乃欲在保加利亞建立共產獨裁政體。英國駐保公使館照會保外長季吉厄夫，公開指責保共黨之政治代表且其政策乃保共黨控制政府行動，解散農民組織之行動，乃保共黨之逐步消除其政敵，後有系統之運動之極點。

巴黎經濟會議 決定延期舉行

【本報訊】據十二日倫敦廣播：貝文本定於十五日赴巴黎參加經濟會議，現因會期已告延期，故行期亦已改變。

【本報訊】據十二日倫敦廣播：巴黎經濟會議本定於十五日召開，現因美經濟協理國務卿克萊頓對委員會之報告書有所批評，認爲各國須先分開發其資源，不能依賴美國太甚，現歐洲委員會正在研究克萊頓之批評，會議延至九月廿二日舉行。

（中央社華盛頓十一日專電）美商務部長哈里曼談稱：總統之援外委員會（按即由哈氏主持）主張政府得控制糧食之出口，以助馬歇爾計劃之推行。哈氏謂之委員會現正研究美國對於歐洲之復興計劃能予若干貢獻，並將於十月末提出報告。

義私人工廠 准向美貸款

（中央社羅馬十一日合衆電）義內閣今日批准一項辦法，凡義國私人工廠，可經義國投資局，向美國進出口銀行借款。該局局長格倫帶將於明日赴美，進行談判。

西流亡總理 將啓程赴美

（中央社巴黎十一日合衆電）據悉：西班牙流亡政府總理阿爾波諾茲及秘書長馬爾蒂拉都，擬于本月二十二日前赴美國，以西班牙共和國觀察家身份出席在紐約舉行之聯合國大會。

華萊士抨擊美外交政策
並攻擊杜魯門內政計劃

（中央社紐約十一日專電）前美副總統現任新共和雜誌編輯華萊士，本晚攻擊杜魯門政府，並責其「反動」，並稱「最後將使美國走向戰爭與不景氣」之內政外交政策。華氏於美國左翼前進公民大會演說，指責美國目前之外交政策，僅在名義上爲兩黨政策，實則由前總統胡佛之思想爲指導，並由華爾街反動銀行家所執行，而經「受軍事訓練之國務卿馬歇爾」爲其首腦。華氏稱：反動分子造成「對蘇歇斯底里亞之戰爭」，與「對共產主義之恐懼」，然渠等真正之恐懼，則爲民主。其結果使美國人民身受物價高漲與經濟不穩之苦，「全世界人民亦爲此作武裝競賽，此在不能再承受另一次戰爭之世界上，實爲莫大罪惡」。華氏去年因在麥迪遜廣場發表著名演說而辭商業部長之地位，今於一年以後復在同一地點向同一左傾聽衆發表演說。渠對去年所發表之言論，不欲撤回一字。渠稱：「資本主義與共產主義可以和平共存，而美國人民面臨之選擇，並不在資本主義與共產主義之間，而在進步之資本主義與反動壟斷之資本主義之間。」華氏繼談內政問題，攻擊杜魯門及杜威所贊成之普遍軍訓計劃，杜魯門以及欲於公共機關中清除共產黨之效忠國家命令暨哈特萊及塔虎脫之勞工法案。華氏要求其黨羽團結一致，並於明年六月民主大會中獲致結果，彼斷言稱：民主黨如不能爲此，則「人民必將有自由之新黨派」，意即暗示民主黨將行分裂。華氏於全部演說中，竟無一字批評蘇聯，同時發表演說者有美進步公民社主席金教，以及前全美青年領導處長施萊士，華萊士演說中曾提及中國稱：「吾人不能漠視中國人民之熱望。」

（聯合社十二日紐約電）華萊士稱：美國經濟與金融集團決在現政府下經營世界。此間係華氏於一由美國進步公民社主持之麥迪遜廣場遊園會中發表者，渠稱：「美國將由金融街團在共和黨下操縱，在現政府下，渠等已決進而稱霸世界矣。」華氏演說之時適值渠去年九月發表攻擊美對外政策演說週年之前夕，渠氏曾因此說遭杜魯門總統之[illegible]內閣，華氏此次再度抨擊政府之對外政策，謂係由投資之銀行家及軍人所左右。渠稱：「羅斯福總統死後之四十六天，胡佛即成爲白宮之上賓，兩年前後，指導吾人對外政策者已爲胡氏之思想矣。」華氏現仍在民主黨中工作，但亦不完全放棄另組第三黨之途。

馬帥將在聯大會上 闡明美國外交政策
對否決權問題將有讓步 莫洛托夫下月初可蒞美

（中央社華盛頓十二日合衆電）美國務卿馬歇爾將於今日赴紐約，俾在未來之聯合國大會上與蘇聯再事週旋。馬歇爾顧問謂：馬卿十七日向大會發表之演說，將爲闡明美國政策，旨在加強非蘇聯或共產邊緣國家之支持，彼特別亟欲祛除外間對於美國欲使聯合國爲其外交政策之基石所懷之任何疑慮。馬卿另一目的爲使大會克服蘇聯反對，並成立希臘「邊疆巡守」委員會，蘇聯曾以否決權在安理會中阻礙美國欲建立該委員會之努力。陪同馬卿赴紐約者，將有若干首要顧問，彼將於週末與其代表團人員作非正式之談話，其中有美出席聯合國代表奧斯汀、杜勒斯與羅斯福夫人。

【本報訊】據十二日舊金山廣播：成功湖訊：英國代表賈德幹本日建議聯合國調查全球軍隊數目，以爲建立全球信心，便利全面裁軍之一步驟。賈氏稱：五十五聯合國均應供給關於其軍隊兵力之材料。此一建議似未事先得到美國贊同。至賈德幹稱：英國隨後將建議全球各國軍備預算及武器生產之管制。

【本報訊】據十二日舊金山廣播：成功湖訊：可靠方面消息，美國之政策，關於強國在安理會中之否決權問題，已願考慮對各小國作根本讓步，美國此一新態度將使其向來與蘇聯均堅持不得修改否決權之陣線破裂。美國似贊成對於安理會中「和平解決」之行動停止使用否決權，然對於懲罰規定經濟制裁及對侵略者使用武力之部份，仍將適用否決權。

【本報訊】據十二日舊金山廣播：據可靠消息：莫洛托夫計劃於十月初赴紐約參加聯合國大會，去年莫氏參加聯合國大會時，曾提出全球裁軍建議，此次可能亦有同樣驚人之建議。

【本報訊】據十二日倫敦廣播：駐蘇聯印度大使潘迪特夫人今日已飛抵紐約，準備代表印度出席聯合國大會。

南京大屠殺案 荒木竟稱不知

（中央社東京十二日專電）日本第一號戰犯前任陸相及文相之荒木貞夫，今日第三次出席戰犯法庭作證時，檢察處質其南京大屠殺慘案是否應由其負「道德上之責任」，渠極力否認稱：余從未聽聞有此暴行，「即使爲一謠言」，亦未之聞。渠又辯稱：一九三三年渠任陸相時，中國熱河省並未發生任何「事變」運動，縱有此事亦爲「滿洲國之內政事務」。此一虎狼之戰犯，並否認渠曾與前外相內田康哉共同建議日政府於一九三三年退出國聯之事。

颱風逼近琉球

（中央社東京十二日合衆電）美陸軍颱風警戒大隊稱：每小時五十五英里速度之熱帶暴風（綽名「嘻特斯抹」），現已發見強烈，十二日午後六時（格林威治時間）逼近琉球群島，相去僅四百五十英里。日本東京氣象站報告稱：颱風可能於十四日侵襲東京橫濱區域，但不確定，或許颱風掠空而過，或沿海岸向東南前進。十二日午前六時（格林威治時間）颱風位於硫磺島以西，其部位爲北緯二十三度東經一百三十六度，且以每小時十五英里之速度向北前進。

英國怎樣與貧窮交戰
訪問英大使施諦文

本報記者 王洪鈞

二次大戰結束後，經濟危機繼戰爭之後席捲全球。砲火的種子已長出遍地的飢餓和貧困。戰勝國中有兩個破落的大戶，處境最苦，遭遇的經濟危機，也最嚴重；這就是西方的英國和東方的中國。中國以農立國，英國是工業國家，兩國所遭遇的問題雖不盡同，但一樣地感覺嚴重的致命傷。英國的工黨內閣上台後，正集中全力對付眼前的經濟危機，想在汎濫的經濟狂潮中，築起一道堅固的圍隄，使英國休養復蘇，免於飢餓和貧困。在不斷的磨鍊中，英國政治家們想出了不少遠見而周密的辦法，這些辦法未嘗不能供中國人參考。所以記者昨晨訪問英國駐華大使施諦文先生，追尋着兩國的答案。

厲行節約

昨天（九月十二日），克利浦斯大臣已在倫敦宣佈一項改訂的出口計劃，這計劃正是英國目前經濟政策的神髓，也是拯救飢餓的英國人民的最後指歸。他以厲行節約、增加出口、限制入口三大工具達成進出口的平衡，解救經濟危機中最重要的一面。英國政府早在今年夏季，著手實施一個四年經濟計劃，想不用長期的緊縮食糧和北美諸國經濟合作，以達成經濟的復甦，但沒有預料到經濟危機如洪水般的速度衰退快，一天天吞噬著英倫三島，所以政府不得不重新考慮修改原訂計劃，以更多的出口，平衡必須的入口；同時集中全國所有的物資、勞力、資本放在主要的用場。新進口計劃已在本月九日內閣會議上通過，並由克利浦斯大臣昨天正式宣佈。除內容更充實、更清晰的經濟措施外，英國政府將把國外旅行等辦法都限制，取締非因要公的私人旅行和外匯使用，把全部涉到人民日常生活的法令面告訴人民，並把全部禁令，用緊急通告的方式傳達民間。

英國人自己也知道像這套辦法，可能減慢英國復蘇計劃的實施，但他們更相信自力更生的決策一定走上成功之路。摩里遜大臣曾說過：「國際政治經濟的趨勢對我們非常不利，我們必須要作最大的努力走循最艱苦的道路達到真正復興的目的。」

英國收支項下每年虧空六萬萬金鎊，工黨政府認爲這是英國經濟上的致命傷，所以訂出幾種緊急節約措施，維持經濟上緊急需用，並彌補近六億金鎊的大虧缺。八月廿七日英政府首先公佈：飲食節約、汽油節約與旅行節約三大辦法，自十月一日起實行，以節省二億二千八百萬金鎊的出口。其餘四億金鎊則加緊出口來補救。根據這個龐大的方案，（一）飲食方面——成年人每人每週的肉食費將由一先令零兩便士減爲一先令，其餘副食像罐頭肉、魚、乾菓和糖乾酪分配量，同時減少，這正一九四一年戰時最艱苦階段的飲食標準。至於奢侈食品一項，每年可減少的美國入口，約值一億四千四百萬鎊。（二）汽油方面——私人用車，汽油配給條例，自十月一日起，完全廢除。除非因業務上的需要，並經合法證明，任何人不准駕車出遊。這項節省的汽油錢，可達一千萬鎊。（三）旅行方面——自十月一日起除非因要公或已訂約不能廢約的私務，任何人不得到國外旅行，出去的人，每天最多能用八鎊錢。假如以上三種條例及其他種種限制辦法完全實現後，據一般估計，到一九四八年的六月卅日，英國進出口的不平衡可減至三億五千鎊到四億鎊。詳細數目如下：飲食：一億四千四百萬鎊。汽油：五百萬鎊。木料：一千一百萬鎊。影片：一千萬鎊。日常消費品：五百萬鎊。旅行外匯：三千六百萬鎊。海外軍費：二千萬鎊。以二億二千八百萬鎊消費的節省，可以說是英國人勒緊褲帶換出來的，所以英首相艾德禮在八月廿七日也沉痛地向全英國人說：「目前的發展轉是在已經緊縮的消費上再求緊縮，這種節約和忍凍挨餓的政策，在英國平時從未實行過。」

加緊生產

英國一方面在節衣縮食，節省外匯；另一方面集中人力、物力，從事出口生產，增加財富。在昨天公佈的改訂進口計劃中，英國政府將有條調用從事非必需工業的人力參加主要工業的生產陣容。同時要限制私人投資，及國內公共工程的興建，都得管制，以使全國出口額在明年年中，增至一九三八年的百分之一百四十，到年底，增爲百分之一百六十。事實上，本年六月底爲止，英國的工業已經在增加生產的目標下有了很大的進步。第一，他們曾提高出口率，第二，已用驚人的速度和精力克服去年冬季煤荒的影響。據統計六月份出口總值爲九千一百萬金鎊，這成一九二〇年二月以來空前未有的紀錄；而六月全月，祗有廿四天的工作日。在大量的出口貨中，車輛一項總值超過一千四百五十萬鎊。這一組（包括船隻、飛機、公路及鐵路車輛），能破例超過機器一組佔出口貨的大宗，尚是今年第一次。其中飛機零件出口值以六月份最多，由大小船舶一項，以噸位說，也是一九三九年來最多的一次。據英國人估計，汽油配給制度取消後，全英機車出產可以全部拿來作出口用。而英國政府也在有計劃的限制私人用車，集中使用原料，製造出口的機車。同時，工廠方面，也力求產品標準化，使英國出產的車輛和零件在任何地方都能實用。

利用貸款

除了節約消費，減少入口，增加出口外，英國人還計劃巧妙地利用外國借款。英國官方明顯地指出，希望利用美國和加拿大的貸款，設法自動的解決。本星期內，英國政府曾不斷與美國銀行界代表斯奈德及出席世界銀行及國際貨幣基金會議的英各自治領代表舉行會談，洽商貸款。

施諦文大使分析完英國目前的經濟情形，又以旁人的地位，談到我國目前的經濟問題。他說：「中國同英國一樣，都很需要外國的物資。但在世界經濟不景氣，貿易和饑饉威脅着每個國家時，自力更生，終是一條較穩當的路。」大使主張中國亦應自節約消費和增加生產下手。他認爲英國目前急需的是缺乏物資，而中國有些地方只是因爲交通不暢，運輸不靈而引起的調節不良現象。他舉例說：「中國許多產品，往往因爲不能擔負過大的運費，就停滯在原產地的倉庫，另外聽說上海碼頭的貨物堆積，往往超過橫渡太平洋的全程運費。所以有人主張外國船舶自由出入口、南京等內地貨外銷，對中國的出口未嘗無利，因爲運貨外銷並不是內河航行。」

監督荷印停戰
蔣家棟接受安理會邀請 英澳領事遭印尼軍槍擊

（中央社訊）我國駐巴達維亞總領事蔣家棟，接受聯合國安理會邀請，會同駐巴達維亞領事委員會監督荷印停戰，並作報告。茲據駐京荷蘭大使館方面消息：荷政府已通知我政府，賴予蔣氏任何便利，藉以執行任務。又據此間大使館收聽巴達維亞電台廣播荷方公報稱：爪哇中部安巴拉瓦地方荷軍繼續進行掃蕩軍事行動，並解放華僑婦女及兒童三十七人。又另於蘇門答臘東海岸丹永普拉附近地方，荷軍曾自印尼方面解放華僑二百八十人。

（中央社巴達維亞十一日專電）我駐巴達維亞總領事蔣家棟，頃奉令爲出席各地觀察員中國領事，於今晚與比國領事於軍機防護下，返抵巴達維亞南一百二十公里荷軍佔領之一城，明日將啓程飛赴萬隆東南百公里之塔西克馬拉甲。據蔣氏發言者稱：蘇甲巫城中有一華僑婦人及其女橋，在其離城四公里之宅中被殺。余前往察看，則見該婦人屍骨俱已斬去，血流滿地。

（中央社巴達維亞十二日合衆電）英駐巴城代理總領事霍倫，與澳駐巴城代總領事伊敦，昨日在東部爪哇馬冷附近，遭印尼作戰部隊之機槍射擊。

（聯合社十二日巴達維亞電）由於蘇聯在安理會中抨擊調查報告之遲遲未能送至，此間領事委員會允在本月底將停火命令下達後荷印衝突之發生報告送安理會，惟仍須俟事實之到達不再延宕始可。

（聯合社十二日巴達維亞電）荷印代理總督范莫克稱：荷蘭佔領區內之華僑已組織自衛隊，然范莫克斥外傳華僑參加荷軍對印尼作戰之說。荷印政府已分配二百餘萬荷盾，救濟華僑難民。

杜魯門返國途中
艦上舉行橫穿赤道典禮

（中央社密蘇里號艦隨艦記者盧祺新十一日專電）杜魯門總統一行自巴西返國途中，橫穿赤道，今晨於艦上舉行傳統之穿越赤道典禮，杜氏及其夫人、女公子、白宮人員、廿餘名記者以及軍官水手等一千五百人，均爲皇家「貝殼會員」，儀式中有扮成海龍王者，亦登「密蘇里」艦，並自海上帶就職典禮之海盜，遍身血污之海盜及女護士，龍王身穿租自紐約商店之衣服，在艦上組設法庭，並指出自杜魯門以下均爲罪人，杜氏因乘飛機一架穿過赤道而獲罪，且身爲民主黨員，故不可赦免，記者團曾在密蘇里艦欲，故亦被判有罪。

義境盟軍即撤離
的港將由美南劃分管理

（中央社羅馬十一日合衆電）地中海盟軍代總司令李氏宣稱：的里雅斯德因缺乏行政援助之故，將劃分爲英美及南斯拉夫管理區，五千美軍及五千英軍駐屯北區，南軍五千人即負責南區。義境英美軍之撤退及地中海司令部之撤消工作，明日即行開始，其後軍隊將在新邊境若干要地佔立之分界線，在對義和約批准前一日，義邊境保安隊可開至選合邊界委員會臨時建議中所劃定之邊界地帶。彼拉爲之美軍將於下週一撤退，該地將按照條約，由南斯拉夫接管。盟軍於下週一亦將摩根線四要地交與南國，而退至義南新邊界之後方，盟軍撤退及結束該區工作之計劃，將於十五日生效，屆時之盟軍司令部即將撤消，盟軍於對義和約批准後卅日內撤退，此項撤退計劃包括美軍及英軍。

（中央社柏林十一日專電）德國美佔領區軍政府今稱：他國欲自美佔領區引渡戰犯或本國叛徒者，應於本年十一月一日以前向軍政府提出書請，超過限期，軍政府對收到之書請，僅允准某項經證明係個人案件之引渡。

新型噴氣轟炸機 美即作初步試驗

（聯合社十二日西雅圖電）新型噴氣推進之轟炸機一架，已自波音飛機公司之建造機廠中開出，準備作初步試驗。據陸軍航空隊稱：該機爲B-47式，其速力可能大於現有之噴氣推進戰鬥機，裝有噴氣引擎六具，有兩對裝於翼下部份，另兩具分裝於靠近翼尖部份。尾部附近，有火箭發動機二具，係準備應急之用者。全機爲流線型，其長闊高同於B-29式超空堡壘，翼展一百一十六呎，長一百零八呎。

【本報訊】據十二日舊金山廣播：第一批產生原子能之輻射性同位原素，已自美國運抵坎伯拉。

赫利繼任 劉區遺職

【本報訊】據十二日舊金山廣播：美國政府已令赫利繼劉區爲韓南軍政府行政長官。

南洋試航紀（四）
在南洋活動的蛀虫羣

本報特派員 容又銘

在南洋正有一大羣蛀虫，不斷地進行着毀壞中華民國這大樹的樹根的工作。任何有心所有正義的純潔青年，看到他們的活動，都要痛心疾首，搥胸頓足，現在活動最激烈的，要算共產黨與民盟。他們的手段是無所不用其極，目標是不只顛覆政府，甚至要毀壞中華民國的國際地位，丟盡祖國的光榮，毀壞祖國的信譽，最後，就是出賣祖國，也在所不惜。記者在新加坡的小旅館裏，就曾經與兩個自己承認是馬共新民主青年團團員的海南島青年傾談過二十分鐘的話。記者問他們對祖國的觀感時，他們說：「我們是受第三國際指揮的，中國與我們沒有關係。不過，我們知道，你們在國民政府統治下的人民，一定是很痛苦的，是不是？我想在東北及延安的人民，他們大家都有飯吃，比較上一定快樂幸福些，是不是？」當記者問他們對於國內戰爭的看法，他們又像背誦敎條似地對記者說：「孫總理是中國的國父，是不是？那麼孫總理的最大主義是聯俄容共，現在國民政府要討伐共產黨，就是違背總理的主義，就是孫總理的叛徒！」記者實在不能再事容忍，而向他們解釋說：「中國最痛苦的地方，便是有戰爭的地方。譬如江南的南京，上海，以及內地，因爲安定，生活還好過。至於延安早經國軍收復了。而聯俄容共，不是總理的主張，只是實施主義的革命過程中的一個策略。」他們一面聽一面搖頭說：「南京是國民政府的首都，生活能夠較好？延安是共黨的京都，能夠給國軍收復？那麼，先生，我們不能夠相信你的話！先生，也許你比我們懂得多些，但上面我們所說的話，是我們的信念。像這樣與我們抱共同信念的華僑青年在新加坡，共有五萬多人哩！」啊！多可怕的信念！多麼卑鄙的訓練！多麼危險的思想啊！記者又很欣幸地得參觀了馬共新市代表林強亮的出殯大典在南僑報上的巨幅圖片。一個在獄中病死的代表，立刻便成了共黨英雄。所有行列，都是頂着黑髮的中國人，所有輓聯也都是斗方塊的中國字，然而飄在行列前面的是共產黨的紅旗，是列寧、馬克斯、史達林的照片，從這些人的腦袋裏，你還能希望分析得到「中國」這兩個字眼嗎？

民盟處心積慮 毀滅祖國信譽

再看看胡愈之、李鐵民等所辦的民盟機關報——南僑日報罷。他們是如何處心積慮地，在毀壞中國的信譽，在打破僑胞對祖國的信仰。隨便舉一個例：如此次中航機試航南洋，勝利後僑胞首次見到繪有祖國國旗的飛機，莫不歡欣鼓舞，認爲這是中國的光榮。而該報廿九日（八月）短評，竟認爲：「所謂中國航空公司是中美合資經營的，所謂空中霸王，是向美國購買的……與其說是光榮，勿寧說是恥辱，錯認恥辱爲光榮，似乎不很光彩。」

暹羅排斥華僑 全係共黨導演

又譬如前年暹羅的「九二一」慘案，手無寸鐵的僑胞，慘遭暹軍警的殺戮，這就是共產黨導演成功的一齣好戲。原來那天曼谷僑胞舉行慶祝勝利，共黨乃僞造情報，報告暹特別部，謂華僑與國民黨及青年團勾結，定九月廿一日暴動，推翻暹羅政府。暹政府乃連夜戒備，翌晨果見我僑胞四面各方整隊而來，共黨暴徒，混夾在人羣中，向暹羅軍警挑釁，暹軍信以爲眞，乃用機槍掃射，遂造成慘案。此後共黨更公開接受暹政府某派要的津貼，活動日熾。

看了上面幾個實例，何以僑胞對祖國均多抱灰色態度，何以僑胞被外人輕視踐踏，何以外人對中國不尊重，就都不難得到一個解答了。「人必自侮，而後人侮之！」中國人就這樣地拼命侮辱自已的祖國，怎麼還能夠得到外國人對我們的敬重！

現在，且就記者就調查所得，把這羣蛀虫們在南洋各地的組織情形與活動方式，概略地報導於下：

一、西貢——共黨活動，五個月前最爲活躍，以越南日報爲共大本營。天天誣衊政府，侮辱元首。該地尹國藩總領事，忍無可忍，乃運用外交力量，由南圻政府命令停刊，並將共黨指導員兼任該報社長的李康，驅逐出境（據聞李某現潛赴香港，任華僑日報編輯）。從此共黨乃改爲地下活動，捧出總理的招牌，利用意志不堅的老國民黨員，運用茶樓酒館的清談爲共宣傳媒介，發行「民主」、「新苗」、「激流」等地下刊物，大批贈送。工作對象，專從工人、青年學生入手。並勝南僑中學越南報，爲共活動中心。

西貢民盟竟成 共黨預備幹部

民盟則在堤岸設立總部，並正積極在各鄉鎮廣設分部中，而以越華文化公司爲共大本營，統受香港南方局支部的管轄指導，經濟接濟，則由新加坡支持。最近收買遠東日報，爲共喉舌。至於該地民盟與共黨的關係爲：民盟爲共黨的幹部預備訓練班，凡吸收而來之工人學生，均先加入民盟工作訓練，然後擇共思想堅定，能力優強者，轉入共黨工作。

二、曼谷——共黨在戰前即在暹羅設立中央執行委員會，隸屬於共香港南方局，並將派大批青年前往「抗日大學」受訓。目前出面之負責人爲丘及、王瑞、林秀等三人。並另有蘇聯和尚處寫法師，爲第三國際駐暹之最高領導者。勝利初期，氣焰囂張，常以暗殺爲手段，進行勒索，如曼谷前商會會長陳守明，即於勝利後第三日，爲共黨殺害。此後各僑領，亦均爲其要挾，敢怒而不敢言。又如正言報之社長朱南岳，亦被其毆斃；生活報之莊君及其姪仔等全家被共黨搗毀毆擊，莊君頭傷致死，社會震怒，羣情大憤，彼等才改變作風，專從事社會活動，利用店員工友，組織各種團體，達七十餘單位，然大多掛羊頭賣狗肉，虛張聲勢者，許多團體甚至僅有招牌，而無一個會員。自總動員撤銷令頒佈後，僑胞多感振奮，彼等暴力行動已不敢輕易嘗試；只好在共黨機關報——全民報、真話報、光明旬刊等上面，作猶獸之狂吠了。

暹羅僑胞競選 共黨企圖破壞

可是，現在他們又得到了一個機會，就是僑大代表及立委競選的問題，他們準備在暹羅僑領們競選的當中，再來一次大大的搗亂，以破壞當局爲了治安而反對競選在暹境舉行。

共黨最大的組織或受共操縱的團體有：暹羅華僑總會，由蟻美厚主持。曼谷什業工友聯合會、飯店工友籌備會、戲劇華僑互助社、暹華教育協進會、暹羅華僑青年會、中暹文化協會、中華中學、南洋中學、中華公學、改用女校等數十單位。而共黨經濟機構，則以安達公司、南泰公司。

至於民盟在暹羅沒有支部，隸屬於民盟南方總部，其負責之執委爲黃黎、鄭光、吳安仁、馮劍南、盧靜子、葉銘譽、符叔南等七人。并在各地設有分部二十餘處，但活動甚少，影響極微。宣傳方面，辦有曼谷商報及民主新聞。至其他社會活動，則均尾隨共黨，目前民盟與共黨的最大目的，是要爭取張蘭臣，尋佔曼谷中華總商會。

三、新加坡——由於當地當局對政黨活動，採取放任態度，由於本黨黨團之不合作與工作不力，由於社會情況的複雜，洪門會、私會黨等各色黨派幫會團體，竟達一百零八個之多。因此，新加坡幾乎已成爲共黨與民盟的天下。游民、流氓、店員、工人百分之百都爲他們控制操縱了，而且透過馬共的關係，他們還有大批的槍械。他們隨時都可以發動一次大暴動，而當地政府的力量似有無可奈何的樣子。

共匪巧妙地隱在馬共與民盟的幕後操縱，用不濟崙險活動。馬共爲一九三二年成立的，頒佈了馬來亞獨立等漂亮的八大綱領，同時在戰時，乘機組織了人民抗日軍，樹立了武力的基礎。到了一九四五年十二月，表面雖然接受了英當局的復員辦法，每枝槍得到三百五十元叻幣。可是他們一千餘枝槍械當中，交出者不過二成，其餘均掩沒山中，化整爲零了。馬共的總首領，據說爲蘇聯人，名萊特（Wright），是一個經驗豐富的人物，英方情報員，追蹤他三年了，還得不到一點線索。新加坡的領導人，則爲張明今，本是中共的執委。

民盟利用陳嘉庚 僑領均表示憤慨

民盟則包羅陳嘉庚，利用南僑籌賑總會的名義與金錢，大肆活動。在文化教育界中，實力最爲雄厚。他們的南僑日報、南僑晚報，是抨擊政府，侮辱元首最厲害的報紙，最奇怪的是當地的中國領館與國民黨黨部機構，竟視若無睹，連還擊的勇氣都沒有。而一部分僑領，激於正義，要求陳嘉庚公開賬款收支數目，要求祖國行政院明令將該會解散，因該會本身工作早已結束，早應取消，孫伯名滋擾，可是勢力薄弱，得不到政府當局的注意。

至於巴達維亞方面，共黨民盟的實力，僑桿跳躍，他們只能在學校裏面喊口號，在生活報上寫寫稿了。而生活報，銷數不過四五千份，影響作用都不大。

爲了鞏固國本，爲了恢復南洋數千萬僑胞對祖國的信念，爲了維護革命之母的僑胞們的榮譽，對於這批蛀虫們，應該怎樣辦？政府當局與愛國的同胞們，似乎都應該及時地縝密考慮一下！（卅六年九月九日晚于上海）

南京大屠殺案 荒木竟稱不知

〔中央社東京十二日專電〕日本第一號戰犯前任陸相及文相之荒木貞夫，今日第三次出席國際戰罪法庭作證時，檢察處質其南京大屠殺慘案是否應由其負「道德上之責任」，渠極力否認稱：余從未聽聞有此暴行，「即使爲一謠言」，亦未之聞。渠又辯稱：一九三三年渠任陸相時，中國熱河省並未發生任何「膺懲」運動 縱有此事亦爲「滿洲國之內政事務」。此一虎獰之戰犯，並否認渠曾與前外相內田康哉共同建議日政府於一九三三年退出國聯之事。

1947.11.8《新江蘇報》 鬆井與飯沼尚做狡辯

大選投票決不再延

政黨候選人可補行公告

民社黨對人選發生問題

（南京七日電）據權威方面解釋，大選投票日期，在法理方面決不因政黨候選人之稍緩公布而再告展期，蓋依據大選程序之候選人公告，總選所及各縣市均已於六日照辦，至尙待公告之政黨候選人，依法可補行公告，而非必於投票前十五日公告也。

（南京七日電）國民黨所提國民黨黨員及社會賢達之國代候選人名單，現已送交選舉總事務所，經詳細查對，其中有現任各級選舉機關委員，或監督，及辦理選舉事務之人員者共二十八人，依照國代選舉罷免法施行條例第二十八條之規定，應受限制，選舉總事務所業經予以剔除，並備函通知。

（南京七日電）民社黨徐傅霖、蔣匀田今晨自滬返京，吳鐵城秘書長下午往訪徐氏於其寓邸，徐氏將民社黨前所提之國代候選人名單交還，並附張君勱函一件，據悉：民社黨方面不滿意國民黨對於該黨候選人之安排者，爲人選與地區分配之問題，並非名額問題，該黨認爲其所提名單中，有重要份子七十餘人未被列爲候選人，而該黨認爲不重要之四十餘人，則已被列入，至於名額問題、國民黨方面現雖未作安排所答應之人數，但聲明在若干縣區中，已保留若干名額，故民社黨對此必無異議，陳立夫部長亦於今午往訪靑年黨余家菊商談，現民靑兩黨均已將名單重交國民黨，請予考慮，國民黨中央選舉指導委員會之各審查小組召集人會報，於今晚八時半召開會議，討論民社黨所提出之問題。

國大代表立法委員選舉補充條例

立院昨通過公佈施行

（南京七日電）七日立法院會議通過國大代表立法委員選舉補充條例全文如次：

第一條，每一地區或依行政區域組織之團體全部不能辦理選舉時，得在鄰近區域或指定處所依照左列之程序：（一）選舉人之調查登記及名册之編造暨公告，（二）候選人之登記及公告，（三）發佈選舉公告，（四）訂明公開投票，前項程序所經之時間及日期，由各上級選舉機關以命令定之，第一項第二款，候選人登記簽署人數，得減爲五十五以上。

第二條，前條所稱之鄰近區域或指定處所，由各上級選舉機關酌指定，並報選舉總事務所備案。

第三條，每一地區或依行政區域組織之團體局部不能辦理選舉時，即在能辦理之地區，由該地區之主管選舉機關，就不能辦理部份依第一規定之程序辦理之，凡縣市選舉主管機關尙未依法成立者，其選務得由各該上級選舉機關辦理之。

第四條、凡由全國合選之名額不適用本條例之規定，仍依選舉罷免法第三條之規定產生之，本條例第一條第三條之[illegible]，全國團體或婦女團體之會員參加全國合選或各區分選者，應憑會員證件，或可供證明之其從業證件，向各該會員所在地選舉機關申請登記，爲該業或該區之選舉人，由當地選所另造選舉人名册公告，一經[illegible]

，其辦理選舉日期，由國民政府以命令定之，前項規定於局部未能辦理選舉之範圍，其區域未達三分之一以上或區域已達三分之一以上而人口數額未達三分之一以上者不適用之。第六條，本條例自公佈日施行。

國府修正選舉條文

（南京七日電）國府八日令：茲修正國大代表選舉罷免法第十二條條文公布之。此令（第十二條條文，有被選舉權而願爲候選人時，經五百名以上選舉人之簽署，或由政黨提名，得登記爲候選人，公開競選，非經登記者不得當選。但僑居國外國民之候選人，經二百名以上選舉人之簽署，職業團體候選人及婦女團體候選人，經五十名以上選舉人之簽署，即得登記爲候選人。前項選舉人之簽署，每選舉人以簽署一人爲限。）

郵電價格調整不能照生活指數

立院昨否決修改郵政法

（南京七日電）立法院七日上午九時半至下午一時一刻在該院議場舉行第三三八次會議，出席委員柳克述，陳顧遠，劉克儁，鄧鴻業，鍾天心，彭醇士，[illegible]等八十餘人，孫兼院長主席，討論事項如次：（一）審查海南特別區行政長官公署組織條例及公署組織系統表案，決議照審查意見通過。（二）外交委員會報告審查中義關於戰爭賠償問題等換文案，決議照審查意見：查本換文，係義方賠償我方僑民損失，及合理處理義方在華產業，與和約相符，自可予以通過，按本案關於賠償部分，我所要求爲：（甲）旅義華僑戰時損失之補償，（乙）我政府爲戰時收容及維持在華義僑之出費，此兩項均經義方完全接受，至處理義方在華產業部分，義方使館用公私產業部分，予以發還，其他除之官產由義方放棄，（三）[illegible]委徐傅霖等提請依照施政方針第十二條之原則，由立院修改各省縣市參議會及臨參會法，採用遴選方式遴各黨人士共同參加案，決議原則通過，於省市縣參會組織條例外，另訂一單行辦法，交憲法自治法規委會審議，按本案審查意見，擬將省市參議會組織條例修正，新增一條爲：「現已成立之省市參議會尙未改選者，得由國府就現有參議員名額外，遴選原名額至多五分之×爲省參議員」，經討論結果僉認遴選方法應另訂條例，（四）國代立委選舉補充條例案，決議無異議通過，（五）增加滿族國大代表名額案，決議通過，本案係府委于右任，鄒魯，張繼，居正四人提請國務會議通過，授權照例國大代表增加滿族十七名，經討論結果，將國大代表選舉罷免法第四款修正爲：「各民族在邊疆地區選出者共三十四名，」（註：原爲十七名）又國大代表名額分類表（五）各民族在邊疆地區選出之代表中增加一項爲：「其他邊疆地區滿族國民選出代表十七名由滿族國民選出，其中應有婦女代表一人，」（六）修正郵政法第四條條文案，決議：審查意見不予修正。按政院前建議國務會議，以動亂物價波動期間，特准行政院參照物價指數隨時調整郵電價格，以免因貼補而加重國庫負担，本案經立法院法制經濟兩委會審查，結果僉以物價波動關係，酌加郵資，不無相當理由，惟對授權政院按照物價指數隨時調整，則以各地物價不等，生活指數亦多差異，恐有阻礙難行之處，且增加郵資，有關人民負担，依據中央法規制定標準法之規定，應經過立法程序，郵政法第四條，似未便加以修正。

宋子文昨返穗

（廣州七日電）粵主席宋子文，今日下午四時廿分由湘乘機返抵廣州。

東北各廠礦生產政府決全力維持

（瀋陽七日電）當局決以最大力量，協助各廠工礦繼持生產，不使中斷，東北行轅陳兼主任誠，七日對東北各廠礦負責人作以上之指示，緣東北因受戰事影響，各廠礦之煤電交通產品運銷等，皆成問題，故鞍山，撫順，阜新，本溪，北票各廠礦，暨東北電力局等單位負責人，聯同謁陳兼主任，並呈請面陳意見，其中對目前東北廠礦之治標治本辦法，包括治安交通材料資金等項，陳述甚詳。

[illegible]寶豐，生俘匪軍五千餘，我軍續向西南地區掃蕩中。

（開封七日電）國軍一部今晨向盤踞[illegible]縣城共匪猛擊，匪勢不支，棄城向東北方向逃竄，[illegible]縣城當告收復，國軍正乘勝追擊中。

（合肥七日電）匪第八旅殘部流竄至靑草高河一帶地區，由桐城向駱駝匪閒之國軍，昨已進至磨子潭，曾馬渡一帶，刻繼續掃蕩中，[illegible]以南之殘匪，今已被國軍夾擊，部隊包圍，該匪不難就殲。

（靑島七日電）國軍六日晚與匪第三，七，六三個縱隊數萬，在高密西朱陽鋪、丈嶺一帶發生激戰，匪全力傾犯，血戰猛烈，迄發電時止，戰事仍在進行中。

豐滿孤立威脅解除

吉林外圍逐漸肅清

傅作義投書慰問榆林守軍

（長春七日電）軍息：（一）小豐滿之孤立威脅，完全解除，該地周邊匪軍，經我分南西兩路進剿，已完全肅淸。（二）國軍刻已完全控制哈達灣附近地區。（三）前盤踞吉西南團山子附近匪，經出擊國軍兜剿後，已悉數就殲。

（長春七日電）吉林外圍逐漸肅淸，哈達灣三家子，[illegible]，歡喜嶺等據點，相繼被國軍收復，由吉林四出搜剿殘匪之國軍，連日均有極大收獲，吉市秩序恢復。

（歸綏七日電）傅作義七日由包頭乘專機飛榆林視察，並投親筆函一件，勉勵守城軍民，與鄧寶珊暗商軍事。

（寧夏七日電）傅作義將軍七日午後一時飛臨榆林上空慰問，並投下親書之巨幅慰問書，嘉予苦守孤城之軍民以無限感佩，該書原文云：「援軍已到，正計劃包圍匪軍，我們不僅要保衞榆林，並要將匪殲滅，此次榆林軍民英勇堅決困守名城，作義備向諸君致深切慰問，並祝成功，傅作義手啓，十一月七日」。

（寧夏七日電）據悉：自定邊馳援榆林之我騎兵旅，六日已抵距榆林約五十華里之某地，預料今日可到達榆林城郊，將予攻城匪軍以包剿之勢，以圍殲。

（西安七日電）我榆林城軍七日仍繼續出擊，在城東南韓家五墩城北和尙塔等地，擊毀匪軍陣地多處。

（榆林七日電）六日爲榆城守軍並有力部隊在陸空聯合作戰下，向東門外之匪出擊，毀匪數十名，破壞匪工事數處，當晚八時匪又向我砲擊，並掩護其步兵猛攻北東南各城，激戰約四小時，終被守軍擊退。

（張家口七日電）榆林守軍六日晚出擊，予攻城之共匪痛創，七日無劇戰，城郊共匪地下工事及地道[illegible]，均已破壞，及六日午夜後，城郊匪會發生大火。

（北平七日電）共匪昨晚九時後分段破壞正在搶修之平保段鐵路，平南下車今通長辛店，工程車午前馳出搶修，因南崗以南埋藏地雷甚多，致搶修工作略受阻滯。

（洛陽七日電）由郟縣南下國軍，於六日收復[illegible]。

湘粵候選人名單昨公佈

（長沙七日電）湘省職業團體國代候選人名單，業經省選所公告，計農會周方，工會劉尖，陳鄂南，鄧恩前，李尙陽，婦女會吳日華，[illegible]，各縣非政黨團體候選人則由各縣自行公選，今起至二十日止。

（廣州七日電）粵省選所公佈粵地方性職業團體候選人名單如次：農會王定，曾孟橋，何體蒸，葉公武，工會曾廣成，錢耀，李伯元，[illegible]李德軒，黃鶴雲，婦女會郭不奴，蕭京弟，黃翠峯，蘇廣生，陳錦靑。

蘇使館舉行酒會

慶祝十月革命紀念

（南京七日電）七日爲蘇聯十月革命卅週年紀念，蘇大使館代辦費德林公使及夫人，今日下午六時舉行雞尾酒會慶祝，到中外來賓三百餘人，國府副主席孫科夫婦，及美軍顧問團長魯克斯少將與中蘇文協[illegible]，[illegible]成酒會。

王外長昨報告出席聯大經過

（南京七日電）王外長今在參政會駐委會報告「出席聯合國第二次大會之經過」稱：我此次在大會議中對於大會所討論之否決權問題，希臘問題，以及大會常設委會（即小型大會）韓國問題等，均曾說明我國所採取之立場與理由，對於韓國問題，並深盼聯大將來所通過之決議案，能獲得對此一問題有關之四個國家接受，否則韓國問題之僵局恐將繼續存在，既非韓國之利，亦非其有關國家之策，王氏復稱：聯合國目前僵局，倘本月在倫敦舉行之外長會議時不能對德和約起草會議有所收獲，則其形勢殊堪憂慮，關於對日和會之召開問題，王氏強調我國將繼續努力，以求我所採之立場，得以實現，渠最後述及中美關係謂：美國朝野對我國情形之了解，已較前增加，參政會駐委會係於今上[illegible]

我於越南金邊增設領事館

（南京七日電）外交界息：我國於越南金邊增設領事館，代辦館新任領事許[illegible]已赴任，於本月三日舉行開館升旗典禮，當地法官員及僑團僑領均往觀禮，西貢總領事館亦派代表參加，儀式隆重，情況熱烈。

調整文武職待遇組織計劃委員會

負責擬訂切實合理辦法

昨開首次會議交換意見

（南京七日電）國府主計處前奉令組織文武職人員待遇調整計劃委員會後，當分函五院及國防財政審計銓敍等各有關部院，各派代表一人，組織成立，並於七日上午九時召開第一次會議，計出席政院代表陳克文，立法院代表劉志平，司法院代表王登第，監察院代表[illegible]，國防部代表[illegible]，銓敍部代表[illegible]，主計處主計官盧松甫，楊汝梅，[illegible]，錢燾等，由主計處主計長[illegible]主席，說明組織意義，以對于調整文武職人員之待遇，負責擬訂更爲切實合理之辦法，並說明主計長供給之參考資料後，當由與會各代表提出意見，交換意見，並定下週繼續開會討論。

張繆對簿公堂

法官勸和遭拒

教授督學互控案

（南京七日電）大學教授張翼鵬與中大督學繆鳳林因毆傷涉訟一案，昨日下午再度開庭，昨日爲繆鳳林被告張翼鵬傷害罪提起公訴後之第一次開庭，承審推事張鳳翔再三勸喻雙方，同爲學術地位崇高之士，何苦浪費時間於法庭之上，大家和解了事，[illegible]，係告訴者繆鳳林認錯，承認打了人，是非清楚，彼可撤回告訴。

於審訊繆鳳林，推事又勸分和解，繆因另庭之自訴張翼鵬傷害一案，繆教授表示，須對方先有和解誠意，於法官訊問，並否認打人，並會語涉張翼鵬之私事，雖爲法官所阻，但已觸張翼鵬之隱痛，故庭上再傳彼之，堅決表示決不撤回告訴，張推事一再勸喻雙方和解無效，仍沉臉曰：「你們都是飽學之士，打官司並不是一件好事情，既不願和解，本案即開始調查。」旋傳訊繆鳳林之妻，詢問出事當日情形甚詳，又傳訊證人後，以本案尙需中央醫院關於八月二十一日張翼鵬之妻是否流產之證明，辯護律師[illegible]，宣告改日再審，此案外間均如法官所望早日和解，奈何公訴已成，民事不知一事自訴，一串官司，何日了結。

日戰犯四人秘密釋放

（東京六日專電）此間報載，有乙級戰犯四人已秘密自巢鴨監獄釋出，此爲戰後因起訴證據不足獲釋者[illegible]，曾任日本經濟導播總所所長並兼播出經濟報道[illegible]，大[illegible]茂雄，新加坡淪陷後之日本軍政府行政長官，池時忠孝，爲一極端排外主義作家，因所著提[illegible]

美日簽訂進出口合同

（東京七日專電）中央社記者頃由此間權威當局獲悉，交易額達一千一百萬美元之進出口合同，日本以鋼四百萬美元輸美，而由美國供鐵礦砂，另由美將以棉四萬[illegible]，日本市民允由美國一部或全部轉輸出與南美國家，日本鋼工業需用之輸入共[illegible]鐵礦砂，輸以抵償其輸美貿易額達千餘萬美元

[illegible]王外長報告畢，並答復參政員等提出之詢問案數起。

南京大屠殺罪責

松井與飯沼尙作狡辯

國際法庭曾問蘇聯

何以不令證人到庭

（東京六日專電）遠東國際法庭威比庭長詳細要求蘇方檢察官解釋何以一現尙在世之證人「不能令其到庭作證」，「今長檢察官發表長篇聲明駁斥辯護律師所提重開辯論之要求，[illegible]於是檢察官之聲明指出：「在現階段而重開辯論，將違背常規，殊屬不當，」若新證據，則檢察官方面亦[illegible]

（東京六日專電）前日本華中派遣軍司令官松井石根及其參謀長飯沼守，本日於國際軍事法庭辯稱：（一）南京大屠殺係共產主義者之宣傳，（二）日軍在南京並無[illegible]

日本華中派遣軍司令官松井石根，本日於國際軍事法庭辯護，南京人民[illegible]，南京大屠殺[illegible]，松井未出庭，飯沼舉例[illegible]，裝甲軍進攻紫金山中山陵時，中山陵[illegible]，以對孫中山先生陵墓表示尊重，保持紀律，松井曾令其部隊攻上海南市及南京時，[illegible]令其部隊盡力勿炮轟，飯沼否認日軍有大[illegible]

南京戰犯法庭今日開庭審訊南京大屠殺特主犯松井石[illegible]

（東京六日專電）[illegible]之規定，何以日本證人不能到庭作[illegible]國際法庭之「安全理由」，其他[illegible]明之文件，可能[illegible]人出席任何國家法庭之[illegible]，但亦不適用於國際法庭。

昨起公開攝展

（南京七日電）中央社攝影部新疆歌舞團圖片新疆靑年歌舞訪問團圖片百六十幅「七日起假介壽堂舉行公開展覽，觀者極爲踴躍，此次展覽定期三天。

港幣英鎊匯價略低

（廣州七日電）外匯　港幣英鎊牌價七日略改低，港幣入價一七〇，出一一八改低二百九十元，英鎊入一七四，[illegible]一二〇，低

[illegible]

西北大學校長辭職

（南京七日電）國府七日令：國立西北大學校長劉季洪，辭職照准。

縣市教局組織辦法

教內兩部會商訂定

已經政院通過即可施行

（南京七日電）自教育部規定在全國各縣市設置教育局以來，縣市教育局組織規程，業經教育部會同內政部訂定，並呈請行政院核定施行，茲探誌全文如下：（一）縣市教育局之組織，依照各縣市人口多寡，由省教育廳分爲甲、乙二級，（二）甲級教育局設局長一人，督學二人至四人，科長二人至四人，科員四人至五人，（乙級）......局長由縣長任用，或委任，（三）[illegible]

[illegible]局長之任用，除合於公務人員任用法規定外，須具有下列資格之一：（一）經高等考試或普通考試及格者，（二）國內外大學，獨立學院，專科學校教育系或師範學院畢業，曾任教育行政職務或中等學校教職二年以上者；（三）國內外大學，獨立學院教育系，師範學院或高等師範畢業，曾任教育或其他學科師範學校或中等學校教職四年以上者；（四）專科以上學校畢業，曾任教育職務五年以上，著有成績者，此案已予通過，行政院令全國即日施行。

英公主大婚籌備記

依麗莎伯公主十一月二十日即將和蒙巴頓上尉在威斯敏斯特寺舉行結婚大典了。有兩個重要的因素使這次大典的籌備，得和以前歷次王室婚禮的籌備很不相同。第一，公主是王位的推定繼承人，而英王女爲王位推定繼承人的結婚在記憶中尙無前例，且依麗莎伯公主不但是英國王位的繼承人，根據威斯敏斯[illegible]

一個慘澹的名詞來說就是節約。在戰後的英國，就連公主的婚典也逃不了這種省工惜物的普遍氣氛。爲了要調和這兩個互相矛盾的因素，那些受王命籌備大典的人，工作益加複雜。依麗莎伯公主的結婚是歷史上的一件大喜事。這一點在大典籌備人的心中必然佔據左右一切的地位。但是公主和他的父王母后卻是[illegible]

[illegible]鎖鑰的總監，表示宮室的總[illegible]都歸他掌管，自一九三八年起任內大臣的克拉倫頓伯爵還不會親身經歷過王室婚事。葛羅斯特公爵和故肯特公爵都是在前任內大臣克羅默勛爵的時候舉行婚禮的。但是七十歲的克拉倫頓伯爵出名的仔細週到，由他主持的宮廷典禮幾百次中沒有一次稍有差池，所以踏遍英倫再也找不到一個人更比他適宜於這件[illegible]

寺的行列，喜柬的分發，寺內坐位的排列以及其他許多同類的事務，一經細節遺漏。遇到疑難的地方，或者一些尙無先例的問題，克拉倫頓伯爵便去叩詢英王的御意，或者徵求英后和公主的意見。關於這次婚禮，一件很有趣味的事乃是：從無完全一樣的先例，因爲維多利亞女王是在登極後，並不是以王位繼承人的資格，和亞爾培親王結婚的，而君主的婚禮，像他的父親和喬治一樣，不屬於內大臣處理，卻是禮官諾爾福克公爵的事。許[illegible]

事。儘管之，雖然王室婚禮將予舉行，但是比起完全的國家大典，儀式有減，這項決定的最後結果，是明令毋須常起精製金邊的朝服，齊膝短褲和插邊帽的朝服都是合式的，軍服或甚至於便服都是合式的，女賓將着下午服，戴帽，衣服的長短聽各人自便。

但是「新娘殿下」（正在留擬的稱呼）的秩序單中早已對依麗莎伯公主還[illegible]，將和英王家以國大典儀使，乘四馬敞車，旁隨全班馬夫，從英王宮赴寺，[illegible]新郎也將用馬車儀仗[illegible]

[illegible]些請柬留發哪些人是一件略有困難的事，自然王室和新郎的家屬都得參加，還有英國內閣諸閣員和反對黨各領袖，以及政治的睦城與喜事無關。所在倫敦的外交使節，不論大使、公使，代辦也必須接到請柬，然，不列顛聯邦各聯邦總理雖未必個個出席，也總有幾個臨觀禮。

地位的人，各善團及其他在社交上估有關係的人，還有少許留給新郎王室中多年的老僕人，一般民衆當然不能夠到寺裏去觀禮，而因爲木材和人工的缺[illegible]

大典籌備當局是威斯敏斯特寺的方丈，其所發令狀根據古舊的宗敎法仍通行寺內，並且幾乎坎特布萊大主敎的令狀，屆主持宗敎儀式的幾乎一定就是這位大主敎，從旁襄助的是約克大主敎，數日前依麗莎伯公主曾去坎特布萊取得一本新的公禱文，在他面前有兩位不同的英格蘭教會結婚儀式，須由他選定一種，但是有高會組織繼續時，原來在先，他的做行似乎是很少疑問的家數堂早婚女王九十年前在衆吉斯宮的很從一簡[illegible]

式。還在公爵夫人是必要的，因爲他直到結婚的崇那，爲止，還是一個希臘臣民，問在依麗莎伯公主的未婚夫，還就不成，國，因爲蒙巴頓上尉在本年初已歸化取得英國籍了。大主敎威斯敏斯特的方丈將邀請在倫敦的一個希臘敎高僧到寺跟數十們一起參加婚典。

以上便是官方籌備結婚大典的一些情形，除此之外，也有常在婚前所必需的一切準備，跟任何將作新娘的人一樣，如嫁妝的選擇，女僕相的場合「室」內地點決定等事，祇是在這個場合「新娘殿下」又是推定王位繼承人「在君主之下居第一人」[illegible]

鎭江浴室商業同業公會謹向各界聲明

啓者竊敝業因受官廳物價限制，每次調整浴資價目不得超過百分之卅五，而一般料爲主體，其他如毛巾茶葉米等均在主要成本之列，燃料之煤柴價時有變更，毛巾茶葉近一之調整，浴資南營自煤碍至七十四元至二百萬元左右始准調整一次，[illegible]十一月七日開會始准八千元再行調整三成五一次，[illegible]千元調共實浴室主所得最低爲三千元[illegible]

[illegible]

遺失聲明

啓者敝號隔出道生莊第013445號支票一紙，計卅六年十一月八日期，法幣九十三萬元，茲因該支票中途遺失，除向道生莊掛失止兌外，特此登報聲明，不論中外人等拾得概作廢紙。

慎[illegible]號啓

」，不能押解來日前受盤問。檢察官舉出居華多年之英記者[illegible]德海，前因不克到庭作證，而是選之宜誓陳述書已蒙法庭採作證據之先例，要求法庭重行考慮其所訂蘇方檢察官身不能提解證人到東京作證，則其宣誓陳述作爲無效之規定，威比于要求說明何以日本證人不能到庭作證之「安全理由」，稱：國際法庭不能受任何國家「策略」之限制，外長或其他具有同樣地位人員證明之文件，可能有請免證人出席任何國家法庭之權，但亦不適用於國際法庭

（東京六日專電）東京戰犯法庭今日開庭審訊南京大屠殺時主犯松井石

南京大屠殺罪責

松井與飯沼尚作狡辯

國際法庭曾問蘇聯 何以不令證人到庭

（東京八日專電）遠東戰犯審訊法庭威比庭長、要求蘇方檢察詳細解釋，何以一現尚在世之證人，「不能令其到庭作？」憑「今晨檢察官發表長篇聲明駁斥辯護律師所提重開有關蘇聯部份審訊之要求。威比之要求。於是提出。檢察官之聲明指出：」在現階段而重開辯論，將爲就蘇聯部份再行審訊，殊屬不當，」若至現階段，辯護律師尚可提出新證據，則檢察官方面亦應享受同樣特權，檢察官要求將五日本證人之宣誓陳述列入證據項下：上述證人現尚以戰犯身份，被拘蘇聯，不克到庭對證，其中一人已於今年八月七日病故，據盟國對日委員會蘇代表克斯林少將聲明根，據渠辯稱：（一）渠奉命駐紮防地，未參加侵略戰爭，（二）〈人一向主張〈亞細亞主義〉〈三〉南京大屠殺係軍方命令，無人敢違背。

（東京六日專電）前日本華中派遣軍司令官松井石根〈大將之參謀長飯沼守，本日於國際軍事法庭舉行松井石根之個別辯護庭，否認有「南京大屠殺」其事，松井日前以支氣管炎病臥美軍醫院內，本日並未出庭、飯沼舉例表明日軍之紀律，渠稱日軍進攻紫金山時，中山陵，僅使用步槍及「肉彈」，以對孫中山先生陵墓表示尊重。松井曾密令其部隊保持紀律，並謂松井於進攻上海南市及南京時，曾令其部隊盡力勿炮轟擊，飯沼否認日軍有大批屠

民區殺及強姦或搶劫之事，渠承認強姦確有數起，然犯罪之士兵均依法處分

1947.11.14《大公報》 武藤供認確有其事

石門情況已告不明
平軍事當局作必要部署
保定復受威脅國軍增防

【本報北平電話】石門戰事可能已結束，官方日來並未發布任何有關石門之消息。非官方人士稱：自十二日晨二時國軍轉入核心陣地，經一度激戰後，即已不能再做有組織之戰鬥。十三日已由零星戰鬥漸歸沉寂。平漢路局在石門有員工四千六百九十八人，均生死不明。除材料庫外，尚有機車二十三輛，客車五十輛，貨車六百輛，所有損失一時尚難以數字計。聞此間軍事當局對平漢路戰事極爲重視，已做一切必要部署。平保南段及平津保三角地帶有共軍新四旅與冀中部隊及劉炳彥部活動，平保路南段斷，良鄉間已修復，車仍通涿縣，並已向涿南開始搶修。

【本報北平電話】石門戰局已至於無法聯繫階段。中央銀行石門分行十日晚即與此間斷絕電訊。中國與農民兩行電台亦已斷絕聯絡，河北省銀行亦然。除中央銀行行員於一日被遣出石門外，其餘各行行員皆留石門。中國與農民兩行負責人曾與空運大隊交涉租用飛機一架接出發鈔，未能達到目的。

【中央社北平十三日電】石莊十二日起戰況沉寂，守衛國軍在空軍協助下英勇抵抗，戰況激烈，因兵不敷調，退據核心陣地與共軍肉搏，慘烈無比，嗣電訊通路中斷，詳情不明。

【本報太原十三日發專電】石門戰訊，此間人士獲悉石門危殆消息，極表關切。

【本報北平電話】石門戰後，保定外圍共匪以所部自滿城南竄，抵保定西北，揚言將攻保定。國軍某部已向保定增防。

空軍偵察榆林解圍
晉南收復平陸茅津渡
運城附近繼續激戰中

碭山附近肅清
國軍沿隴海路掃蕩

山東無大戰

平西安定
津市治安措施加强

撫順礦減產

武清無消息
國軍已派隊增援

【本報訊】軍息：有番號及人數均不明之匪軍自十一日晚進攻武清縣城，至十二日上午完時，已有一部突入城內。駐津國軍得訊後，十二日下午三時已派隊前往馳援。十二日平津交通受阻，係因軍運緊急之故。武清情況截至十三日下午五時尚無報告到津。

北票解圍
礦未再毀煤被運走
彰武國軍續向北進

【本報瀋陽十三日發專電】北票之圍十二日已解，共匪搶去煤五千噸，北票煤礦無新破壞。

綏西灌區 現正準備施工

彭惠慶抵京 席國務會

京美軍傷人案

榆錦段通車良好
今起加開直達貨車
瀋陽錦州間仍不靖
楊村北倉間前晚又小破壞

美國一報人 參考密克抵滬

美決助我整理通貨
馬歇爾談刻正釐訂方案
特別國會閉幕前可完成

對日和會

南京大屠殺

鄧文儀談戰局
石門巷戰已三日守兵多犧牲
東北亦獲轉機榆林運城確守

太原酷寒 滴水成冰

石門中紡存棉損失近兩萬擔
現正設法搶運保存棉
採購人員未接回

民社黨名單提出
與國民黨細談意見接近

監委座談調整物價
仍多主張按物價指數
員工福利應統籌畫一

全國綜合計票

陳誠檢討東北施政
承認已不同前期正常經濟發展
軍事展開前不做無計畫的建設
今後努力不許再有第七次攻勢

建立社會保險制度
社會部籌設中央社會保險局
擬先辦理公務人員保險業務

日賠償物資即運華
包括陸海軍兵工廠設備
至滬集中後再分運各地

粵桂將開綏靖會議
商討兩省聯防事宜

簡報

社評
危難中的工業界

國內工業界是在危難中，但必能在危難中求發展。打開我們新工業的發展歷史，他們所遭遇的無一不是極艱苦極危難的環境。可是到了現在，他們不但長期與環境奮鬥，而且終於獲得相當成就。把當前壓制工業發展的原因加以分析，多半還是由於「硬」傷。假使把這種有害發展的條件祛除了，相信工業界一定能够獲得自由發展的機會。

我國新工業的發展，開始在前清同光年間以後，在不平等條約束縛之下，外受帝國主義者之壓迫，內無政策上之獎勵，發展乃極爲遲緩。第一次歐戰期中，洋貨的輸入大減，始予國內工業界以抬頭的機會。民國八年的海關貿易冊中，就有一段話指出當時的工業情形：「昔之專恃外國製造品，今已漸能仿製，實業發達殆已遍及全國，此皆資本家與商人之眞正宏願有以致之。」歐戰停止了，各國從事於戰後經濟的整頓，我國工業因此仍能保持其相當的成長。可是不久各國生產力恢復了，經濟上的外來壓迫又與日俱重，我們工業就陷入逆境。這樣一直到國民政府成立，工業界既受外來的侵略，又因內戰的延續，幾乎沒有一天不在自生自滅風雨飄搖之中。十七年以後，國內走向統一，政府對於工業建設也漸覺其重要，工業界的環境稍有改善，但是繼以日寇侵華，中間又遭遇白銀風潮所造成的恐慌，使工業界又受打擊。幣制改革以後，喘息方定，而對日的戰爭又開始了。八年的戰爭持續，沿海的工業淪入敵僞的掌握中，內地的工業更遭遇從來未有的艱苦困難。勝利光臨，不平等條約是解除了，而通貨以及政治條件又在在足以妨害工業的成長。於今足以自傲的，工業雖然遭過了千折百[illegible]的危難，維持存續，而且有多方面的發展。

工業界在當前所遭遇的困難，一般是缺乏資金與原料，在經營上推銷上又爲各種不良好的環境所限制。資金的缺乏，一部分是爲了戰後元氣的凋敝，一部分還是由於通貨貶値後人民積蓄能力的減少。原料有的國內並不缺乏，可是無法應用，而國外的輸入又苦於外匯供應之不敷，不能取用。至於推銷上的困難，一部分是由於購買力的普遍減落，一部分又由於外匯與貿易政策不能與經濟現狀互相配合。此外如高工資、高稅率、高利貸等等，都使工業的自由發展受到阻礙。把這些阻礙發展的因素綜合起來，主要的不外兩個：第一是國內大局的不定、第二是由局勢不定造成的通貨不定。假定把這兩個主要條件祛除了，加上工業界的努力，工業界的基礎是不難打定的。政府在目前還談不到作根本上發展工業的辦法，可是在消極意義上予以扶植，至少不致妨害工業的發展，這一點必須做到。譬如許多使工商業不易推行的法規，另以妨害工業正常發展的各種財政、金融、貿易、外匯的一切設施，都應該注意。一個工業計畫，應該是五年十年，必須先有一個長期的安排，方能順序進展，所以一切朝令夕改的設施必須注意避免。

我國新工業的發展，過去是從通商口岸開始，目前大部分也集中於都市，可是它的心臟應該建築在農村。農村是廣大原料的出產地，也就是國內購買力的主要所在。在研究我國產業進展的部門中，農業與工業是應該並重的。

我們工業家幾十年來在危難中的努力實在値得珍視，相信工業家必能以此種努力獲得進一步的成就。

南京大屠殺

武藤供認確有其事

「中央社東京十三日專電」南京大屠殺時日寇中派遣軍指揮官松井石根之副參謀長武藤章，今在國際軍事法庭承認日軍佔領南京後曾發生搶劫殺戮情形，惟又謂松井對此至感憤怒，而為松井開脫。渠將此種行為歸咎於違犯長官命令進城之部隊。

1947.11.26《申報》 鬆井罪行證據確鑿

外長會議程尚未決定
貝文主持揭幕禮
開會前夕充滿融洽空氣

〔本報訊〕倫敦廿五日廣播：四國外長會議第六屆會議，今日下午三時半（格林威治時間，上海時間下午十一時半）在此間蘭開斯特大廈揭幕，由英外相貝文主持揭幕禮。此次會議之首要任務，乃在討論對德奧和約問題，英美兩國似欲採取較溫和之態度，以謀減輕東西間之猛烈爭執。會議須首先解決者，厥爲議程問題，蓋四強外長代表曾欲在此一問題獲致協議而未獲成功者也。

〔路透社倫敦廿五日電〕「歐洲命運」所繫之外長會議，於今日開幕，美國務卿馬歇爾到達會場時，滿面微笑，精神甚爲愉快。渠向記者稱，「目前氣候極有信心」。莫洛托夫亦受羣衆歡呼，貝文與皮杜爾幾同時到達，併肩步入會場。記者未能在會場旁聽，第一次會議詳情尚待發表。

〔本報訊〕倫敦廿五日廣播：四國外長先後蒞場後，德境英美蘇佔領區之軍事長官，即羅勃森將軍、克萊將軍與索柯洛夫斯基元帥亦逐一到場。克萊御便服，克氏之政治顧問墨菲偕來。

〔聯合社倫敦廿五日電〕英官方今日宣稱，貝文外相昨夜與蘇外長莫洛托夫晤談甚歡，雙方均承認四國外長會議之一致，匪特對於德奧，即對於世界前途，關係亦極重大。貝文將照既定方針拉攏美蘇，其態度自將較美國務卿馬歇爾和緩，貝文昨夜亦會見馬氏晤談。會場四周已加警戒，所有閒雜人等概受嚴密管制或受盤問。

〔路透社倫敦廿五日電〕貝文外相於廿四日夜晤馬歇爾及莫洛托夫，企圖解決關於外長會議之困難。皮杜爾外長昨抵倫敦後，立即加入會談，會議之範圍程序及時期，迄尚未得解決，據外人所知，由於外長代表之未能議定外長會之議程，故外長會議將在沒有議程的狀態下舉行。議程雖未定，然外長會之任務，當爲㈠決定德國是否將繼續在四強管制下治理，或任其在政治上或經濟上分成兩國；㈡外長會如果失敗，防止歐洲分裂之加深，並調整諸強間之關係，㈢決定於對奧和約訂立後是否給予奧國獨立與主權。德國問題之癥結在於蘇聯之要求取德國西部之生產作爲賠償，及蘇聯之要求共管魯爾。奧國問題之癥結，則在奧境德國資產問題。觀察家相信諸強就奧境德資實事互相讓步，並非不可能，故料倫敦會議至少能簽訂奧和約。

〔聯合社倫敦廿五日電〕就開會前數小時內情緒觀之，美國務卿馬歇爾與英外相貝文仍極反對蘇聯關於德國之政治經濟及賠償等要求。法外長皮杜爾以國內杌隉不安，處境困難，其代表國方面將疑法國共黨故意與之爲難。法代表國方面則謂，皮氏擬使法國政策與英美一致，藉待蘇外長莫洛托夫採取何種步驟，以謀本屆會議獲致若干切實結果。會議陣容因之成爲三對一之局面，與莫斯科會議如出一轍。

對德問題安全第一
法國立場仍不變
魯爾國際化與德國脫離

〔聯合社巴黎廿四日電〕法國在倫敦會議中，將要求在德國聯邦分權制度下，實行政治統一，提出四大條件：㈠德國務須接受嚴厲監視，使其永不復爲法國之威脅。㈡法國務須確保其自魯爾區域獲得充分煤斤之供給，以使先於德國完成復興。今春莫斯科會議時，法國與英美成立之伸縮協定，已遠不能滿足法國之要求。㈢薩爾煤礦所在之薩爾流域，務須併入法國經濟範圍內。法國已在沿薩爾及德國邊界設立關卡，並以法郎代替德國馬克。㈣魯爾工業中心之萊茵流域及萊因河西岸，務須與德國本部脫離，魯爾區域務須國際化。萊因區應由盟國軍隊佔據指導其自成一國。皮杜爾及其顧問曾集中於魯爾問題，認爲此乃德國之兵工廠，法國欲獲充分安全，必須以此作爲看守點。法國主張長期監視德國，並贊成美國所提之四十年解除德國武裝計劃。法國準備反對蘇聯突然提出全面及立即撤退佔領軍之要求，認爲軍隊之撤退，若非獲得德國人和平允諾之唯一方法，至少亦爲最安當之方法。

奧外長談話
外國在奧境財產
應受奧法律管轄

〔路透社倫敦廿四日電〕奧外長葛魯勃在倫敦向記者發表談話稱，奧政府決不同意不具和平解決可能性致使奧國無從對本國經濟行使主權之條約。莫斯科外長會議所設之四強對奧條約委員會在維也納開會後，對於各要點業已顯如指掌，蘇聯所提之建議中有四點，與奧國政府之基本態度相左，即㈠蘇聯接收奧境德資金之……

杜魯門總統向國會報告
救濟法案基金分配情形
我國得二千七百七十萬美元

〔美國新聞處華盛頓廿四日電〕杜魯門總統本日向國會報告：自本年七月卅日國會撥付美國對外救濟計劃之款項三億三千二百萬美元以來，截至十月底爲止，預算案中除款僅二千四百七十六萬六千八百八十六美元。截至十月份爲止，業經批准之支出，包括成本，保險費，與水脚，開列如下：奧國：八八・六三九・一四六美元；中國：二七・七〇〇・〇〇〇美元；希臘：三八・七三一・七四七美元；義大利：一二一・二九六・六七八美元；特里雅斯特：九・七六五・九四三美元；國際兒童緊急基金：一千五百萬美元；志願救濟會運輸基金：五百萬美元；行政經費（國務院）：六十萬美元；公民糧食委員會：五十萬美元。

本屆聯大會通過准許……門代表團，左起第四人……

美蘇關係前途
各方表關切

法新閣不斷召開會議
商遏阻工潮對策
全國交通已陷麻痺狀態

英外上書蘇外長
請釋回留蘇漢兵

美國撥糧援助遠東
勃列奇斯認爲太少

美郵政總長
漢尼根辭職

史泰遜競選
發表政治主張

赫爾利
競選參議員

日閣遭重大打擊
工礦委會推翻煤礦法案
政府三與黨責由黨無理取鬧

解散日財閥新方案
美國突請展期討論

衆院議長
避不見面

松井罪行
證據確鑿

阿拉伯建議統一聖地案
遭聯大委會否決
美蘇分治方案可獲通過

美蘇貿易
大致平衡

國際貿易會議

加拿大政府宣布
食物將恢復限價

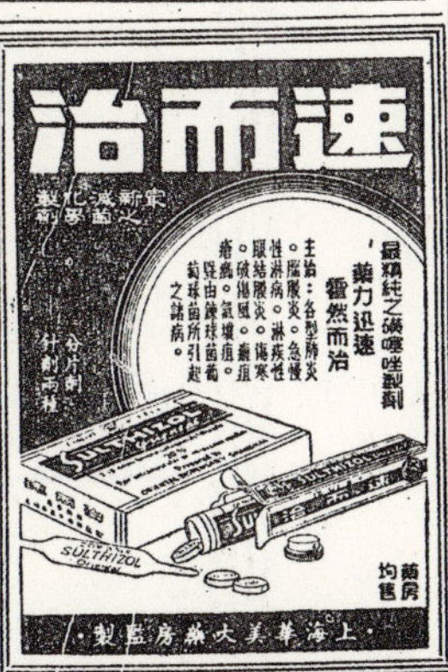

松井罪行 證據確鑿

遠東法庭提出證件

【中央社東京廿五日專電】據國際軍事法庭今傍午所提出之證件，被控應負「南京大屠殺」案

罪犯之松井石根，於一九四一年曾著富有煽動性之論文數篇，力主在美國未準備就緒之前，對美開戰。據稱，此前任日本華中派遣軍司令之戰犯松井，曾竭力阻止一九四一年美日談判之成功。法庭提出論文數篇，證實松井曾指明美英爲若干「民主國家」爲日本當前之敵國。松井於論文中並稱，「余絕對反對與美國作任何妥協」。又稱：「余渴解決對華戰爭」乃荒誕之錯誤。松井於其一九四一年七月間之論文中稱：如美國於短期內對德宣戰，則日本應履行其對三國同盟條約之義務，毅然起而宣戰。松井論文又稱：美國「既無準備，亦無力量，從事兩面作戰。」美國之真正意圖，乃在「威脅日本」延長談判，俾可獲得準備作戰之時間

1948.2.26《申報》 南京大屠殺鬆井應負罪

總統接受右翼閣員辭職
捷共黨組成新閣
社民黨分裂派參加合作

美重視捷局演變
蘇聯今後行動極堪注目

捷克總統崇仰民主
致共黨函發表

捷封鎖邦德邊境
武裝保安警察集

蘇聯特工作人員
滲入夏威夷

紀念珍珠港戰役
美興建公墓

出席泛斯拉夫會議
蘇聯代表團抵捷京
羅波簽訂友好互助公約

北歐四國設立
經濟委員會
研討合作辦法

荷比盧參加倫敦會議
協商對西德政策
法堅決反對德中央集權

安理會繼續辯論
聖地分治案

蔣廷黻在小型大會宣布
我深盼韓蘇合作
南北韓分裂行動應避免

華萊士抨擊
馬歇爾計劃

法總理許曼
再獲國會信任

日蘆田新內閣
下月初可組成

南京大屠殺
松井應負罪責

羅議會解散
下月舉行普選

赫爾回憶錄
北美報業聯合會版權所有　本報編譯室

南京大屠殺

松井應負罪責

國際法庭檢察處宣布

「中央社東京廿五日電」盟國檢察處，今指控被告松井石根應對日軍在南京之燒殺奸掠罪行負其全責。檢察處又指控木村兵太郎為「緬甸屠夫」。

1948.2.28《大公報》 鬆井石根難逃法網

營口戰事達最高潮

瀋陽新民間惡鬬未已

蔣主席召見范漢傑等

東北耆宿在京商金融措施

司徒昨約晤張作相等談話

〔本報南京二十七日專電〕蔣主席二十七日下午四時半召見范漢傑，垂詢東北情況，同時奉召前往晉見的還有郭懺、孫蔚如。范氏定二十八日晨離京飛平，轉往承德，就任熱主席。

〔本報南京二十六日專電〕新任熱河省政府主席范漢傑二十六日下午由平飛抵京，謁蔣主席請示，日內即回北方，到熱河去就任省主席。

〔本報南京二十七日專電〕蔣主席日內將接見張作相、馬占山、萬福麟等。

〔本報南京二十七日專電〕白崇禧二十七日晚八時在宅邀宴在京高級將領，到孫蔚如、秦德純、林蔚、范漢傑、郭懺、[illegible]、方天等多人。

〔中央社瀋陽二十七日電〕營口戰事二十六日晨已達最高潮，共匪襲我連日打擊，傷亡慘重，車站及遼河北岸[illegible]戰後，戰火刻已迫近市區。

〔本報北平電話〕共間傳悉：瀋陽、新民間的巨流河、興隆店、馬三家子均有戰事，且共匪續有增加，估[illegible]之共匪一部南下，向新民地區進襲，另一部向瀋北[illegible]集結。

〔本報北平電話〕據共間接悉：瀋陽外圍國軍防線鞏固，共匪用兵[illegible]西，企圖使國軍疲於奔命。據瀋陽來人談：共匪企圖在解凍前佔領營口，徹底掌握遼南。本溪[illegible]後，情形比鐵山更嚴重。

〔本報山海關二十七日專電〕東北行轅副主任羅卓英由秦北寧線，二十七日上午十一時專車抵此，下車後即赴城內西街交警十二總隊部召集會談，於當日下午三時乘原車去秦皇島。

〔本報北平電話〕東北行轅副主任鄭洞國兼第一兵團司令後，[illegible]現任瀋陽防守司令，遼寧興城人。

〔本報南京二十七日專電〕東北元老馬占山、張作相、萬福麟、鄒作華在京頗爲忙碌，二十七日午[illegible]席，[illegible]東北當前金融問題廣泛交換意見，東北流通券與官價和法幣的比率是一比十一．五，但最近平、津的黑市一元流通券只能折合法幣六、七元，所以他們向張氏建議，希望：㈠廢止流通券，使用法幣。㈡如果流通券不能廢止，請以法幣在東北與流通券同時使用。關於東北的通匯問題，希望能夠改善以前的限制。這個建議本月十二日東北人士莫德惠、劉哲、王樹翰、于斌、關吉玉等曾向張院長提出，張院長答應他們和[illegible]研究。[illegible]萬、鄒四氏又把這個建議提出來，張院長表示對他們的意見決加以研究。下午四時司徒大使約馬、張、萬、鄒到官邸去談，談的內容不詳。晚間于右任院長設宴招待。旅京的東北同鄉定二十九日開會歡迎，屆時在這個歡迎會中，旅京的東北人士將提出有關東北問題的意見。二十七日上午去訪問東北四老的有[illegible]、孫連仲、吳鐵城、[illegible]等。

〔本報北平電話〕東北民衆請願團王化一、李仲[illegible]、張寶慈等二十七日搭機飛京。又松江省財政廳長田雨時在平，臨時參加該團，同機飛京。

平津民食援濟辦法

何思源返平談洽商結果

沿江購米麵糧部另增撥雜糧

美國麵粉小麥亦將陸續北運

武漢物價狂漲

糧食暴跳人爲因素作祟

官商合作搶購囤積牟利

央行決貸千億接濟民食

瀋陽即景

多人擠入關機票難買

登記的人數已超過萬

物價騰昂貨無人要

社評

從捷克政潮尋求一個解答

滬米價下挫

滬金融投機案

國稅與地方稅

目前暫不畫分

漢口六家金店

偷售金飾被封

謝樹英等抵平

陳誠抵滬

檢查身體調養胃疾

可能將往臺灣一行

討論援華案

美參院外委會開會

馬卿重申着重經濟

處理序今日繼續商量

冀省實行財政公開

訂定各級收支公布辦法

每月出入數字依限發表

如有不實決以舞弊論罪

美扶植日本愈明顯

基南啣命赴日調查情勢

官方認是政策改變先聲

馬卿說對日和會已覆我照會

裝運日賠償

永興輪返國

藍姆森等

謁蔣主席

新增地方武力

經費全數中央撥發

國務會議昨日決定

中日海運線

短期內開航

平市府二批裁員

被裁的職員下月起離職

資遣費付不出容後補發

華北總部設班收容訓練幹部

南京屠殺案責任者

松井石根難逃法網

遠東軍法庭檢察處之控訴

島田罪狀

管制民間武器

華北總部成立委員會

武器購售統一辦理

劉瑤章返平

今赴大興視察

冀省委就職

後日補行典禮

平市警備旅

正在籌設中

簡報

官兵令人[illegible]以[illegible]之[illegible]行為負責者。長達五十二頁之結論中，有半數以上敘述日軍在南京所肆暴行之詳細情形，此種大屠殺之南京陷落後還繼續大屠殺期之久，未見松井有所約束。結論中稱述日軍佔領後和平及無抵抗之南京城竟變為廣大屍所，到處可見無辜之中國男女及兒童之屍骨橫陳街頭，日本軍事當局對其所統轄之軍隊完全失去控制，致使日軍從事於狂熱之屠殺、姦淫、搶劫及縱火等暴行。據當時外國目擊人士（包括外交使節在內）所作之正式報告，南京陷落後數週內，被日軍殺死之無辜人民至少有二十萬人，婦女

，但城內完全超出控制力以外之日軍暴行何止數萬人。據某外國教士作證稱：日憲兵之駐在南京，最後亦成為一大笑話，蓋彼等竟亦開始參加一如其他日軍所犯之暴行，但松井屬下之軍官竟未採取嚴厲制止行動，或處罰暴行之日軍，日軍官如遇見士兵作強姦或屠殺之暴行時，僅令該士兵向其行禮而已。據審庭於結論中敘稱：松井所持對屬下部隊之指揮乃間接者，且僅限於戰略方

南京屠殺案責任者
松井石根難逃法網
遠東軍法庭檢察處之控訴

〔中央社東京二十七日專電〕遠東國際軍事法庭檢察處對日本一級戰犯之個別結論今進入對松井石根之案件。檢察處控松井以[illegible]

被姦淫者約二萬人，全城有三分之一經日軍之手焚燬，城內無一商店不遭日軍搶刧。檢察處特別強調對松井事先及攻入南京後[illegible]

控制與圖之共同策劃陰謀。起訴書中指島田應負謀殺美國陸海軍人員二千三百四十二人及平民五十四人之責任，因島田命令引起並准許日本海空軍進攻珍珠港。起訴書中稱：島田預料中國在珍珠港被襲之先必將投降，渠於一九四一年九月十五日曾新聞記者稱：軍閥政府在日本空襲之下，「現已瀕於崩潰」。檢察官表示島田對轟炸中國戰時首都之日本海軍飛行員曾加轟擊及政屬，以故應負轟炸南京及中國內地之責。起訴書並云：島田嘗大言曰：「南京之轟炸乃歷史上任何國家首都遭空襲之第一次。」

1948.4.21《大公報》 日侵華戰犯應嚴厲處罰

義大利選舉初步揭曉 基督教民主黨佔先

蓋斯貝里準備重組反共內閣

【羅馬二十日廣播】義聯社羅馬電：義總選結果雖還未完全算出，但蓋斯貝里一黨的勝利已可預見。他們和左翼所得選票的比例差不多是二比一，這顯示共產黨和他們的同路人已經失敗的邊緣。十八、十九兩日所舉行參院選舉已計算出四分之一以上，衆院選舉結果的數字正在開始。蓋斯貝里基督教民主黨茅領袖很樂觀。今後為止的開票結果證明：基督教民主黨可能在新議會的參衆兩院都佔多數。在選舉結果揭曉之前，沒有人敢如此推測。共產黨方面講話很少，只「團結」報社長在一個正式的演說裏說：「無疑的，人民陣線在未來的議會和國家裏將成為一個有決定性的要素。蓋斯貝里說：基督教民主黨所獲的支持，「甚至超過我們所希望的」。據官方公布，南方四、一八三個選區選舉衆議員的結果，基督教民主黨已得一、三三四、一九八票，人民陣線只得七八七、〇八五票。

【路透社羅馬二十日電】據大利參院選舉結果，截今為不完全統計，非共黨派已在全國獲得多數選票。蓋斯貝里的基督教民主黨所得今最止，已得一、四六九、二二〇票，共產黨控制的人民陣線得七七〇、三七三票。人民陣線唯一獲得大多數選票的地方是艾彌里亞，共得二九、九〇〇票，蓋督教民主黨得一九、九二七票。

【中央社羅馬十九日合衆電】據義大利各地計算不完整之選票，共黨陣線候選人已居第一位，基督教民主黨在第一選舉中，其數目猶在共黨之前，其他小黨（全為反共者）亦獲得可觀之選票。非正式結果揭曉，反共之基督教民主黨所獲選票結果，義全國四一、六四八選區中之二五四選區內，基督教民主黨計獲七七、〇二一票，共黨陣線計獲四八、一三五票。按初步選舉結果，多屬米蘭、羅馬、都靈、佛羅倫薩及布倫瓦各地。

【中央社羅馬十九日合衆電】在參議員選舉結果部分揭曉中，反共各黨派領先為一與一之比。在四萬一千四百六十八個選區中之百分之十選區中，基督教民主黨獲得一、九八〇、五四六票，獨立社會黨三八九、四二七票，國家主義者一一六、六八五票；共黨陣線獲得一、二二〇、一五〇票。

【羅馬二十日廣播】合衆社米蘭電：據消息稱：極左翼分子正在巴黎商討和法國左翼分子的實力。據此地義國方面說：共產黨已計劃立即用暴力取得政權，並指出強大的力量正在進行動亂的祖國。

【中央社羅馬二十日合衆電】當蓋斯貝里於本次選舉中獲得壓倒性勝利，操在百分之二十五強之已開選票中所獲選票，超過共黨聯合陣線一倍。反共政黨已開始宣告可能壓倒共黨之勝利。然因開票結果尚為一部分，保守派政治專家認目前尚不可過分樂觀。又衆院開票結果，亦不必與參院選舉結果相同。

美謀支持西歐軍盟

可能恢復租借方案辦法

羅維特與英法大使商談

西德會議秘密舉行

討論主題是合併三佔區

泛美會議

哥斯達黎加內戰已結束

物價與政府措施

徐毓枬

日侵華戰犯應嚴厲處罰

我向國際法庭要求

最後判決書考慮中

高雄海關緝獲又一日船走私

韓人團結會議召開

北韓當局接受金九條件

組織全民政府反對獨裁 任何強國不得保留基地

巴力士坦問題

聯大政治委會開始研討

尚無分治變通辦法提出

季里諾談話

非政策不變

緬甸加入聯合國

聯大特別會一致通過

【中央社佛拉辛草地十九日專電】聯合國大會本日一致決定准許緬甸成為聯合國第五十八會員國。大會於宣布考慮巴力士坦新手問題時，竟於今晨四時之會議迅速通過准許此一新亞洲國家參加聯合國，巴力士坦事務已正赴紐約，代表其本國出席聯合國大會。

美報人集紐約

舉行新聞年會

印巴會議圓滿結束

美國聯合社慶祝百週年

平學潮可告段落

師院日內也有復課希望

武大沒錢發薪

教職員學生有斷炊之虞

清寒自費生已開始登記

金大昨復課

關於公費生制度

某教育界人士一種看法

柏林英蘇權機件純屬意外事件

英國法庭調查報告

抗繳運動調處中

五工會表示意見

召開座談會分訪主管當局 說為動機甚善恐有違法令

民社黨兩學生

物品二十種已禁止入口

上海北站一度混亂

東北紡織末路

昆綃獲運毒案

嗎啡廿一袋藏美菸葉中

主從犯六名已就逮法辦

平抑物價漲風

金管局商獲三辦法

建議分散入關游資開放中匯 嚴禁商業行莊存放軍公款項

津市昨頒行三項緊急措施

救濟蒙旗

行總分署

東北春耕農貸追加三百億元

老教授林志鈞

坐火車帶行李

童子軍總會

任陸相而負責完成對東北及熱河佔領之荒木貞夫，主持南京大屠殺之松井石根，繼松井任日本駐華派遣軍總司令之畑俊六，瀋陽事變後任日本關東軍參謀長並曾一度繼東條英機任首相之小磯國昭。向氏最後表示，相信國際法庭將獨立審判，證明侵略戰爭之進行將終使侵略者走向「斷頭台及監獄」，而絕不致導至「榮譽」之路。

【中央社東京十九日專電】遠東國際軍事法庭今晨舉行首次法官會議，以考慮對東條英機及其他二十四名日本頭號戰罪嫌疑犯之最後判決書擬訂事宜。會議歷時約二小時，曾討

日侵華戰犯應嚴厲處罰

我向國際法庭要求

最後判決書考慮中

【中央社東京二十日專電】國際法庭我首席檢察官向哲濬今稱：中國要求對凡在對華戰爭中發生重要作用之日戰犯，予以「嚴厲與公正」之處罰。渠並稱：此種處罰，並非意在報復，而實在杜防日本侵略之重演。向氏於法庭結束兩年之審訊後，接見中央社記者稱：就在獄羈押之二十五名日本頭號戰犯中，中國堅持要求庭方嚴厲處罰土肥原賢二及坂垣征四郎。向氏繼解釋稱：在審定與實施侵略中國陰謀策略方面，此二人實爲對華「侵略者之[illegible]始標本」，並爲「永從分離之伙伴」。向氏稱：中國方面甚爲重視此二戰犯之處罰問題，故中國檢察官方面曾爲需要在審訊之最後一日，就此等戰犯之申訴提出特別答複。渠並另外提出大名戰犯，指控彼等曾煽動與參與對華侵略，應受嚴厲裁判，計爲[illegible]武

論關於擬訂最後判決書之程序問題。另一方面，助理法官委會目前仍日工作達十四小時，以擬訂臨時判決書草案，而向法官會議提出。參加該委會之我方助理法官爲楊壽林及方福樞二人。

1948.12.23《申報》 東條等七戰犯今晨絞決

制止荷在印尼軍事行動 美對荷施經濟壓力

下令停止援助荷屬東印度

美在安理會斥荷為侵略者

（聯合社華盛頓廿二日電）美國今日停止對荷屬東印度之援助，以待荷蘭對印尼共和國戰事之解決。經濟合作總署長霍夫曼已電令駐荷分署遵照辦理。據稱，此舉係與國務院洽商後決定，惟對荷蘭本國之援助則顯然無影響。

（合衆社巴黎廿二日電）荷蘭代表范樂腰廿二日告聯合國安全理事會稱，荷蘭政府將不問代價及後果，繼續在印尼作戰。

日惹週圍激戰中

印尼領袖號召人民實行焦土戰

共和國政府仍在首都執行任務

（本報訊）紐約二十二日廣播巴城訊：荷軍未遭抵抗佔領印尼共和國在蘇門答臘之首都布吉丁宜……

（中央社巴黎廿一日合衆電）……

東條等七戰犯 今晨絞決

在巢門監獄秘密執行

（本報訊）紐約廿三日廣播：東京訊，東條等七戰犯已於巢鴨監獄內刑場執行死刑。……

杜爾斯自巴黎歸國談 美蘇關係可改善

雙方爭執不致導入戰爭

（美國新聞處紐約廿一日電）杜爾斯頃已自巴黎聯大歸來……

調解委員七人 安全飛返吧城

（本報訊）紐約二十二日廣播吧城訊：被拘於加里阿爾之聯合國調解委員會委員七人已飛返吧城，全體人員均安全無恙……

印尼鄰邦將組國際軍團 聯合抵抗荷政府

印尼駐美公使在美宣布

（法國新聞社紐約廿一日電）印尼共和國駐美全權公使蘇米特羅對記者宣布……

荷如無美援 亦可長期作戰

荷駐美大使克雷芬斯談話

（法國新聞社華盛頓廿一日電）……

各國為印尼聲援

蘇指荷暴露帝國主義者真面目

（聯合社巴黎廿一日電）印尼共和國抵抗荷蘭侵略，今日已獲得各方各國之聲援。……

荷侵入印尼 英態度灰澀

（法國新聞社倫敦廿一日電）英國政界今日對印尼事變仍不願予評論。……

·史達林· 六旬晉九誕辰 並無慶祝儀式

（合衆社莫斯科廿一日電）今日為史達林六十九歲生日。……

土肥原板垣 臨死其鳴也哀

遺言強調中日應互助

（中央社東京廿二日電）……

我聯大代表團顧問 蕭蘧在美逝世

（中央社紐約廿一電）我出席聯合國代表團顧問蕭蘧十九日以肺炎病逝……

西方佔領軍管制柏林 宣布恢復聯合總部

門戶洞開以待蘇聯參加

（合衆社柏林廿一日電）西方國家廿一日恢復四強佔領軍聯合總部，蘇聯未參加。……

嚞 張紫瑛 程菲依 結婚啟事

陳彭年 郭俊五 朱美英 結婚啟事

中央銀行公告

十二月二十二日

上海市公用局公告

局長 趙曾珏

交通部為嚴禁差需索聯合公告

江亞輪撈獲行李物件處理委員會公告

招商局公告

東條等七戰犯

令晨絞決

在巢門監獄秘密執行

（本報訊）紐約廿三日廣播：東京訊，東條等七戰犯已於巢鴨獄內刑場執行死刑。麥帥總部頃發表簡短文告稱，「遠東國際軍事法庭判處死刑之戰犯七名，業已於一九四八年十二月廿三日晨零點至零點卅五分間全部絞決。」文告原文僅寥寥二十七字，而昔日蠢然獨裁無惡不作之帝國主義者，其一生從告結束。日本佛人牛山曾為此七人作臨終祈禱。據牛山稱，渠等係由一姓名不詳之美國刑吏執行絞決，渠等當年驕勢傲慢之際，因對宗教素不重視，惟臨終之際則態度已變，「心地澄澈」。絞刑執行時，僅極少數曾宣誓嚴守秘密之軍官在場監視，巢鴨獄前警衛極嚴。此次執行死刑時，費時極短，故此間人士推測，咸以為必係四人先行同時絞決，然後再同時絞決三人。各國記者曾聯袂要求到場採訪新聞，卒被拒絕。今日被處決之七人為東條英機、土肥原賢二（六十五歲）、廣田弘毅（七十歲）、坂垣征四郎（六十三歲）、木村（五十九歲）、松井石根（七十歲）、武藤（五十六歲）。

1948.12.24《中報》 七戰犯尸體火化 梅汝璈感慨

我擁護美在安理會提案 令荷蘭停戰撤軍

澳洲代表激烈主張將荷逐出聯合國

蘇聯可能要求實施制裁

美政府正審愼考慮 停止對荷全部援助

印尼已獨隣繼續特立即實施

錫印澳諸國 停止與荷合作

法竟同情荷蘭 懷疑美國態度

爪哇東部兩地區 印尼軍發動反攻

日惹以北已築成新防綫

經合對荷蘭 撥款尙未停止

東條等七戰犯屍體火化 骨灰昨隨風播散

盟管四國代表蒞場觀刑

行刑一瞥

杜魯門總統 返故鄉度耶誕

日本扮演民主戲逼眞 衆院通過不信任案

議會被解散一月廿三普選

侵略者矜無赦 象徵正義勝利

尼基夫戰火復燃 埃猶和談希望因而粉碎

全國舉行祈禱

美駐蘇大使 史密斯將退休

紐約時報擬發行 國外航空版

東條等七戰犯屍體火化

骨灰昨隨風播散

盟管四國代表蒞場觀刑

〔中央社東京廿三日合眾電〕東條英機已於今日清晨絞決，其火化之骨灰亦已隨風播散，其他六犯亦然。絞刑係於午夜零時零一分開始，卅三分內即告完畢。屍體均用美軍用卡車裝載，由美憲兵駐吉普車押送至橫濱，上午七時四十五分以前，各屍體均依美國儀式停置，七時四十五分時即已送達橫濱市立火葬場。火葬於八時十分開始，九時半即告完成。骨灰分盛於七黑色小盒內，並分別由吉普七輛載出火葬場播散。

行刑一瞥

〔聯合社東京廿三日電〕東條等七戰犯今日黎明前於極秘密中絞決。盟國對日管制會的美代表薛巴德、中國代表商震將軍、英代表柏德里，及蘇聯代表特萊夫揚柯均親臨觀刑。新聞記者則不准入場。各犯分兩批行刑，第一批爲前總理東條、侵華禍首土肥原，前華中日軍司令松井與前菲律賓日軍司令武藤四人，由巢鴨監獄值日軍官領入刑場，牧師及僧侶各一尾隨其後，左右則有美兵兩名監視，最後由軍官兩名監隊。四犯魚貫入絞場後，即由執行軍官點明正身，繼即步上十三級絞台。四犯上絞架後，即轉身面對盟總所派之監刑軍官，新聞記者不准到場參觀。四犯頭部披上黑罩，套入關索，其時各犯默不出聲。於是執行司令官發出一聲號令，四具絞機一齊吊起。土肥原於午夜後七分卅秒畢命，東條於午夜後十分卅秒畢命，武藤與松井分別於十一分卅秒及十三分時畢命。第二批三名絞犯於松井畢命後六分鐘時入場。三犯爲前陸長板垣，前總理廣田，與前關東軍司令木村，於午夜後二十分鐘絞決。七犯均穿美軍綠色囚服。

臨死三呼萬歲

〔中央社東京廿三日電〕爲東條等舉行宗教儀式之華山仟勝法師謂該七人步向絞台時，曾由松井石根及板垣分別領導兩起高呼「天皇及大日本萬歲」各三聲，土肥原松井及板垣於就刑前，曾謂希望彼等之死，能使中日關係可因此改善。土肥原臨死前曾吟「親愛之中國人民」短詩一首，對其過去行爲表示遺憾。

〔合眾社東京電〕東條曾留下遺書兩封，一致家屬、一告世界，大約申述其侵略戰理由。東條並以其玳瑁邊眼鏡、假齒及佛珠遺贈妻子。渠臨刑前要求最後一次進日本料理，他的要求被准允了。其他六人則吃美軍軍用口糧。

全國舉行祈禱

〔法國新聞社東京廿三日電〕據日宮內官員傳出裕仁今日終日獨居於皇宮之褐色書齋中，當東條等執行死刑之消息傳至後，渠似極爲感動，遂取消其子明仁定於今日舉行之冊立爲皇儲之兩週紀念。又據晚報東京新聞載稱，裕仁今日與全國人民一致舉行保持和平之祈禱。

侵略者所無赦

象徵正義勝利

梅汝璈發表觀感

〔中央社南京廿三日電〕國際法庭中國法官梅汝璈稱：東條等七戰犯之處死，象徵國際正義之勝利，向世界表明侵略之無益，此事並無報復之意味，而係表明侵略爲走向絞架之路而非光榮之路。各犯之處死刑，對於遭受日本侵略之苦之中國及其他國家人民，爲一種安慰。又商震昨晚觀刑，甚感疲勞，今晨拒絕見客。

南京軍事法庭審判大屠
根據同盟國協議，日本
所在國組織法庭進行審
1946年2月成立，主要
犯。直接指揮入侵南京
居民的谷壽夫，以軍刀
吉，在紫金山下進行“
野田毅四人均被該庭判
執行槍決

殺戰犯
乙、丙級戰犯由犯罪地
判。南京軍事法庭于
負責審判南京大屠殺戰
中華門一帶，屠殺南京
屠殺三百餘人的田中軍
殺人比賽”的向井敏明
處死刑，在南京雨花臺

1946.8.3《大公報》 日本戰犯磯谷

安平衝突影響重大
中共承認共軍所爲
南京牯嶺均有重要會商
馬帥今約晤周恩來後赴牯嶺
柯克謁蔣主席並訪司徒商談

【本報南京二日發專電】馬帥定三日午後一時半飛潯轉上牯嶺，再與蔣主席、司徒大使會談，以尋求和平商談之新方案。馬帥離京前，將於三日晨再與周恩來晤談，以確定安平事件之責任問題及和平商談中共之眞實意向。據中共發言人二日午後聲稱：安平事件，南京中共代表團已獲知確實情報數項：㈠中共軍確曾與美軍發生衝突，並雙方均有死傷。㈡安平在中共「解放區」內，並爲駐兵區。㈢與中共軍隊衝突之美軍，乃一武裝巡邏隊。中共代表周恩來已電平執行部中共代表葉劍英，要求派遣執行小組赴出事地點調查，以確定責任。馬帥於二日午前十時接見美駐華海軍武官等美軍官員三人，討論安平事件。十一時馬帥驅車至官邸訪宋院長子文，談約一小時餘辭出，二日馬周未晤面。

【本報南京一日發專電】美第七艦隊司令柯克海軍上將暨夫人於一日晨自滬搭專機來京，於十時二十分抵大較場機場。下機後，赴北平路海軍官邸休息片刻，柯克即驅車往訪馬帥晤談，陪同前往者有海軍武官肯尼上校及空軍少將等三人。據悉，馬帥此次匆匆返京，除促成談判之任務外，主要者爲與七月廿九日平津公路上沙河地方發生美軍共軍衝突之事件有關。柯克上將自馬帥行館辭出後，即於下午一時半飛牯嶺。

【本報牯嶺二日發專電】聞宋院長子文日內來牯。柯克二日晚謁蔣主席，主席夫婦二日晚宴柯克夫婦，由彭部長學沛等作陪。柯克至遲五日返滬。

【本報牯嶺二日發專電】據悉，馬帥電此間，預定三日來牯。馬帥在京與周恩來之談話，集中於平津公路線上美軍被襲事件。聞美方對此事正詳加調查研究，供美政府參考，駐華美官方不作表示。司徒大使體力尚未復原，二日無何活動，午間一度漫步庭院中曬太陽，陳布雷、柯克迭二日抵牯。

【本報牯嶺二日發加急專電】平津公路線上美軍被襲事件，已使和平商談遭受阻礙，並受影響，司徒大使一日下午五時謁蔣主席談話一小時許，據悉，大部分談話爲討論美軍被襲事件。美使館在此事件未調查確實以前，暫不作公開表示。聞馬帥日內將再來牯嶺。

【中央社牯嶺二日電】美國駐華艦隊總司令柯克上將二日晨十時赴行轅，晉謁蔣主席，作到牯後之首次正式拜會，歷四十分鐘辭出，續訪司徒雷登大使於其寓邸，就美海軍陸戰隊在平津公路被襲事件商談約半小時。正午由黃總幹事仁霖導遊仙人洞，柯克夫人及男女公子亦參加。遊罷復至河東路勵志社游泳池游泳。晚八時半應蔣主席夫婦邀，參加行轅茶會。馬歇爾夫人、國府宣傳部彭部長學沛亦奉邀作陪，十時始散。

【中央社牯嶺二日電】司徒雷登大使，二日積極搜集美海軍陸戰隊在平津公路被襲事件之有關資料，期能迅速澈底了解其眞象。大使對此事之處理極力避免感情用事，頗爲冷靜。馬帥日內即將由京再來牯，傳與處理此事有關。

【中央社南京二日電】馬歇爾特使二日上午訪行政院宋院長子文於寓邸，晤談甚久。宋氏並留馬氏共進午餐。

蔡文治聲明
平津公路非「解放區」
否認國軍協同前往

【中央社北平二日電】軍調部政府方面參謀長蔡文治將軍發表聲明如次：㈠中共已承認安平事件係共軍所爲。㈡中共所謂美軍進入「解放區」，國軍協同前往一節，純係捏造。該地爲平津公路，並非所謂「解放區」。美軍經常由津向平輸送執行部美方人員及駐平美陸戰隊之給養，何來國軍隨同。㈢共軍預先於公路上設置障礙物，佈置伏兵，足證此事出自預謀。㈣共軍謂當日有國軍隨行，若然，則國軍方面何以變出倉卒，美軍傷亡如是之多。國軍並無傷亡，共軍所云顯係殺人後反行抵賴。㈤美軍七人於七月十九日在山海關附近被中共綁架，二十九日美軍復被襲擊，在十日內連續發生同樣事件，必係中共最高當局之整個預謀。中共有悔禍之心，則美軍於被綁一日之後不致再度遭受襲擊。㈥美軍駐華，係應我政府之請，聯合國對於另一聯合國亦有協助受降遣俘之義務。美軍駐華，與越南非中國領土中國軍隊遵照盟軍最高統帥部命令進駐越南之事例相同。中共妄言協助遣俘之駐華美軍爲侵害中國主權，而加以殺害，盟軍將士竟死於共黨之手，實令吾人痛惜。共軍所以出此下策，其企圖於逼迫美軍撤退後，在華北各省發動全面內戰之野心，已暴露無遺。

駐華美軍被襲擊事
美輿論界表示關切

【美國新聞處華盛頓一日電】美陸戰隊兵士在華被狙擊事件，引起美各報之評論。奧克蘭論壇報昨稱：美國人民對於馬歇爾將軍應付其艱巨使命之忠實與能力均表示信任與尊重，而對陸戰隊駐華部隊之措置是否適當與有用，不願過於苛求。美對華政策如有重行檢討之必要，則當以馬歇爾對中國複雜情形所懷之眞知灼見爲基礎。聖路易郵報民主報昨日對於中國內戰之繼續進行認爲不祥之兆。並稱南京談判如果失敗，則中國將陷於大規模之正式內戰，而美軍必須撤退殆無疑義。但此種衝突如有避免之眞正希望，則美軍亦不妨暫駐在此不幸之國內。聖路易明星報昨日宣稱：吾人如以我國軍隊留駐中國戰區內，則彼等可能遭遇池魚之殃。美國之意，似不足以終止中國之內戰，此誠爲不幸之事。但吾人若果偏袒一方，而強迫中國成立和平，則將更爲不幸。吾人不如使陸戰隊撤退地爲佳，以免無謂之犧牲。交換廣播系之亦利德表示謂：陸戰隊兵士之死，將引起撤退美軍之有力要求。但事實上美國正因不肯干涉世界事務而終於……

社評

從蘇北軍事說起

目前國內時局，談判若續實斷，戰事則到處發生，尤以蘇北的軍事爲最熾烈。爭城以戰，殺人盈城：爭地以戰，殺人盈野。這本是極慘痛的事。但由蘇北軍事向裏深看一層，卻更存在着一件意義重大的政治問題。

蘇北在共軍佔領之下，幾百萬難民逃亡出來，流落在徐州及京滬一帶，成了嚴重的社會問題。這許多難民何以要逃亡出來？這已是衆所週知的事實，是被鬥爭清算出來的。這些難民，在家鄉大概都是有家有業的。是有田一二百畝以致一二十畝的所謂「地主階級」。他們的土地被清算了，而人被鬥爭出來。扶老携幼；背井離鄉，做逃亡的難民。留在蘇北更多的人民，大概多已在鬥爭清算的方式下分到了土地，同時也被徵了入伍共軍爲戰士。這是以土地革命的手段，把鄉村社會劃了一道鴻溝，成了仇恨相拚的兩個壁壘。於是逃出來的難民，要「武裝還鄉」；而留在蘇北的人，爲了保護分得的土地，更爲了怕報復，而不得不與共軍共生死。雖然如此，近來蘇北還陸續有爲逃避共軍兵役而逃亡出來的難民。因爲有了這種深刻的背歧，所以蘇北的軍事已不同於普通的兵爭，而將成爲仇恨相殺的大悲劇。

共軍所行的以武力分地的政策，不僅見之於蘇北，也見於山東河北若干地方。因此，使我們感到中共的政策已漸漸有了轉變。在八年抗戰中，共產黨以陝北爲根據地，其所行的不是土地革命，而是減租減息合作生產的溫和政策。中外記者團兩年前曾到陝北參觀，大家都對陝北民生狀況表示滿意。今天冀魯與蘇北共區的情形，顯然已非陝北的作風。

在抗戰初期，國內的聯合陣線形成，使國家出現了統一陣容。那不僅由於外侮的壓迫，也有內政的諒解。國共與各黨派俱各有其政治諾言。中共於二十六年九月二十二日發表的「共赴國難宣言」，提供了四項諾言：（一）中山先生的三民主義，爲中國今日所必需，本黨願爲其徹底的實現而奮鬥；（二）取消一切推翻中國國民黨政權的暴動政策及赤化運動，停止以暴動沒收地主土地的政策；（三）取消現在的蘇維埃政府，實行民權政治，以期全國政權統一；（四）取消紅軍名義及番號，改編爲國民革命軍，受國民政府軍事委員會之統轄，並待命出動，擔任抗日前線之職責。國民黨也提供了政治諾言，且爲全國各黨派所擁護，那就是二十七年的「抗戰建國綱領」。現在看來，中共行動已超出當年的四項諾言，尤其在冀魯蘇北所行的是暴力的土地革命。這要問中共當初的諾言是否還存在？是不是又在使用以暴力沒收地主土地的政策？這應該明白宣佈，莫以實行民主及實行三民主義的口號而從事暴力的土地革命。在國民黨方面，一貫執政，「抗戰建國綱領」中的諾言，如嚴懲貪污，整肅綱紀，改善人民生活，發展農村經濟等，多未曾有效實行。尤其民生主義的節制資本，平均地權未曾實行。而目前的經濟凋敝，貧富懸殊，政治寡效，貪污流行。人民生活並未改善，農村經濟並未改善，一面在繼續徵實，二五減租的命令並未力行。以致弄得到處一片不滿之聲，隱增社會不安的危機。今天的全國人民，是在要求共產黨忠實於自已的諾言，走進步的路，莫走暴力的路；是在要求國民政府盡其應盡的責任，一個政府不能安定民生，澄清吏治，無疑問的是溺職。上述的「共赴國難宣言」及「抗戰建國綱領」，假使彼此都認爲是抗戰時期的諾言，今日可不適用；那麼，抗戰勝利後各黨派簽字協議的「和平建國綱領」就應該承認其有效並忠實實行之。該綱領的四項總則：一、遵奉三民主義爲建國之最高指導原則；二、全國力量在蔣主席領導之下，團結一致，建設統一自由民主之新中國；三、確認蔣主席所倡導之政治民主化、軍隊國家化，及黨派平等合法，爲達到和平建國的必由之途徑；四、用政治方法解決政治糾紛，以保持國家之和平發展。此外關於人民權利、政治、軍事、外交、經濟財政、教育文化，俱有合理進步的規定。其內容實在比「抗戰建國綱領」進步很多，乃是國家理想的進步之路，毫無疑義的應該忠實付諸實施。中山先生認定中國不適於實行共產主義，乃創制三民主義，以爲革命建國的指針。中共到今天未曾否認此觀點，且也以徹底實行三民主義相號召，就應確守此觀點。國民黨對於實行三民主義，尤其具有莊嚴的義務。以當前國事看來，尤以忠實的徹底實行中山先生的三民主義，纔得有出路。對當前的國事，我們以人民的立場，反對武力解決，反對暴力革命，要求國共各黨派信守「和平建國綱領」，徹底實行三民主義。

若捨此路而不由，而訴諸武力解決，則蘇北的情形是一個最現實的例證。仇恨，流血，以至社會大亂，國家大亂。

死亡三美兵
在津舉行殯儀

【本報訊】據本市美海軍陸戰隊當局二日宣稱：七月二十九日在大小沙河村被殺美軍官長一人，士兵二人，已於二日下午二時舉行殯儀，在東局子舉行殯儀，並於美海軍陸戰隊第十一團小禮拜堂內舉行祭典後，葬於美國軍人公墓。又據該當局聲稱：受傷之美軍士兵四人，刻在北平美海軍陸戰隊醫院診治中，其中一人於二日傷重不治身亡，後者尚未舉行喪禮。

平行營闢謠

【中央社北平二日電】北平行營發言人今日鄭重否認延安廣播所稱國軍八十名會同美陸戰隊士兵六十名，於七月二十九日襲攻共軍之消息。發言人指稱：此項廣播純係無稽謠言，且爲最卑劣惡意之宣傳。

調查美兵被襲事件
特別小組人選決定
三方面代表日內出發

【中央社北平二日電】關於美兵被襲事件軍調部擬派往肇事地點調查之第二十五特別小組，刻三方面代表均經正式決定，計政府代表與能定中校，中共代表當任民上校及美方代表亞歷山大上校，一行日內即可出發，前往調查。

美將貸我鉅款
一億五千萬至二億美元
供我購美剩餘物資之用
美對外清理委會之報告

【中央社華盛頓七月三十日專電】美對外清理委員會今日向美國會報告，該會業已核准一億五千萬美元之對華信用貸款，以作中國購買美剩餘財產之用。此對外清理委員會之季報，係由美代理國務卿艾契遜轉送國會者。該報告稱，信用貸款利率爲百分之二又八分之三，貸期三十年，且如需要時，此項貸款或可增至二億美元。報告稱：貸款談判業已將近兩月之久，刻仍未完竣。該報告指稱：此項信用貸款之核准，雖附有條件，但款項之使用，則全由中國政府決之。

【美國新聞處華盛頓一日電】代理國務卿艾契遜將海外清理專員之每季報告轉呈國會，該報告顯示美國所遺海外剩餘物資，已由海外清理專員麥卡比售出十億美元以上。上述物資內包括無法出售而移交聯總者在一億四千八百萬美元之譜。每季報告估計已宣布及將宣布之剩餘物資總數共約九十五億美元。其中可能出售者在七十至八十億美元之間。海外剩餘物資中有一部分如其分配之費用超過售價則或將加以放棄。

日賠償辦法
美提新建議

【中央社華盛頓一日合衆電】據悉，美政府已要求遠東委會對於日本賠償全盤辦法根據美國新建議重新決定。新計劃係上週送達遠委會，刻正由委會考慮中。茲悉，該計劃建議在遠東委會下設立一獨立機構。

英贈我軍艦

【本報南京一日發加急專電】我海軍官員即赴英接收。英國近決以軍艦十二艘贈送我國，內計巡洋艦一艘、驅逐艦一艘、潛艇二艘，共四艘，各爲五千餘噸，其餘八艘爲魚雷快艇。海軍總司令部決調派海軍官兵數……

牯嶺消夏

史蒂文森
即赴牯呈遞國書

【中央社南京二日電】新任英駐華大使史蒂文森爵士二日晨十時由外部李司長……

秦德純返京

【中央社上海二日電】秦德純將軍二日晚偕鄭任之少將晉京。

吳鐵城闡述時局
和平努力終歸失敗
中共應負全部責任

【中央社南京二日電】吳秘書長鐵城一日在首都記者公會成立大會致詞，……以新聞從業人員在抗戰史上實佔最重要之一頁。……今後建國工作及路程遙遠，需要全國新聞從業人員……吳氏旋對當前時局作精闢之分析，……今日局勢似和未和，似統一未統一，人民所受有形與無形之損失實不可估計。……政府召開政治協商會議，……皆施軍隊統編，恢復交通，停止軍事衝突之所有努力全部失敗。……中國共產黨不斷提出問題，不斷製造糾紛，以致破壞政協決議，破壞和平，中共自應負起其全部責任。……吳氏最後宣稱：目前局勢雖如此，惟政府仍當本相忍爲國之決心，以一切和平方法，解決一切困難。

陳立夫談話
反駁周恩來

【中央社上海一日電】外傳陳部長立夫日內將有廬山之行，記者趨訪，曾詢以「聞部長即將赴廬，不識有何重要使命？」承答稱：「本人將赴廬一行，因廬山夏令營電邀前往演講。」記者復以七月三十日路透社南京電訊，傳周恩來發表聲明與馬帥及司徒大使會晤之第一次公開談話，其中有謂：共黨之建議均不越政協決議範圍，故政府若能接受，即不難建立和平。主要之阻礙在於國民黨內欲以武力解決之份子，此可由陳立夫最近之談話證之云云，詢問陳氏意見，陳氏答稱：「本人爲最先並始終主張，且曾實行以政治方法解決國共問題之一人，在上次本人談話中，已略言之。此宗經過，惟周氏與本人知之最詳，不必健忘若此。……和平民主之前提繫於交通之恢復與軍隊之國家化，……即可知政協決議誰在破壞誰在認眞實行。事實具在，國內國外人民已共見共聞，亦不必以口舌爭矣。」……陳氏揚其指，引孟子之言以答：「有人於此，其待我以橫逆，則君子必自反也。……此亦妄人也已矣，如此則與禽獸奚擇哉。……」

調查李聞被刺案件
梁漱溟等今日飛昆
潘光旦費孝通已自昆飛抵京
劉英士亦慰唁聞氏家屬歸來

【本報南京二日下午六時四十五分發加急專電】民盟秘書長梁漱溟及法學家周新民因二日未購到機票，改定三日飛昆調查李聞案。中央黨部派張壽賢秘書陪往。梁周曾於二日上午至中共代表團訪周恩來。梁氏歸京後，民盟代表章伯鈞將五日來京主持一切。

【中央社南京二日電】教育部派赴昆明慰唁聞一多家屬之劉參事英士，二日下午四時返京，同來者有聯大教授潘光旦、費孝通夫婦及其女公子。據劉參事稱：在昆曾晤及聞一多夫人及其公子立鶴，彼等就醫於雲大醫院，聞夫人因心臟衰弱，尚須靜養，其公子腿部曾受槍傷，惟現已飲食如常，不日即可痊癒。記者旋即與潘光旦、費孝通兩教授相晤，就詢對李聞案感想。據潘氏談：「對此案不願亂加揣測，惟靜待政府處理，李聞乃余多年老友，自不免倍覺傷感。本人及費孝通、張奚若等九人，於聞案發生後，因傳言甚多，曾相率赴美使館暫避，上月二十八日已全部離館。本人此次來京，稍事勾留即行北上，仍負清華大學一部份行政責任，今後願以大部份精力從事於學術研究工作。」

【本報重慶一日發專電】潘光旦教授一日下午四時出現於中航公司售票處，記者即詢昆明目前一般情況及李聞被刺經過，潘氏均持沉默，不肯有所表示，僅謂：「悲痛的事情過去了，沒有什麼好發表的。……」關於入美領事館避難其餘的教授的情況，他說：「這個禮拜以內都可以出來了，他們將分批飛來。」又說：「暫時沒有什麼可說的，將來到了有可以發表的時候再告訴你。」旁邊一位穿長衫的先生，這時向售票員加緊催促「快點，新聞記者來多了，趕快過磅罷。」這位先生就是教育部派到昆迎接各位教授的劉英士參事，他們一日已辦好手續，二日可以直飛南京。

徐州外圍戰事劇烈
揚泰線共軍大批北移

【本報揚州一日發專電】軍息：揚泰線日來僅有小接觸，共軍大批部隊忽分兩路北移。一路調往沭陽，圖攻東海，以挽救隴海東段戰局，保持共蘇魯交通；另一路往洪澤湖，增援淮陰外圍。

【中央社徐州二日電】㈠共軍於一日復增援，向徐州東南外圍地區猛犯，戰鬥正烈。㈡由海安南犯之共軍，在泰興附近經國軍堵擊，於一日拂曉稍向北撤，中午復由海安向南來兵力兩團，繼續南犯。㈢曲塘附近共軍刻向海安集結，有大舉進犯如皋之勢。

解決國內的紛爭
蔣主席自有辦法
牯嶺記者公宴中彭學沛談話

【中央社牯嶺二日電】彭學沛二日在牯嶺記者公宴會中發表簡短談話，據謂：「由牯嶺山麓至山頂費時兩個鐘頭，如在美國坐汽車最多需十分鐘，坐電車則需三分鐘，可見中國事情因條件不具備，往往要慢一點。中國內部紛爭，一定要解決，要快解決。解決國內紛爭沒有人比政府還急，沒有人比主席更急，但是總需要一點時間。主席已經解決了中國的軍閥問題，又已經解決了日本侵犯的問題，一定能夠解決國內的紛爭問題。我曉得他有了一個辦法，而且曉得是一個政治解決的辦法。他是一個知道病人的習慣和歷史的醫生，我們應該要給他一點時間。」今日與宴者……陶希聖、盧祺新、曾虛白……及美國生活時代雜誌記者……

【中央社牯嶺二日電】中宣部長彭學沛二日晚八時偕同十八家報館特派員謁蔣主席。

日戰犯磯谷等
由日押解抵滬
酒井隆定期再審

【中央社南京二日電】日戰犯酒井隆，前於五月三十日由國防部審判戰犯軍事法庭公開審判後，因證據尚有多種需加調查，……定二十日再度公審。

【中央社上海二日電】發動侵華戰爭之戰犯磯谷廉介及谷壽夫兩主要戰犯，經國防部電令我駐日代表團照會美方，於二日晚押解抵滬，定三日晨移解上海軍事法庭，依法偵訊審判。

京衛戍部成立
湯恩伯到部視事
辦公處所尚無着落

【本報南京二日發專電】首都衛戍部一日正式成立，新任衛戍司令湯恩伯已於二日晨由蘇州到部視事，該部現假成賢街中央研究院動物研究所辦公。而該所亟待復員，故湯氏抵京後即至前陸軍總部商洽讓房屋事。衛戍部成立伊始，即已感到房荒之威脅。

政府主動改進政治
中央日報廬山版會加檢討
請政府決心實現憲政
未放棄對中共之期望

【本報牯嶺一日發專電】中央日報廬山版一日社論：「政府正謀主動改進政治之際」……

北平初審軍事漢奸
邵逆文凱供詞狡黠

【本報北平電話】北平行營二日午後二時於懷仁堂法庭公審邵逆文凱，李主任宗仁親任審判長，傳訊邵逆文凱，首由中央攝影隊拍攝電影畢退出後始行審訊。邵逆供詞異常狡黠，毫無根據。審訊未及終了，李主任因公先早退，由行營軍法處長黃勝修續審，至下午四時十五分審理終結，罪刑輕重，須待第二次公審後始能決定。

我農業前途光明
須有完善的政策
鄒秉文抵平談話
中美農林團考察後制定
團員即來津轉道赴東北

【本報北平電話】中美農林技術合作團團長鄒秉文（中美農林技術合作團長爲沈宗瀚）偕現代理團長……留美技術專家百餘人日前返國後，二日自京飛平，將與全團同赴東北一行，再赴丹麥出席聯合國農糧組織執行委會及年會，十月間返國。

【本報北平電話】中美農林技術合作團定五日赴津轉往……及昌黎視察。九日自山海關乘專車赴唐山，十四日飛返平，十七日飛西安。該團團員一日自石家莊返平後，頗感興奮，謂在此十八小時往返之火車中，已認識了中國北方農業實況不少。經濟學家凱斯謂：如此一望無垠之田畝，頗似其故鄉。農學家則稱讚耕作之精細，認爲係小農經營之特色。訪問農家時，知農民之收入平均有百分之三十繳納捐稅，均認爲過重，謂農民難負擔。……

日戰犯磯谷等由日押解抵滬

酒井隆定期再審

【中央社南京二日電】日戰犯酒井隆，前於五月三十日由前陸總部審判戰犯軍事法庭公開審判，辯論終結後，因證據尚有多點須加調查，經裁定再開辯論。茲悉該軍事法庭刻已改隸國防部，繼續搜集證據，定二十日再度公審。

【中央社上海二日電】發動侵華戰事之磯谷廉介及谷壽夫兩主要戰犯，經國防部電令我駐日代表團洽照美方，業於一日傍晚專機押解抵滬，定三日晨移解上海軍事法庭，依法偵訊審辦。

1946.8.16《申報》 我審判戰犯辦法

慶祝勝利一週年

各地分別開會獻旗勞軍

駱基將軍檢閱美陸戰隊

挽救工商業危機

主席批交政院洽商辦理

廬山學術講習會

昨行結業禮

鄧肯謁蔣主席

報告贛省災情

廣九車出軌

滬商會電呈主席

擁護文告中昭示各點

另電毛澤東呼籲統編

呈蔣主席電

致毛澤東電

川參會呈省府

請免附征公糧

于右任張治中

由天池返迪化

國軍轉運不再經香港

過境協定昨廢止

軍事機關辦事處將結束

我審判戰犯辦法

司法行政部已草就即可定稿

酒井隆定二十日公審

麥基博士抵成都

李滋自美來華

我國名建築師

侯祥臣逝世

各地通訊

浙主席改今出巡

軍糧撥發不可緩

蘇省府預徵田賦

寶山 無錫 明光 松江 杭州

社論

國際干涉乎？人民公斷乎？

——我們反對前者而主張後者——

政府與中共爭執不決，調處尚無成效，於是最近產生了兩種論調。中共高唱國際干涉論，中華時報則主張國共雙方應於此時聽取人民的意見，這是最高的公斷。本報十二日社論對於全國性的談話會更作具體的建議，自然是主張人民公斷的。今天我們更要說明反對國際干涉的理由。

馬歇爾特使與司徒大使聯合發表聲明之後，各方的觀感雖不一致；但是大家莫不認爲這是友邦調人向雙方發出的嚴重警告，這雖說明和平談判已到了最後關頭；但仍切望雙方反省，咸能大澈大悟，以挽回國家的厄運。到了 蔣主席前天發表文告，鄭重宣佈其一貫主張，政治紛爭仍取政治解決方法，大家更以爲和平的前途，尚未到山窮水盡無路可走的困境。但是看看這幾天來中共的表示，實在令人寒心，使我們對和平的前途，又萏實不敢樂觀了。

法國新聞社十二日南京電訊：『據可靠方面消息，中共代表周恩來今晨面告馬帥稱，在現行環境之下，如不能獲致和平，則將中國問題，提請聯合國安全理事會處理。同時中共發言人王炳南，也大言不慚，解釋中共主張將中國問題訴諸聯合國機構的理由，並謂英蘇既爲去年十二月莫斯科三國外長會議宣言之簽字國，在中國和平談判中，自應處於與美國同等之地位。』合衆社十四日南京電，稱延安「解放日報」十三日發表社論，除了開始攻擊馬帥外，也以此爲言。這二段電訊，如果是千眞萬確的話，則我們不得不首先向讀者指出中共代表在其荒唐謬誤的論調裏，實包蘊着卑怯，自私，惡毒的禍心。

在我國抗戰勝利結束之後，凡是黃炎子孫，愛國兒女，無不熱望祖國能早日完成統一與強大的偉業，不僅能光榮地生存於列國之間，而且還要能忠實履行聯合國憲章所規定的義務，以盡其維持世界和平的職責，堪稱四強或五強之一而無愧。但是抗戰勝利一年來的結果，這個全國人民共同的夢想，幾乎完全幻滅。不僅四強或五強之一的地位動搖，而且自己國內的事情自己不能了，還要勞動友邦的兩位調人，東奔西走，從中調處，十閱月來，調處尚未絕望，中共忽然異想天開，主張把自己的事情，請求聯合國機構處理。非把國家的體面與國格搞地不止，中共只知站在黨派的立場上替一黨一己的私利打算，而不替整個國家的利益着想，這種倒行逆施的行動，不是自絕於國人嗎？

中共不顧國家統一和強大，是顯而易見的，姑置勿論，我們若以國際公法的眼光，觀察中共的建議，也覺得幼稚得滑稽可笑。第一，聯合國機構，是一種國際性的組織，安全理事會的目的，乃在促進國際和平與安全之締造及維持，其方法更着重在循和平的途徑以解決一切國際爭端。對於各國的內爭，自無權處理，即使有一個國家，自甘墮落，欲將其國內問題訴諸安全理事會，也唯有爲各國所公認的唯一合法的中央政府，始能提出，絕非任何一方面均能向聯合國機構提出申訴。第二，安全理事會處理國際糾紛，因爲常任理事國可以行使「否決權」之故，能否爲和平解決國際爭執的有效機構，還是一個嚴重的問題，將中國問題訴諸聯合國機構，不但徒然浪費時間，而且更將增加國際的矛盾。第三，中國是安全理事會五常任理事國之一，如以自己國內的爭執提出討論，則中國在國際上所處的地位，將要一落千丈，世界各國人民對於中國的觀感，更要不堪設想了。只有自甘墮落，自降國格的人，才會贊成這種無恥的主張。無怪中國青年黨負責人要公開聲明反對了。

至於王炳南氏的談話，謂爲英蘇在中國和平談判中，應與美國處於同等地位一層，他所依據的理由，也是似是而非的。第一，美國政府派馬歇爾特使來華調處國共談判，使中國早日造成和平統一民主的國家，是美國一貫的對華政策，並非依照三國外長會議的決議而出此。第二，中國並未出席莫斯科外長會議，對於中國問題所作之決定，在事前並未徵求中國政府之意見，事後中國政府也沒有承認的意思，中國當然不接受這個決議的拘束。第三，美國調處中國和平談判，曾得中國朝野一致的同意與歡迎，而且英國政府早已聲明，不願調處中國內爭，我們爲什麼要強迫他國出面調處呢？第四，莫斯科外長會議協定中所公認的朝鮮獨立，至今未能實施，美國當局正表示不滿，還有什麼價值作爲干涉中國問題的根據？

要之，中共代表對於上述的理由，非不知之，實因其另有野心，質言之，就是中共千方百計，企圖以國際干涉，開一方便之門，不僅欲使中國的國際地位降低，成爲無人重視的國家，而且還要使中國淪爲西班牙第二，戰亂不已；如此中共便可以混水摸魚，爲所欲爲，以遂其一黨一己之私慾。所以中共代表在馬司聯合聲明發表之後，提出這種荒謬的主張，不過是一種宣傳攻勢，企圖混淆國內外的視聽而已，並沒有實質的意義，根本上就沒有研究的價值。我們希望：中共如果還有國家觀念，應該立即實行統編軍隊，恢復交通等方案，再不然，也儘可出席行將召集的廬山談話會，聽取人民的公斷，這纔是正當的途徑。

我審判戰犯辦法

司法行政部已草就即可定稿

酒井隆定二十日公審

〔本報南京十五日電〕肆虐香港之戰犯酒井隆預定廿日在京再度受審。南京大屠殺案之罪魁谷壽夫，亦將於短期內在此開審。記者走訪司法行政部謝部長及刑事司楊司長，探悉有關戰罪審訊之各種情形如下：對敵人戰犯之檢訴案件，司法行政部自去冬即開始辦理，初不過數千，嗣以各地送來案件日多，數月來經整理後，均送由國防部主持戰犯處理委員會，（包括國防部二廳，司法行政部，外交部，行政院秘書廳，聯合後勤部軍法司等單位代表）着手辦理，或送東京遠東國防軍事法庭參考，併案處理，或交各地軍事法庭開始偵訊，但此項問題之最大困難，在缺乏成法可資引用遵循，故已由本部彙集各項資料，並依國際法之原則草就「戰爭罪犯審判辦法」，作爲審訊戰犯之根據，並已經該委會數次開會討論，不日即可定稿。審訊谷壽夫南京大屠殺案之進行，現正由戰犯處理委員會，及市參議會搜羅物證人證中，一俟籌備工作完成，全國人民切盼之公審，即可開始，一雪此人類史上罕有之殺人血污。

〔又電〕酒井隆，經國防部審判戰犯軍事法庭定二十日下午三時在京公審，審判地點係在黃埔路勵志社大禮堂，關於該案之罪案證據，已搜集有五百餘件，將由審判長石美瑜主審，並已分函邀請軍參院于副院長學忠，市參議會蔡氏之夫人及中統局職員高與東出庭作證，被告辯護人則仍指定王龍律師。

1946.9.27《中央日報》 大屠殺案戰犯二名即將由滬解京審訊

大屠殺案戰犯二名 即將由滬解京審訊

軍事法庭提訊丁逆默邨

【本報訊】南京大屠殺案主角日軍谷壽夫、磯谷廉介等二名，月前經由東京遠東國際法庭引渡來華，拘留於上海戰犯拘留所。軍法司前早已令飭上海軍事法庭將該二犯押解來京審訊。前日國防部軍事法庭以戰犯審理委員會之請，令上海戰犯拘留所，將二犯押解來京。故已於二十五日電令上海戰犯拘留所迅速解京。不日該二戰犯，當可押解來京。

【本報訊】廿四日午國防部軍事法庭李檢察官曾在小營戰犯拘留所開庭偵訊日本特務機關「梅」機關之主持人中島信一時，彼供有關丁逆默邨之案件甚多，李檢察官特於廿五日簡首都高院法官庭在老虎橋首都監獄提訊丁逆，將其與中島信一有關之部份。

（中央社訊）首都高院檢察處首席檢察官陳綏表，於昨（廿六）日向記者表示：陳逆佈雷、丁逆默邨兩案，決於高檢處提起公訴後，十日之內，即行審理。

各區民會主席 提供選舉意見

【本報訊】京市參議會於徵詢各區長對第一屆參議員選舉之辦理情形及意見後，日昨又邀請全市……

京參政員 感謝警政

區長競選參議員 為極不公平之事

市長昨再嚴正表示

十月京蟹 肥菊綻 登高其時

南區警局整肅警風 嚴懲貪污警長

氣象報告

中央氣象局

……二十六日天氣概況……東北區（東九省）天氣陰雨，風向南轉北，風力四級。華北區（黃河流域）天氣晴朗，風向西北，風力三級。華西區（長江上游）天氣晴，風向偏東，風力二級。華中區（長江中游）天氣陰雲有雨，風向西北，風力四級。華東區（長江下游及東南沿海）天氣陰雨，風向東北，風力六級。華南區（珠江流域）天氣陰雲有雨，風向偏西，風力三級。

四、特別警報：颱風中心位置已移至閩浙沿海，現在緯度二六．五度N，經度一二一九．〇度E，向東北方向進行，時速約二五公里，有襲擊江沿海之可能。

九月廿六

本年八月份京市人口統計

男：四七三九八六人　女：三六一二九五人

【本報訊】本市八月份戶口及人口總數，已由警廳統計完畢，總計一四五四六五戶，人口八三五二八一人，其中男四七三九八六人，女三六一二九五人。……

軍人坐車 京滬路定辦法

慢車免費 快車半價

市民住宅 請速登記

漢奸一批 昨日受鞫

身份證檢查 東西兩區統計

本市簡訊

取締地攤 市府籌設專區

教育文化

師範生從軍後復學 優待辦法開始實施

學生集訓自明年七月始

適齡兒童參半失學 國民教育亟待發展

國教司長吳研因氏談話

學生拒不納費 金大學潮僵持中

京市各小學 決設民教班

京市體育會 着手籌組中

杜教育近況

校舍設備破壞不堪 各級師資極感缺乏

書報雜誌 可寄韓國

中國哲學研究所 在武漢籌設

中大師院 積極推進

科學新聞

教部授美軍獎學金 今在紐約舉行典禮

專科以上學校 可設立夜校

小學情形

三個方針

▲金大簡訊▼

我進了學府的大門 是父親的奔走感動上帝？

一個學生自述投考經驗

大屠殺案戰犯二名即將由滬解京審訊

軍事法庭提訊丁逆默邨

【本報訊】南京大屠殺案主角日戰犯谷壽夫、磯谷廉介等二名，月前經由東京遠東國際法庭引渡來滬，拘留於上海戰犯拘留所。軍法司並早已去電，飭上海軍事法庭迅將該二犯押解來京審訊。前日滬方復電，請國防部軍事法庭，派人前往提取來京。國防部軍事法庭以戰犯審理委員會，係電令上海押解來京。故已於二十五日電復，盼遵照迅速解京。不日該二戰犯，當可押解來京。

【本報訊】廿四日午國防部軍事法庭李檢察官璿在小營戰犯拘留所開庭偵訊日本特務機關「梅」機關之主持人中島信一時，據供有關丁逆默邨之案件極多，李檢察官特於廿五日函請首都高院准予在老虎橋首都監獄提訊丁逆，藉悉其與中島信一有關之部份。

〔中央社訊〕首都高院趙琛院長昨（廿六）日向記者表示：周逆佛海、丁逆默邨等案，決於高檢處提起公訴後，十日之內，即行審理。

1946.10.1《南京新民報晚刊》 日戰犯二十三名今日由滬解京

陳耀東盧前 當選參政員

臨參會今晨選出 莊靜金嘉斐候補

今晨熱河路慘案 大卡車壓死一人 肇事後司機駕車逃逸無蹤

聞判而笑飛步出庭 楊逆壽楣徒刑兩年

大江來去

大呼要殺人！要報仇！ 兩瘋子大鬧警察局 無法問案今晨細綁起解

市公共汽車 昨一度罷工

南京事

警訓班 今結業

日戰犯廿三名 今日由滬解京

蔣主席下午接見 上海工商請願團

洋琴鬼演戲 樂台改舞台

金價午牌

看白戲 餓三天

成都新法

北平拍花案 定九日公審

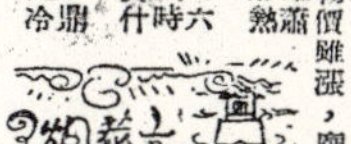

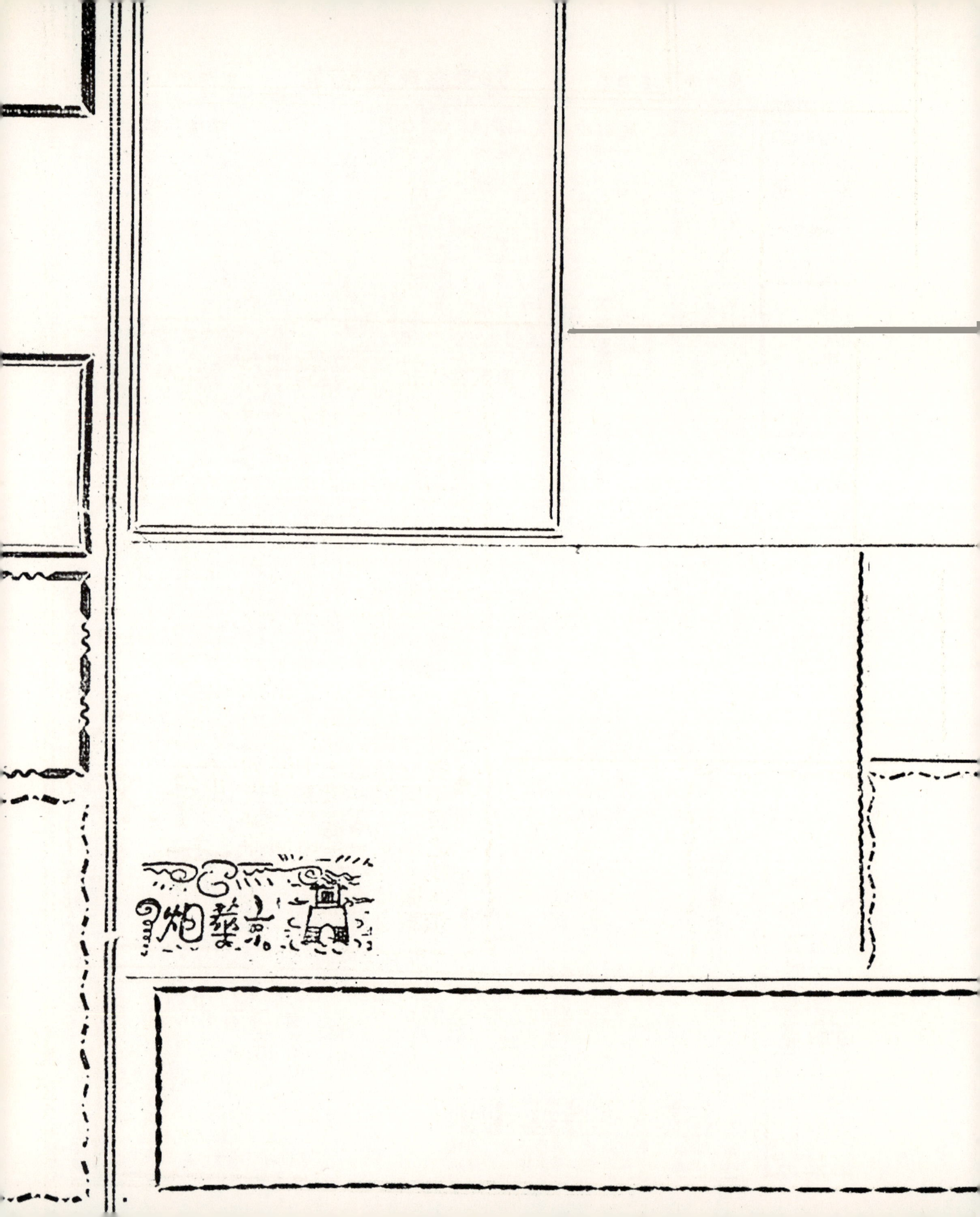

日戰犯廿三名
今日由滬解京

【本報訊】東北保安司令長官部於勝利後遣捕之日戰犯，首批田中正男等廿八名，由該部派特務圖第三營副營長唐福康等四軍官押解，於九月十五日由齋陽起解來京。在起解前已有五名戰犯病死，抵桑皇島後搭乘一百〇一號登陸艇，於昨晨十時抵滬。因一時不易覓得居址，暫借新開河民國路消防處住宿，定今日由警備司令部派員協同乘火車解京，押交國防部。據悉，此批日戰犯，身體大半興弱，係營養不良之故，須在國防部解營一時後，始能受療。

1946.10.6《中國日報》 殺人魔鬼谷壽夫

殺人魔鬼谷壽夫 市民被戮三十萬
當局加緊偵查短期內公審

【大同社訊】南京大屠殺案主犯谷壽夫已于本月三日由第一綏靖區派員專車解京，經國防部審判戰犯軍事法庭驗收後，羈押戰犯拘留所，按谷壽夫年六十五歲，於二十六年冬進入首都時，肆行殺戮，於三月餘時期內，先後殘害我國同胞，有統計者，即在卅萬人以上，共案情較重者，有柏鴻恩、陸李秀英等十一案，最大一次屠殺，被害者達九千人，屠殺案中以槍刺殺者佔六六一一千一百五十九件，用刺刀殺害最多，拋七件，集體屠殺三一五件，拉伕二八五件，火殺一三六件，打死六九件，先刑後殺三三件，先姦後殺二十件，炸死十九件，強姦十六件，施打集體刑法十四件，水淹十一件，其他六件，無罪行種類三四件，總計二七六四件，茲悉：國防部軍法司前准南京市參議會函送大屠殺案證件現爲便於迅速審訊及搜用有力證據，昨特函復市參議會，並派員經常與該會聯絡，市參議會爲達成本案眞相之澈查起見，亦派專人與國防部軍法司取得聯繫，而資協助，據該會負責人語記者，該會所調查各案，其中急待救濟者一五五件，可提作證之被害者二十人，將於公審時蒞庭作證，併悉：國防部現正與各有關機關協同進行偵查，短期內即可公審。

市府招待會周局長報告 地權地籍清理情形

【本報訊】市府招待記者席上，周地政局長報告施政近況：一、清理地權，發還敵僞圈佔土地，共有一四四五件，現已辦理者有一二〇四件。二、整理地籍，市區（包括下關浦口）共有土地八萬餘戶，三萬五千餘戶已收二萬另二百四十件，尚有三分之一未辦查驗登記，已收二萬多件中計分五類，（一）查驗者七千件，（二）換發者三千五百件，（三）補發者三千五百件，（四）移轉者四千件，（五）其他者五千件，手續完全辦妥者五千餘件，八月底以後辦理者，須繳罰鍰，罰鍰以地價爲標準，九月比十月輕，十月比十一月輕，九月份辦理者按地價繳罰鍰千分之一，罰鍰之目的不在增加收入，而在催促人民速辦。三、市有旗地處理，全市共有旗地五千多畝（包括明故宮政治區），地權屬官私各半，現正積極整理，官出六成收爲民有，民出四成收爲官有，爲鼓勵自耕自住，以標準地價爲作價（標準地價極低），工商區之旗地則標價出讓。四、下關土地重劃，已完成大部，請領土地者一百二十二戶，一個月內可全部完成，下星期開始第二期重劃測量。五、扶植自耕農示範區，擇定上新河江心洲爲實驗區，組織協導推進機構，在江心洲設立辦事處，內分總務、土地整理、地權調整、農田水利、農業貸款、農業推廣、合作指導工程、社會事業等九組，九組視需要情形先後成立，工作完成將先後撤消，現已擬定計劃綱領，分兩期進行，第一期從今年九月到明年二月止，第二期從明年三月到八月止。

救災捐款 分配難胞

【本報訊】市臨參會以前所收到之節約救災捐款二百萬元，其中雖有一百萬元支配作爲流亡南京青年學生補助獎學金，由各校造册送往經審查合格者分別發給，共約八十餘名，該會將捐助部份捐款，其餘一百萬元撥給被難同胞，現約有一般調查而得之南京大屠殺案百六十餘戶，故仍將總審查核其爲確實貧寒者，始可獲得，聞該會定明（七）日起，派員分赴請求各戶，再度調查，俾予救濟。

軍人加薪已確定 主席批准伍百億

【眞理社訊】國防部前因鑒於全國軍人生活清苦，曾簽請主席對本年軍人薪餉，准予增加八百億，按此比例數分發，頃據確悉：該項簽呈業於日昨奉主席批定五百億，但國防部當局以目前物價飛漲，此數恐仍不敷分配，正繼續簽請中，關係方面則多信將按原批定之五百億分發，並聞該項加薪數額月內即可實現。

周逆佛海明提公訴
僞京市長周學昌髮妻爲誰待查 昨審僞市中校長凌叔明

【本報訊】「冷淑漢奸」周逆佛海，首都高檢處定於明（七）日提起公訴，起訴書之草稿，昨日已完成十分之七八，起訴書全文，七日下午可望發表，茲探錄要點如下：一、發表謬論，甘心與敵合作。二、出任僞行政院副院長，僞財政部長，僞中儲行總裁等要職。三、發表荒謬言論。四、三十一年七月十二日赴日訪問，獻媚敵人。五、簽訂中日借款，破壞我國經濟。六、吸取法幣，搗亂金融。七、訂立日華本及中日同盟等賣國條約。八、承認僞滿，並赴僞滿訪問。九、濫發僞幣，使淪陷區人民生活不安。十、利用大量公款，操縱國稅。

【又訊】首都高院鑒於巨奸周佛海公審在即，爲避免擁擠起見屆時大成殿及外兩大院，均裝置播音機，除持有特種旁聽證者，可進入大成殿外，其餘持有普通旁聽證者，祇好立於大成殿前院，無旁聽證者，立於朝天宮外院，新聞記者席次臨時亦將增加，以便外埠及外籍記者入坐。

【本報訊】周逆學昌漁色成性，妻妾以「打」計，誰爲周逆之髮妻？首都高院正當偵查中，昨日突接一函，函內未具姓名，字跡清秀，指出周逆之髮妻爲「房小許」，並詳敘房氏與周逆結婚經過，正可供高院之參考，茲錄原函要點如下：一、周逆髮妻姓房名小許，河北省定興縣楊村鎮房家莊人，生於民國前十四年正月廿七日酉時（即戊戌年正月廿七日），房小許之生母亦定興縣楊村鎮西東疃人，姓楊。二、房小許於民國五年六月，經媒人說合，在河北安新縣，新安鎮舉行舊式婚禮，與周逆學昌結婚。三、房氏自民國二十一年患貧血症，臥病三年，於民國二十四年七月二十六日逝世。四、房氏照片概倘在河北安新縣新安鎮桑院胡同，停放於當年與周逆結婚之花燭洞房內。

【本報訊】凌逆叔明，曾任僞南京市立第一中學校長，並於三十四年四月，受僞市長周逆學昌派爲僞府國民大會南京市代表，平素待人刻薄，扣發教職員薪水，勝利後被人檢舉，首都高院昨日下午四時，開合議庭審理，除凌逆被傳受審外，並傳當年該校之教員張叔淺、馬玉書等四人出庭做證，凌逆對「扣發教職員薪餉」「增加日文課程」「聘請日人今井爲日語教師」「週會時發表荒謬言論」，「學校經濟不公開」，「代表市民出席僞國民大會」等罪行，強辯一番，並以「三代貧寒出身」、「平素待人忠厚」等美名，來證明未做壞事，庭訊至六時許始畢，定期宣判，凌逆在僞府教育界，略具小名，昨日前往旁聽者不乏其人，尤以學生爲多。

林逆柏生之妻 再請覆判

【中央社訊】林逆柏生之妻徐瑩，爲林案之抗告被駁後，復第二次申請覆判，同時並附請停止執行申請狀，昨已呈到高院，論抗告被駁回之裁定，於今（五）日始由最高法院送達高院，高院對第二次申請覆判問題，尚在考慮中，至停止執行事，須視檢察官提出請求與否而決定，惟據記者向各方探詢，截至晚八時爲止，林逆執行事尚無消息。

健康老人 茶會後得禮品

【本報訊】「健康老人茶會」，於上月廿八日下午舉行後，事畢，主委吳果夫、馬市長超俊，爲表示敬老之意，特各題字七十八幅，分贈參加之老人，以留永久紀念，該項題字明（七）日起，即可分別派員送到健康老人府上，同時並將予以慰勞。

【又訊】民族健康運動大會，最近續收之獎品甚多，因茶會已過，擬平均分配後，送達參加茶會老人之府上，其中有鏡框四十四隻，飯碗四十個，茶葉三磅，餅乾十聽，牛奶二十一罐，毛巾八條，飲料二十瓶，筷子兩把，網袋六個，麥片一筒，手杖一根，菠蘿四聽，衛生衣六聽，讀務委員會代金三千元。

公營事業機關主管 不得參加競選

【中央社訊】京市政府前電呈內政部，請解釋國家銀行經理，公營事業機關主管人員，臨時參議會秘書長等是否可參加市參議員競選，茲已接內部復電，均不得競選，原電如下：南京市政府申齊三代電悉：（一）現任國家銀行經理及公營事業機關主管人員，係經政府依法任命，自不得參加市參議員競選，（二）市臨時參議會秘書長，不得參加市參議員競選，內政部民五酉印。

婦女團體請各界協助參政

【中央社訊】中國婦女團體聯誼會，於昨（五日）上午九時假女青年會召開第三次理事會議，到各婦女團體代表十餘人，主席鄭汝銓，議決事項如下：（一）爲各界協助婦女參政運動，發表告京市父老姊妹書，（二）訂本月十四日舉行招待記者茶會，籲請各界協助婦女競選參議員，（三）爲國際婦女會議問題，訂十月十一日舉行招待中外記者茶會，（四）要求硬性規定女參議員名額，訂七日上午由十八個婦女團體推派代表向市府請願十二時許散會。

各區選民

【中央社訊】市參議員選舉事務所，頃宣佈已經結果之各區選民登記，計第一區三萬九千零八十七人，第二區三萬六千七百二十一人，第三區二萬一千三百三十人，第七區二萬四千三百一十四人，第十區一萬三千二百二十三人，第十一區一萬九千一百三十人，湯山區七千一百一十人。

中央文化運動委會 昨開音樂座談會

【中央社訊】中央文化運動委員會，昨（五）日上午十一時召開音樂座談會，到國立禮樂館、國立音樂院、中央大學音樂系、軍樂學校、中華交響樂團、勵志社交響樂團、南京合唱團等十餘單位之代表四十餘人，文運會副主任委員胡一貫報告召集座談會之意義，略謂音樂界如能有一嚴密的組織，則音樂教育的推進工作，一定可以較目前更爲理想，組織所發生的力量，用來轉移社會的風氣，用來提高欣賞的水準，必然會有豐碩的成果，繼由到會各音樂家發表意見。

國立音樂院院長吳伯超希望教育部能把音樂和體育同樣地重視，加聘一位專門負責音樂的督學，則音樂教育的推行，可以得到許多幫助。

楊仲子教授報告他當年和蕭友梅先生努力於音樂教育的經過，他認爲音樂固然有民族性的特徵，從欣賞的觀點來說，倒是超越國際的，研究西樂的人和研究國樂的人，應該互相學習互相批判。

劉雪厂教授指出目前政府的財政政策，還沒有能完全配合文化政策，音樂會要抽百分之四十的捐稅，還顯然限制了音樂運動的發展，並且很痛心的說，到勝利已經一年，京滬一帶仍然流行着黃色的歌曲，這不單是音樂界的恥辱，而是整個文化界整個國家的恥辱。

軍樂學校教育長洪潘解釋軍樂的藝術性和一般音樂並無根本不同，假使一聽見軍樂這兩個字，就連想到做喜事的吹鼓手，那就把軍樂庸俗化了。

楊蔭瀏教授把勝利前的重慶音樂界，和勝利後的南京音樂界，作一個比較，發現戰時的歌曲，大都能適合需要，而現在一般人仍舊唱着「打日本」的歌，沒有能配合建國時代的需要，南京的音樂人才，求過於供，重慶的音樂人才，供過於求，這也是不應該有的現象，對於南京市音樂協進會的組織，大家都一致同意，當場推出鄭穎蓀、吳伯超、洪潘、林聲翕、劉雪厂、陳德義等十五人爲籌備委員，鄭穎蓀爲召集人，下午一時半散會聚餐。

籌募紅十字會基金 郎毓秀將舉行獨唱會

【中央社訊】中國紅十字會南京市分會，爲籌募基金，擴充社會服務，特請花腔女高音郎毓秀，於七八兩日下午八時，在公餘聯歡社舉行獨唱會重要節目有Sbeaso Vibru (Scarlatti) Serenade (Toselli) Carmena (wilson) Thenightingale (Kiel) Solveigs Song (Grieg) Aria (Verdi) 教我如何不想他（趙元任）、思鄉行（張定和）、我儂詞（應尚能）、茶花女中之飲酒（趙元任）等。

馬市長邀宴 臨時參議員

【中央社訊】京市府馬市長，於五日下午六時半假市府會議廳，邀宴京市臨參會全體參議員，到馬市長、陳議長、馬副議長祖平、陳秘書長、韓局長如、楊參事克天、局長幹、鄭局長文煥、梁副局長、陳耀東、賀參議員、伍崇學、張體齋等共四十餘人，餐後馬市長起立，就本屆參會之成就，加以闡述，此次辦理市參議員選舉，希各參議員對選舉工作隨時指示，期獲良好效果，馬氏詞畢，陳副議長等均相繼發言，對選舉工作，提供意見頗多，至九時許始盡歡而散。

公教人員布疋配購 本月下旬實現

【眞理社訊】行政院物資供應局南京辦事處頃與中央信託局洽商將標售之敵僞布疋一萬一千餘疋，爲第四期公教人員之配給物，茲悉：該處昨日始收到四千餘疋，刻正在中央信託局監視下，以一丈五尺爲原則分段剪裁，定價將依照市價再打六折，布疋種類有：府綢、廠布、陰丹士林布、印花布等五十餘種名稱，配購日期可於本月下旬出售。

加強善救工作聯系 設各地分支電台十二處

【大同社訊】善後救濟總署，爲加強各分署善救工作聯系起見，特於總署設置無線電總台一座，各地分支台共十二處，業已次第成立，計已正式通報者有：杭州分台（杭州）每日上午一〇．三〇時，下午一四．〇〇時，及一六．三〇時，柳州分台（柳州）每日上午八．三〇時，下午一四．〇〇時，長沙分台，（長沙）每日上午九．三〇時，下午一六．〇〇時及一九．三〇時，青島分台（青島）每日上午一〇．〇〇時，下午一五．〇〇時，鄭州分台（鄭州）每日上午九．〇〇時，下午一七．〇〇時，開封分台（開封）每日上午八．〇〇時，下午一三．〇〇時，衡陽支台（衡陽）每日上午一〇．一五時，下午一三．四五時，及一七．〇〇時，台北分台，上午一〇．〇〇時，下午一八．〇〇時，未通報者有：福州分台、南京分台、南昌分台、瀋陽支台等四處。

杜絕逃稅 稅署定密告規則
分密報、獎金、領獎三要點

【聯合徵信所訊】財政部直接稅署近以逃稅之風極爲嚴重，爲杜絕此風計，特制定各類稅告密給獎規則，分飭各地稅務分局，切實施行，茲探得其要點如下：（一）密報規則：各類納稅義務人或代繳負責人，如有隱匿短報不實，或有違法情事者，任何人均可舉發領獎，但以有確實證據者爲限。（二）獎金提成：所得稅及營業稅以罰金額之三成提充告密人獎金，印花稅以罰金額之四成，遺產稅以罰金額百分之五提充之，（但遺產稅告密獎金最多不得超過廿萬元）。（三）領獎手續：納稅義務人逃稅違法，經本局查明屬實，即送法院判罰，決定金額後，依照給獎辦法，發給告發人取據報銷。

出口物資貼補政策 短期內恐難實行

【聯合徵信所近訊】因國內外生產成本懸殊，致貨物之輸出遭遇困難，出口商曾有政府補貼之議，現據有資格之人士稱：政府補貼恐難實現，因補貼政策固然能使國際收支平衡，但國庫之支出，又影響國內收支平衡，有關整個國家財政，故當局對此尚在考慮中。

中農十一月一日 開業務會議

【聯合徵信所訊】國家金融機構，規定專業化以後，各行局已切實遵行，中國農民銀行，爲辦理農貸之唯一機構，今後中國農業復興與改進，該行之使命尤爲重大，該行爲加強專業化之任務，特定於十一月一日在京舉行勝利後之首次行務會議，國內各方支行處，經理主任，均將出席參加，此次會議，除檢討過去業務外，對農貸方針將配合國策，斟酌實際需要，作重要決定。

木匠罷工 愈趨嚴重

【聯合徵信所訊】京市西式木器業工會職工人二百餘人自九月二十七日起要求增薪罷工，迄今仍在僵持中，勞方條件爲增加工價六成，（按目前每工八千，資方供給膳宿），資方因營業清淡，難予接受，致昨日引起激烈工人集中淮海路延齡巷口，圍搗毀資方貨物，經中區警局制止，下午社會局復飭斥工人舉動乖張，必要時將解散該工會，然勞資雙方現俱注視當局之調解。

將擴大業務 消費合作社

【聯合徵信所訊】中央首都消費合作社，自奉國府合作事業管理局所屬之後以來，經辦供應社員平價布匹等，業務日增，記者爲明瞭該社近況起見，特走訪該社負責人，據悉：現因團體社員八十個單位，內包括組成人數，社員三萬六七千人，又個人社員，近日亦突形增加，現已達三萬二千餘人，合計社員將近七萬人，故最近業務更形發達，該社太平路門市部現正修理門面，將擴大業務，增設綢布呢絨服裝各部，並籌設七個分社。

各地行情

△天津五日電：金開廿三萬一千元，收廿三萬五千五百元，美鈔開四千一百五十元，收四千三百元，米每斤八百三十元，麵粉每袋三萬零八百元。△青島五日電：赤金廿二萬八千五百元，美鈔三千九百元，燕嘉布七萬九千五百元，陰丹士林每疋十一萬五千元，生油百斤七萬六千元，豆油七萬四千元，炮車麵二萬七千元，火油每桶十一萬元，白糖每斤二千元。△廣州日電：金鈔續狂漲，金廿九萬元，美鈔四千二百元，港鈔九百三十元，上米每市擔三萬六千五百元，中米三萬一千五百元。△濟南五日電：金條廿四萬，出廿六萬四千元，小米每斤四百二十元，煤每噸十五萬元。

經濟欄

擇定江心洲 爲自耕農實驗區

【中央社訊】頃悉：京市政府已擇定第十二區之江心洲，爲自耕農實驗區，將設立自耕農協導推進機構，分總務、土地整理、地權調整、農田水利、農業貸款、農業推廣、合作指導、工程、社會事業等九組，發展業務分兩期進行，第一期自本年九月至明年二月止，將以修復堤防補建農舍，舉辦合作社，建設農田水利等爲主要工作，第二期自三十六年三月至同年八月止，以實施土地改良，除去病蟲害，推廣農家副業，及改進農民生活爲目標，市地政局刻正積極籌劃推動，并邀請有關各機關合作辦理。

我國工業生產落後 有待各國合作扶助

【聯合徵信所訊】據悉：我國此次派遣代表團參加世界貿易會議，其建議事項，除提出修改白皮書外，對貿易憲章亦有意見提出，緣該憲章之中，曾訂有「鼓勵并促進工業落後國之貿易」等字樣，但條款中則無詳細具體辦法，今我國之工業生產落後，需要各國之合作與扶助，因此希望能有明白及確定之規定。

京市商情
十月五日（▲漲 ×跌）

金融（錢·元）	
飾金 進	[illegible]
飾金 出	[illegible]
紋銀 進	[illegible]
紋銀 出	[illegible]
美鈔 進	[illegible]
美鈔 出	[illegible]
港幣 進	[illegible]
港幣 出	[illegible]
食糧（石）	
上熟	[illegible]
中熟	[illegible]
次熟	[illegible]
糯米	[illegible]
小米	[illegible]
元麥	[illegible]
黃豆	[illegible]
蠶豆	[illegible]
綠豆	[illegible]
紅豆	[illegible]
[illegible]	[illegible]
菜籽	[illegible]
麵粉（袋）	
綠兵船	[illegible]
綠天官	[illegible]
綠成餘	[illegible]
綠福字	[illegible]
綠雙桃	[illegible]
綠牡丹	[illegible]
油糖（担）	
上赤糖	[illegible]
中赤糖	[illegible]
興化白高	[illegible]
台灣中砂	[illegible]
芝蔴油	[illegible]
豆油	[illegible]
棉紗（件）	
10雙牛	[illegible]
10雙貓	[illegible]
16元寶	[illegible]
16紅蜂	[illegible]
20金元寶	[illegible]
20彩壺星	[illegible]
20紅壺星	[illegible]
20豐年	[illegible]
20水月	[illegible]
20如意	[illegible]
20藍鳳	[illegible]
32藍鳳	[illegible]
42藍鳳	[illegible]
棉布（疋）	
龍頭細布	[illegible]
16雙鶴粗	[illegible]
四君子嗶嘰	[illegible]
龍駒安藍	[illegible]
雙龍士林	[illegible]
蓁象元布	[illegible]
高樂元布	[illegible]
九磅本廠粗布	[illegible]
絨線（磅）	
三美B	[illegible]
紅駱駝	[illegible]
雀巢	[illegible]
狐狸	[illegible]
新藥	
二厘奎寧丸（粒）	[illegible]
二片阿司匹靈（包）	[illegible]
0.6九一四針（支）	[illegible]
鷓鴣菜（包）	[illegible]
頭痛粉（包）	[illegible]
淨魚肝油（磅）	[illegible]
好力生（瓶）	[illegible]
配利西靈（瓶）	[illegible]
沃古林（瓶）	[illegible]
日用品（箱）	
日光	[illegible]
固本	[illegible]
箭刀	[illegible]
順風	[illegible]
南京火	[illegible]
上海火	[illegible]
甯波火	[illegible]
僧帽燭	[illegible]
香煙（盒條）	
大英	[illegible]
老刀	[illegible]
特紅	[illegible]
白錫包	[illegible]
天壇	[illegible]
駱駝	[illegible]
馬力斯	[illegible]

上海商情
十月五日

金融（錢）	
赤金開盤	[illegible]
赤金收盤	[illegible]
飾金兌出	[illegible]
飾金收	[illegible]
紋銀兌出	[illegible]
紋銀收	[illegible]
外幣（元·磅）	
美金開盤	[illegible]
美金收盤	[illegible]
油糖（石）	
白粳	[illegible]
薄稻	[illegible]
早秈	[illegible]
洋秈	[illegible]
燕秈	[illegible]
青島生油	[illegible]
大連豆油	[illegible]
興化白高	[illegible]
東四五車白糖	[illegible]
東三五車白糖	[illegible]
台灣中砂	[illegible]
古灣冰	[illegible]
興化赤高	[illegible]
中砂	[illegible]
棉紗（件）	
42支雙股藍鳳	[illegible]
42支寶光	[illegible]
綢布（疋）	
20支大發	[illegible]
20支豐年	[illegible]
20支水月	[illegible]
16支光明	[illegible]
190美亭士林	[illegible]
鷄漢士林	[illegible]
21磅龍頭細布	[illegible]
12磅五福細布	[illegible]
四君子光嗶嘰	[illegible]
美人魚元斜紋	[illegible]
三羊元嗶嘰	[illegible]
蝴蝶安安藍	[illegible]
四大天王藍布	[illegible]
大明襯衫府綢	[illegible]
雙魚白府綢	[illegible]
大條呢	[illegible]
新藥	
總獅六〇六（支）	[illegible]
阿司匹靈片（十支）	[illegible]
配尼西林（十萬單位）	[illegible]
維他賜保命（男）（百合）	[illegible]
鷓鴣菜（五磅）	[illegible]
克寧奶粉（一打）	[illegible]
香煙（條）	
駱駝	[illegible]
馬力斯	[illegible]
大英	[illegible]
大高樂	[illegible]
白蘭地	[illegible]
大美麗	[illegible]
金鼠	[illegible]
日用品（箱）	
固本皂	[illegible]
箭刀皂	[illegible]

中華民國三十五年十月六日

殺人魔鬼谷壽夫
市民被戮三十萬
當局加緊偵查短期內公審

【大同社訊】南京大屠殺案主犯谷壽夫已于本月三日由第一綏靖區軍法處派員專車解京，經國防部審判戰犯軍法庭驗收後，繼押戰犯拘留所，按谷壽夫年六十五歲，於二十六年冬進入首都時，肆行殺戮，於三月餘時期內，先後殘害我國同胞，有統計者，即在卅萬人以上，其案情較重者，有柏鴻恩、陸李秀英等十一案，最大一次屠殺，被害者達九千人，屠殺案中以槍刺殺者佔六六一千一百五十九件，用刺刀殺爲最多，達七件，集體屠殺三一五件，拉伕二八五件，火殺一三六件，打死六九件，先刑後殺三三件，先姦後殺二十件：炸死十九件，强姦十六件，施行集體刑法十四件，水淹十一件，其他六件，無罪行種類三四件，總計二七六四件，茲悉；國防部軍法司前准南京市參議會函送大屠殺案證件現爲便於迅速審訊及提出有力證據，昨特函復市參議會，并派員經常與該會聯絡，市參議會爲達成本案眞相之澈查，亦派專人與國防部軍法司取得聯繫，而資協助，據該會負責人語記者，該會所調查各案，其中急待救濟者一五五件，可提作證之被害者二十人，將於公審時蒞庭作證，併悉：國防部現正與各有關機關協同進行偵查，短期內卽可公審。

1946.10.18《中國日報》谷壽夫明日偵審

南京大屠殺案主角 谷壽夫明日偵審

雨花台昨槍決偽空軍三名

【中央社訊】南京大屠殺案之日戰犯谷壽夫，經國防部軍事法庭陳檢察官光虞，自司法行政部、市臨參會暨處，搜集證件甚多，定十九日下午三時，在小營戰犯拘留所開偵察庭，出庭作證將有柏鴻恩、殷有餘、陸秀英、梁廷芳、白增榮等人，又青島方面日戰犯三十四名中，已有九名在押解來京途中。

【本報訊】南京大屠殺案主角谷壽夫，全部案卷已送達外交部，譯成英語後，送供國際法庭、與國防部戰犯審判軍事法庭，待外交部將原件送還後，即可提起公訴。

【本報訊】昨日上午十時半，中華門雨花台，槍決偽空軍漢奸三名，一為偽航空署長姚錫九，五十五歲，江蘇人，一為偽航空署司長彭爵，三十五歲，廣東人，一為偽航空學校教官韓文炳，三十五歲，河北人，日前由空軍司令部軍法司判處死刑，昨晨十時由該司驗明正身，將三犯綁赴雨花台，監刑官彭崇珍到達刑場時，三犯已面無人色，法警令三犯同時跪下，姚逆中一槍，彭韓二逆各中二槍，均從背部穿胸而出，當場畢命。

衛戍司令部訂定辦法 防止破壞電話線

【民理社訊】首都衛戍司令部，因京市市內電話線常有割斷被竊之事，特通電各軍警機關，為維持通信及杜防切斷破壞奸人利用計，按照下列四點施行：（一）部隊查修綫路員兵工作時必須佩帶查綫證（臂章）及證章符號。（二）查綫臂章其有未製者，由使用部隊備製，自製於正面加蓋關防。（三）民用通信機構查修者，亦須佩帶證章臂章。（四）首都市郊區自十一節起，京滬滬杭綫地區自十一月一日起，凡遇有未携帶查綫證件之查綫人員者，由當地憲警扣押懲辦。

時局座談會 昨作協社舉行

【本報訊】南京市黨部及中央文化運動委員會，昨為與本市文化界人士交換對時局意見，於下午四時在公餘聯歡社舉行時局座談會，到本市文化界葉青、李清悚等廿餘人，首由葉主任委員豐青致詞，略述本日座談會之意義，在交換各方面對大局之意見，繼由鍾山、劉子亞、湛小岑、葉青、劉士篤等相繼發表和平談判，軍事行動及國大如期召開等問題意見，迄六時正始散。

審周逆旁聽證不敷

羅逆君強等亦經定期審理

【大同社訊】巨奸周逆佛海業經首都高院定於二十一日上午九時在第一法庭首次公開審理，由趙院長琛氏，親自審訊，茲高院以屆時旁聽人過多，深恐發生意外事件，故擬請首都衛戍司令部、憲兵司令部、警察廳等有關機關，派員當場協助維持秩序，計發旁聽證共三千張，業於昨日起開始分發，惟各機關索取者已逾過原定數目之外，故凡登記索取旁聽證機關，均酌予減少，又羅逆君強，高院業定於本月二十三日下午二時開庭審理，殷逆毓良定三十日下午二時審理，楊逆銘蕃定三十一日上午九時審理云。

冒充法警被拘 一青年迫於生活

【大同社訊】本京中山東路國際服裝店於十月十二日曾一度失竊，幸經內警總隊第三中隊迅予破案，人贓俱獲，未遭損失，不料前（十六）日又有一青年自稱為法院法警，又稱為某司法科人員，攜有偽扎一封，冒竊犯洪正沂之名義，函內略稱「自竊未遂，即由捕現在法院羈押之苦，衣不能暖，食不能飽，欲請該店予以救濟，賜助國幣三萬元，棉被一床，以解飢寒之苦」，該店主以全家生計，險遭該竊斷盡，餘恨未消，今又來求助乃予拒絕，并以該青年前稱係法警，後又稱為某司法科人員，前後矛盾，言語吱唔，色情慌張，遂引起店主疑竇，乃即派人報告內警第三中隊派駐中山東路警察總署警衛班，前往該店，該青年見警察趕來，即欲逃遁，當經店主協拘獲，據供：高德安，年廿三歲，南京人，前曾在中央警校監獄官專修班充學員，後因病退學，寄居於家兄處，近因其兄現任某司法處執行科科員，每日收入菲薄，生活頗感艱窘，時值嚴冬，自己無衣禦寒，故異想天開，乃根據報端刊登國際服裝店失竊內情，暗假借前竊犯洪正沂之名義，偽造信件，冒充法警，意圖詐騙取財，現內警第三中隊已將證據人犯一併轉解總隊訊究。

首都衛戍部 設過境軍人招待所

【大同社訊】首都衛戍總司令部鑒于過境軍人頻繁，而其生活食宿因旅途之辛勞及待遇之菲薄而感困苦，故特擬具計劃，呈請國防部准予在下關設立過境軍人招待所，以利過境部隊行旅之便，此項計劃經俟國防部批復後即可實施云。

紛請復業 偽律師停職期滿

【本報訊】敵偽時期執行事務之律師，曾規定停業一年，本年九月已告期滿，一般偽律師紛紛申請復業，據悉：現已有八人經部令核准復業，其中持有老證書者，計有李清輔、張之銘、楊潔等三人，老證書已繳入偽府，現部令更換證書者，計有盧鍾英、孔繁孫、馮明紅、姚福炳、吳祖燾等五人，尚有十三人在依法申請中，日內即可核准。

京滬蒙難失業同志 將謁主席求救濟

【武理社訊】京滬區蒙難失業同志等，曾參加抗戰工作，冒險犯難，出生入死，赴湯蹈火，在所不辭，茲以本院曾准國防最高委員會令，為建議抗戰人員儘先錄用案，聞悉之餘不勝喜欣，茲為早日謀求職業，而得繼續貢獻報國起見，特乃公推楊應生、朱漢臣、李鴻魁、李光、張彩亭、管雲松、石追麟、李玉清、劉士勳、張金榮、黃肖民、陳少泉、蔣世華、王祖銘、汪阿裕、方少基等十六名為代表，晉京親向國民政府暨各院部分別請願呼籲救濟，聞該地代表已於昨日抵京，今把分赴國防部、中央黨部等機關，分送請願書，並於日內赴國府恭謁主席面調，面呈請願書等。

憲兵軍士大隊 遷下關訓練

【大同社訊】憲兵學校軍士大隊原在洪武門憲兵學校內訓練，茲以該校校舍狹小，而校中人員過多，不足容納，故另于下關覓定熱河路興中營（即前日僑俱樂部）中央球場，為軍士大隊受訓地點，現該大隊已全部搬遷完畢開始訓練。

臥佛寺內佛不靈 藏經樓變起火樓

大雄中學遭了殃 大批棺材省得葬

【本報訊】本埠名勝臥佛寺昨晚因寺內大雄中學失慎，致燒去大部房屋，查臥佛寺位于本市城中安品街月牙巷內，為京市有數之大寺院，院內有房屋百餘間，寺內第三進臥佛樓現爲大雄中學應用，昨晚六時許樓梯突生起火，頗多學生自二樓窗口跳下，各區消防隊均聞訊趕到，唯該段無有自來水設備，凡其路，除小型救火車外，大型車輛均不能駛入巷內，致火勢延長達半小時許猶未能開始撲救工作，該臥佛樓當經全部焚燬，并延燒至第四進藏經樓，全部經書付之一炬，樓下并有存放之棺材多具，亦全部焚燬。一時火勢猛烈，幸該寺圍牆極高，致未延燒至鄰舍，截至記者發稿時止，除一老嫗受傷，已車送市立醫院外，其他死傷則尚無從探悉，其起火原因警局刻正進行徹查中。

分發交大遭遇困難學生 來京向教部請示

【本報訊】教育部分發交通大學就讀之青年軍七十八人，昨日上午有三代表自滬來京，謁教育部求見高等教育司長周鴻經，當由周司長派專員石城代見，三代表當即報告所以及渠等赴交大報到所遇各種困難，請教部代為設法解決，據稱：渠等係七月廿七日抵滬，但迄今猶未補足校門，居留滬上，靠行總救濟以維持生活，其所遭遇困難在，一、校方謂公費僅限於復員青年軍，升學者不在內，二、入學仍需考試與新生標準相同，三、教部名單上並無之學生，校方拒絕報到，如當傳文鐘為當傳文，李代汶為李代文，四、教部原訂三十四年度畢業高中之復員軍官有優先分發權，但其他年限亦可分發，但校方現限當三十四年度畢業始可入學。石專員當允於轉陳司長後再予答覆云。

菌類中提製新藥

科學新聞

【中央社訊】中華自然科學社訊，蘇聯熱帶醫學研究所近自與灰鍊絲菌同類之植物中提製得一種藥物，定名為「立特姆西丁」，對於致人疾病之聯球菌、綠鍊菌、結核菌、霍亂菌均有抑制之功效，故其在醫療上之作用，可與盤尼西林、灰鍊絲菌素相比擬，但據主持該項研究工作之高斯醫師之報告，對於痢疾菌之作用頗屬平常，對於傷寒菌則毫無效用，該藥物之化學性質為一種色素體，遇酸變紅，遇鹼則變藍，頗類似於化學上之石蕊試液，現已應用於動物試驗，成效如何，尚待繼續研究，其提煉方法之改進及化學構造與性質，亦由研究所之專家研究之。

經濟部辦理 新舊工廠總登記

未登記者不得享受優待

【大同社訊】勝利以後，各地工廠變動甚多，經濟部近為明瞭各地工廠實況起見，特舉辦全國工廠總登記，無論新設舊設，凡未領有該部登記證者，均應填具登記表，呈請該部登記，同時無論已否登記之工廠，均應將上年度產品種類額，與本年度下年度製造計劃，分別實報，至領有該部登記證之各工廠，則應將原證呈部註銷登記後，如因故停業，或變動及廠名變更時，亦應呈報備查，未呈准登記之工廠，一律不得享受政府之低息補助貸款國貨證明及其他興助事項云。

參議員普選投票日 市府特備記者專車

事務所昨派員查驗公民證

【中央社訊】本月二十日為全市市參議員普選，市府特備記者專車一部，定於是日晨八時由市府出發，巡遊各區投票所，歡迎中外記者參加。

【本報訊】市參議員選舉事務所，為檢查各區公民證編號及保管情形，昨（十七）日派出大批人員，前往各區會同區公所及區民代表會，挨戶視查公民證並勸導公民，於本月二十日親往各投票所選舉市參議員，結果甚為良好，今明兩日將繼續前往抽查，並視察各投票所佈置情形。

【又訊】選舉宣傳車定今日開始出發，連續宣傳三天，宣傳車佈置得鮮艷奪目，車上並携有宣傳標語及傳單，沿途散發，喚起市民注重選舉，市參議員選舉事務所出版之「選舉導報」，亦將同時散發。

【又訊】茲錄職業初選最後一批當選人姓名如下：郵務工會王開璜、葛聯芳、王宜鑾，茶食糖果業許碩甫、姚福壽、賀廣珍，汽車司機業劉光軍、尹少欽、郭儀和，碾米工會劉明海、伍賢友、邱守道，銀箱鐵床業宗京霖、倪樂山、宣耀庭，磚瓦業何百年、張錫霖、周鶴宴，理髮業張景芳、宣寶波、馮兆棠，牛業金長貴、梁全才、馬甲三，典當業鄒家駒、潘鞠如、王友東，木器沙法業張鑑謝、王有柔、張明煥，皮革業賈月輪、湯霽嘉、施正權，牛行業張萬生、劉風岐、李存銀，帽業廖瑞生、許關龍、于俊臣，泥水木業馬永福、張宇寶、仲國樑，自來水業程四海、崔知尚、周有森。

職業選舉 投票地點

【中央社訊】南京市參議員職業選舉投票所，業經分別擇定，茲將各所地點錄後：（一）工會，在齊錦營公餘聯歡社文化會堂，（二）商會：在白下路南京市商會，（三）農會：在建康路小學，（四）漁會：在三汊河清江村九十六號，（五）教育會：在白下路市立第三中學校，（六）自由職業團體，在長生祠一號。依照市參議員選舉條例第二十條「職業團體選舉市參議員，由初選人複選者，以得有初選人過半數之投票者為當選，選舉結果，無人當選時，應舉行再選，以得票較多者為當選，由選舉人直接選舉者，以得票較多者為當選」之規定，凡職業團體之由複選選舉市參議員者，必須有初選人半數之出席，方得舉行，并須分次進行，第一次選舉應有出席過半數之選票者，始為當選，除當選一人外，其餘均在再選時選出之，但其第一次選舉時，所得票數不得併入再選所得票數計算，如第一次選舉結果無人當選時，則均在再選時選出之，以得票較多者為當選，次多者為候補，選舉事務所茲為便利選舉進行起見，特規定十月二十日上午九時為各複選職業團體初選當選人之複選選舉投票開始時間，凡各團體初選當選得複選代表，務須於當日上午九時（直接選舉團體之選舉時間，與區域選舉時間同）以前攜帶選舉事務所發給之初選當選證明書，直接選舉者攜帶會員證及公民證）到達投票所，逾時即作棄權論。

第二區候選人：

樓特全

浙江金華人，寄居南京十餘年，邗江大學畢業，繼入東吳法學院，民國九年出國深造，在英國倫敦大學及法國巴黎大學研究院攻讀，得有文學碩士學位，民十八年返國後，任東吳之江大夏及滬江等大學教授，平時治學甚勤，文學造詣尤深，精通英、法、意、比利時、波蘭、瑞典七國語言，後氏獻身教育十餘年之久，現任重輝商專教務長及中央訓練團講師。現參加第二區參議員之競選，渠之主張為：一、普及國民教育增設學齡兒童。二、提倡社會保健制度推進市民福利。三、舉辦低利貸款扶助農工商業。四、設立婦女職工學校改善婦女生活。

配合軍事進展 中央行設熱察分行

【中央社訊】中央銀行最近為配合蘇北及熱察綏國軍軍事上之進展，對於各該地區分行，處機構之設立，正在加緊佈置，蘇北方面：除揚州、徐州分行早已成立開業，新浦分行人員早已派定，正積極籌備，短期即可開業外；並決定設立淮陰分行，日內派員前往加速籌備，又蘇北之宿口，原定設立辦事處，一俟交通恢復，即可籌設，熱、察、綏三省，除綏遠方面早已由該行陝甘分行推進歸綏，成立歸綏分行外，對於察省接近收復之張家口，已派北平分行副理前往宜就近籌設張家口分行，俾與軍政方面迅速配合。又熱河之承德，該行亦早決定設行，人員亦已到達，正在積極籌設中。

交部改訂國際郵資 美運包裹開徵稅收

【中央社訊】交通部頃改訂國際郵件資費如次：（一）台灣及關東租借地，已為光復區，往來各該地之郵件，一律按國內資例收費。（二）廣州灣租借地，現已交還我國，其往來郵件，一律按國內資例收費。（三）寄往香港澳門之郵件，因原定之郵務協定繼續有效，擬仍照向來辦法，即信函明信片資費與往來國內者相同，其餘各類郵件，則按聯郵資例收費。（四）中日往來郵件，原照國內收費，原屬兩國間互惠協定，此次交戰後，所有以前協定已經廢止，此後寄往日本之郵件，改按聯郵資例辦理。（五）往來朝鮮郵件資費，現在朝鮮南北兩部分由美、蘇佔領，在獨立政府未成立前，照聯郵資例收費。（六）往來越盟郵件，現在暫按聯郵資例辦理。

【聯合徵信所滬訊】中美軍輪，日見通暢，往來郵包隨之增多，聞本埠郵局，為使郵遞加速，已嚴防所屬不得積存包件，惟對於由美國寄滬之包裹，即日起，一律於投遞時每件向收件人徵收手續費二百元。

稅

公務員所得稅 不能減低

【聯合徵信所訊】公務人員薪給報酬所得稅，係包括薪水之加成，

當局催繳所利得稅

【聯合徵信所訊】京市卅五年度所利得稅，原定於九月底徵收竣事，茲因徵收事實上困難，呈經延期至三十六年四月底止，南京直接稅局局長孫以堅，今發函健市商會，請於本月二十日，京市營業事務完成後，督導各業公會，從速會商申報，並定至三十日為止。

本年關稅 可達三千億

【聯合徵信所訊】據關係方面悉：本年度關稅收入情形甚佳，截至九月底止，計一千八百億元，綜觀近月來之關稅收入，估計一年度全年國家之關稅收入一項，可能達三千億之數字云。

經濟欄

英訪華團 排定日程

【聯合徵信所訊】英商務訪華團團員，今日各就所代表部門與所研究之專門問題分別向我政府有關部門所派定之負責人討論，交換意見及材料，以作發展問題各地考察之參考，聞英商務訪華團在華日程，業已排定如後：十月二十日飛青島，二十二日飛天津，二十七日飛瀋陽，三十日飛北平，十一月四日飛寧，八日飛漢，十日飛昆，十七日飛淡，二十□飛滬，二十七日飛台，十二月一日飛穗，六日起至十日離華。

四聯總處核定 菸葉押匯原則

【中央社訊】四聯總處昨（十七）日上午，舉行第三二四次理事會議，各理事均出席，由俞部長鴻鈞代理主席，核定中國農業機械公司，大華紗廠，上海市公共汽車公司，南洋企業公司，淮南礦路公司，宜賓中國紙廠，濟南華慶麵粉公司，及海南島農貸等重要案十餘件，該處以上海市菸葉公會，曾向中央呈擬救濟菸葉方案，為協助發展改良菸葉產銷業務，以減少舶來品輸入起見，特核定各行局承做菸葉押匯，原則六項如次：（一）押匯菸葉，以改良種能作紙烟原料之菸葉為限，（二）在產區及銷區集中地點辦理。（三）各廠或菸商向各地購辦菸葉後，可按六折，向各行局敘做押匯，限期三月，不得展期，（四）由承放行局檢明收購情形，見貨付款。（五）凡合於上列原則者，在二億元限度內，可由各行局隨做隨報，每週彙報四聯總處。（六）此項辦法適用至本年底為止。又聯總處於明年全國工礦各業之建設，各國家行局，應如何積極貸款協助，以利開發各節，經各理事詳細發表意見後，決定先由秘處搜集各行局具體意見，再行商討。

上海商情

十月十七日

金融（錢）：赤金 開盤 收盤；飾金兌出 收盤；紋銀兌出 [illegible]

外幣（元·磅）：美金 開盤 收盤；英金 磅票 收盤 [illegible]

油糧（石）：白粳、薄稻、早稻、洋秈、杜秈、青島花生油、大連黃豆油、興化白高、車四五車白、車三五車白糖、台灣中砂、香洲冰、興化赤高、中砂限價 [illegible]

棉紗（件）：42支雙藍鳳、42支寶光、42支水月、32支雙藍鳳 [illegible]

綢布（疋）：20支大發、20支豐年、20支水月、16支光明、190美亭士林、190細嘉士林、190龍頭細布、四君子細布、美人魚元斜紋、三羊元嗶嘰、雙鯉安安藍、四大天王漂布、大明襯衫府綢、雙魚白府綢、大象嗶嘰、藥綿綿（尺）、常力紡 [illegible]

西藥 [illegible]

香煙（條）：阿爾匹靈、配尼西林、維他賜保命（男）、鷓鴣菜、克寧奶粉、駱駝、馬力斯、大英、大前門、白金龍、美麗、金鼠 [illegible]

日用品（箱）：固本皂、剪刀皂、120塊光華、100塊青麟祥、美麗火柴 [illegible]

京市商情

十月十七日

金融（錢·元）：飾金、紋銀、美鈔、港幣 進出 [illegible]

食糧（石）：上中熟秈、次中熟秈、糙米、小米、元麥、黃豆、豌豆、綠豆、蠶豆、紅豆、菜籽 [illegible]

麵粉（袋）：綠兵船、綠天鵝、綠錢、綠福字、綠雙桃、綠牡丹 [illegible]

棉紗（件）：10雙牛、10雙馬、16元寶、16紅蜂、20金元寶、20彩壽星、20紅壽星、20豐年、20元生、20如意、20雙鳳 [illegible]

棉布（疋）：32藍鳳、42藍鳳、雙頭龍細布、16雙鶴細、四君子嗶嘰、鋪條衣嘰、文通士林、萬象元布、高樂元布、本廠粗布 [illegible]

絨線（磅）：三B、紅美、駱駝、雀巢、狐狸 [illegible]

新藥：二原蟲寧丸（粒）、二片阿司匹靈（包）、九一四針（支）、鷓鴣菜（包）、頭痛粉（包）、淨魚肝油（磅）、好力生（瓶）、配利西蘭（瓶）、沃古林（瓶）[illegible]

日用品：日光、三星、箭刀、鳳凰、上海火、寧波火、僧帽燭 [illegible]

香煙（盒條）：大英、老刀、紅錫包、白金龍、天鷺、駱駝、馬力斯、藍吉、樂華、海綠 [illegible]

南京大屠殺案主角
谷壽夫明日偵審

【中央社訊】南京大屠殺案之日戰犯谷壽夫，經國防部軍事法庭陳檢察官光虞，自司法行政部、市臨參會等處，搜集證件甚多，定十九日下午三時，在小營戰犯拘留所開偵察庭，出庭作證將有柏鴻恩，殷有餘、陸秀英、梁廷芳、白增榮等人，又青島方面日戰犯三十四名中，已有九名在押解來京途中。

【本報訊】南京大屠殺案主角谷壽夫，全部案卷已送達外交部，譯成英語後提供國際法庭，國防部戰犯審判軍事法庭，待外交部將原件送還後，即可提起公訴。

雨花台昨槍決偽空軍三名

【本報訊】昨日上午十時半，中華門雨花台，槍決偽空軍漢奸三名，一爲偽航空署長姚錫九，五十五歲，江蘇人，一爲偽航空署司長彭鵬，三十五歲，廣東人，一爲偽航空學校教官韓文炳，三十五歲，河北人，日前由空軍總司令部軍法司判處死刑，昨晨十時由該司驗明正身，將三犯綁赴雨花台，監刑官蘇崇珍到達刑場時，三犯已面無人色，法警令三犯同時跪下，姚逆中一槍，彭韓二逆各中二槍，均從背部穿胸而出，當場畢命。

1946.11.5《南京新民報日刊》 要求引渡鬆井石根

租佃糾紛 浦鎮械鬥
農民與警察衝突 憲兵隊昨往調解

出租與五豐繁殖農場

國大報到第三日 一零一代表報到
川康代表九日可抵京

馬超俊臨別贈言
京市府昨擴大紀念週

軍人的待遇 本月起調整

高利貸壓迫 商業不景氣

警衛國大 計劃完成
韓文煥萬建藩王副處長

軍裝扒手

「十年來之國民大會」 大會祕書處着手編撰

購廿萬担 京積穀防荒

南京短波

女間諜川島芳子 冀高院昨提公訴

衛生行政會 今日閉幕式

滬高院傳訊 周璇不上堂

七小奸今受鞫 李逆樹棠被捕

在獄漢奸 要求看報

農場戒備 仍極森嚴

戰犯委會要求 引渡松井石根

大會昨決定 商聯會設首都
今續會議明日閉幕

浙江糧商 來京請願

快建成渝路 豁免戰時稅
川商聯代表提

張道藩 昨赴湯山養痾

商聯會代表 昨謁蔣主席

南京商情
十一月四日 單位元

上海商情
十一月四日 單位元

英國武官 赴滬返國

台商聯代表 昨招待記者

中華音樂劇團 明起演出孟姜女

當街小便被捕

從林聲翕先生的指揮說起
——評中交華樂團二日晚演奏會——
何滿子

鎮江餚蹄小論
張秋濟

書評
東方的撤退：動人的報告文學
方紅

紅樓低語
檻內人

霧

棲霞山導遊（下）
枕川

五 行宮故址
六 白乳泉
七 鳳翔峯
八 天開巖
十 古佛庵遺址及珍珠泉

戰犯委會要求引渡松井石根

〔本報訊〕由國防部軍事法庭，外交部，司法行政部，行政院秘書處合組之戰犯處理委員會，日前集會，曾論及有要求東京遠東國際法庭引渡松井石根至京審訊，以償全南京市市民之願望，不日即將正式備文要求引渡。（君）

滬二日俘匿京當街小便被捕

牛，承恩寺小巷內有二人當街小便，為巡邏警發覺，當當面予申斥，不料此二人竟說不出話來，警士乃將該三人帶至南區警察局，經設法研訊後，乃悉此二人係遣送回國之日俘，一名山口徽三勇，廿五歲，大坂市人；一名滿口勇，廿六歲，大坂人，在滬遣送上輪時，因人多被擠出，乃輾轉來京，偽裝酒吧流浪乞討度日。（田）

1946.11.21《南京新民報晚刊》再審谷壽夫

飛機撞毀民房
壓死兩人傷七人

〔本報訊〕空軍第五大隊第十七縱隊第十四驅逐機於昨日下午二時許在空中演習時，突然機件發生故障，司機知事不佳，擬疾降至光華門機場，詎略一偏斜，竟降落於附近河堰區鄉民房萬林及周連方兩家之屋頂上，當場將房屋壓塌，壓死婦女戚徐氏，殷氏英兩人，并有殷嚴氏，周王氏，周張氏，殷志凡，汪景陶，王氏等七人受傷，傷者已送空軍醫院醫治中，即空軍當時已允予以救濟及撫卹至辦法方面正商洽中。

今晨舉行大會 各界紀念防空節
湯恩伯恭讀主席訓詞

〔本報訊〕今日為第七屆防空節，首都各界於上午九時，假大華大戲院舉行紀念大會，到各機關首長代表湯恩伯，黃鎮球，沈怡，陳裕光，韓文煥[illegible]導及防護團員，高射砲團等官員千餘人，由湯恩伯司令官任主席，並闡述防空節之意義，繼由黃司令鎮球，陳議長裕光等相繼致詞，蔣主席並頒有訓詞，由湯司令親自恭讀，會場恭聆，末由青年團女同志多人代表全市市民，向首都衛戍司令部，憲兵司令部，首都警察廳，防護團等七單位敬獻錦旗，會後並放映中國防空影片，以助餘興。

周佛海鬧監
要求保釋難友
李逆紹庚患病要保未准

〔本報訊〕老虎橋監獄一部份奸犯昨發生鬧監怪劇，推周逆佛海為「領袖」，竟向看守所提出類似抗議性之交涉。[illegible]

再審谷壽夫
將傳訊五證人

〔本報訊〕日戰犯谷壽夫，定今下午三時於國防部戰犯軍事法庭再度審訊。

便宜了潘毓桂
高院續獲控訴狀

[illegible]

婦人投水塘
下關江邊

〔本報訊〕昨深夜十一時許，下關江邊電燈廠附近水塘，有一婦人，投水自殺，幸其六歲男孩見母落水後，大聲哭喊，致巡邏[illegible]

王副理案 日內分曉

[illegible]

駕車撞傷行人 司機逃之夭夭

◇今晨十時許，有某部運煤大卡車一輛，由下關向城內疾駛，在熱河路正豐街口，不慎撞及正在行走之第四師五十九旅兵士夏雲程，腿部頭部受傷頗重，已由該旅車送振南醫院醫治，惟司機已畏罪逃走。

◇長樂路一四六號周子標家秘設紅燈，供人吸食鴉片，事為警廳刑警隊偵悉，昨日特派員前往查緝，當場搜出煙灰及煙燈等煙具多件，並在周子明，周子標二人身上搜出售煙賬單十一張，二人當即行賄九萬九千元，為警員所拒，已將人證一併捕除訊辦。（目）

◇昨日中午，有軍字一四五一四號十輪大卡車一輛，由中山東路向上乘庵行駛時，不慎將一自行車碰壞，騎車者岑步侯手部受傷，司機張金山業經崗警扣押。（目）

◇本市泥水木作之市幫工人，因勞資糾紛威脅本幫工人共同罷工，並將莫愁路，漢口路一帶本幫工人之工具，掃數取去，社會局負責人今晨語記者：關於中幫工人威脅本都工人罷工，甚感遺憾，社會局關於此事已函請警察廳查究。（田）

◇半機製麥粉原定徵稅數類與麥粉貨物稅同樣徵收，財政當局設近為減輕人民負担，凡無包裝半機製粉紙供門市零售者，特予暫免課稅。唯查出有營業者，將嚴懲。（言）

市長拜客

〔本報訊〕沈市長連日偕分別拜訪吳祕書長鐵城，俞部長鴻鈞，張司令鎮，陳議長裕光，韓廳長文煥等，渠並訂於日內分別拜訪本市地方父老，以期對於本市一般情形多求認識，社會局長諸徵學，代工務局長張丹如，則已決定廿六日上午九時，分別到局接篆視事。（田）

建都北平說 南京人反對

〔本報訊〕國民大會少數代表近建議國府選都北平，市參議會為此曾召集臨時會議，商討抗議辦法，推舉陳耀東，李清悚等七人為起草委員，草稿業已擬就，日內將招待新聞界，並通電全國[illegible]應一致反對，據改參議員復初語記者，無論在任何方面說，南京都夠建都之條件，北平則不宜建都，蓋北平不僅交通滯塞，且向為封建勢力之根據地，若遷北平，有百害而無一利，且違反國父遺教。（S）

流浪他鄉
二千難民來京

〔本報訊〕今晨七[illegible]

大江來去

△江順輪明京，正午。
△萬善輪由漢口抵京，今正午。
[illegible]

三元巷小火

〔本報訊〕今晨八時許，三元巷[illegible]

[illegible]

涂全福醫師監製
療毒片

註冊商標

衛生署成藥許可證成字第一九六六號

特點：服本片便利安全，比打針效力强大，無打針之痛苦，無求醫之麻煩。

主治：下疳，魚口，梅毒，痔瘡，各期便毒。

功能：消炎，清血，解毒，防毒，除濕，健脾。

每管四千元內裝二十片

本市及全國各大中西藥房均有經售

總發行所　全福藥房

轟動西南各地　馳名治療梅毒良藥

駐京辦事處倉巷五十四號

駐滬總發售批發處　上海西藏中路遠東飯店二一〇號　電話九四〇三〇

徵求全國各埠總經銷　歡迎外埠批發　說明書函索即寄

建業無線電修理社
CEN YE ERADIO SERVERS

到府當面修理　上等收音機

迅速可靠　價廉　負責保用六月

地址：市府路三號（市府斜對面）　電話：二三七九二轉

「益州飯店」

聘請川廚名手

喜慶宴會　禮堂富麗　團體聚餐　座位舒適　侍應周到　經濟小吃　道地川味　新鮮豐美　高尚筵席　首都獨一

歡迎國大代表

地址：中山東路中央飯店對面

上海 隆茂進出口行
南京分行

高吉牌機器脚踏車　電氣水汀　文達克男女自由車

歡迎定購◉船期準確

地址：建康路二一五號

寶元通興業公司　南京分公司

地址　中山東路大行宮

新近運到　蜀錦被面◉各色毛呢

歡迎◉參觀選購

再審谷壽夫

將傳訊五證人

（本報訊）日戰犯谷壽夫，定今下午三時於國防部戰犯軍事法庭再度審訊

1946.11.22《中央日報》 戰犯谷壽夫開第二次調查庭

國軍遵守原防 各地共軍偷襲
蘇北沭陽共軍南犯

【本報廿一日北平電】察省共軍敗而復聚，再作蠢動，一部共軍現向德化竄犯，另有騎兵兩旅之衆，正向紅格爾圖進攻。

【本報廿一日北平電】平漢線五萬共軍，在淶水蠢動未逞，其中兩萬餘復竄至定興附近，圖進攻保定以北鐵路，威脅平保交通。十一戰區發言人稱：國軍爲遵守停戰令，在淶水擊退來犯共軍後，未前進一步。

【本報訊】各地遵命停戰後之國軍，連日遭共軍偷襲，魯冀察方面復連天烽火。茲分舉各地共軍攻擊事實於後：（一）山東方面：自十一月十三日晨起，共軍即傾其所謂「解放」第二師全部及「渤海軍區」地方部隊第一、二團[illegible]向[illegible]圍攻，國軍後乃被迫突圍撤向章邱，齊東乃被「解放」。（二）豫北方面：十八日劉伯承[illegible]主力與[illegible]獨立支隊共五萬餘人，開始向老爺廟上官村（滑縣東）國軍防地大舉進攻，國軍乃起而作[illegible]。（三）河北方面：平漢線北段西側之淶水，自十四日夜起，即被共軍第七縱隊第八縱隊之猛[illegible]。當夜國軍防地永樂村、馬士村（淶水西）遭來自西方之砲火轟擊。十七日共軍再糾集六萬餘人（包括三十餘團）再犯，國軍五十三軍及九十四軍在困難下忍痛抵抗，幸十八日北平方面援軍趕到，始解圍，共軍退至西堡子廠與南北之線。（四）察省方面：國軍第三〇三團騎兵部隊，於十三日被共軍第五旅十四團圍攻於白廟，宣化東北趙川堡守軍馳援，共軍第五師十三團十五團乘虛犯趙川堡，國軍損失奇重。

（中央社徐州二十一日電）蘇北共軍因國軍之固守原防，日趨活躍，二十日下午三時共軍萬餘由沭陽南犯，已越過六塘河，向漁溝鎮北約十七公里之宋集及東北十公里之潤橋猛烈攻擊，該處國軍正固守中。

（中央社開封二十一日電）東明滑縣間之戰事因共軍劉伯誠部之猛烈進犯四日繼續擴大，老岸鎮、黃莊、上官村等處之國軍本日被共軍包圍，國軍沉着應付，以牽制共軍之南犯。惟共軍一部猶隙進至樊相集附近（長垣西北約十公里），已與該處國軍接觸。

（中央社保定二十一日電）共軍萬餘，現由冀西竄渡河北岸留村一帶，二十日在淶河東北構築工事，企圖襲破淶公路，阻擋平保交通。

（中央社保定二十一日電）淶水西部共軍，十七日起向國軍發動猛攻，激戰三晝夜，二十日下午賀龍部主力，又自冀西調往該地增援，企圖近日攻下淶水。

（中央社青島廿一日電）共軍解放第五師及第六師，約萬餘人，附砲六門，十七夜分向我膠縣（平度南廿九公里）猛犯。又十七日晨共軍解放第四十九師及民兵大隊約三萬人，由諸城向高密前進，已抵濰河鐘一帶，有襲犯高密模樣。

（中央社北平廿一日電）共軍聶榮臻部，猶極向山東方面運送。

中法新約未履行 越南僑胞無保障
日在刼掠屠殺恐怖中

（中央社海門廿日電）六十萬旅居越南之僑胞，過來淚全在搶劫之恐怖下掙扎苟活。據返此出席[illegible]越諸[illegible]公司發起人大會之[illegible]，[illegible]無賭，因使飢餓[illegible]，亦迫之不理。陳氏係十月廿七日由越首京參加全國商聯會，本月十五日飛渡出席經濟公司發起大會。據云：越南新香市、平福市、共羨市、富若村四市因法越衝突，殲被法軍縱火焚燒，慘遭損失之華僑達萬餘人。尤其富若村係工業區，華僑多營皮革業，遭大軍包圍，無數目僑胞死因、法軍被迫民衆害而慘遭枉死，房舍工廠悉被燬毀，其慘狀實有甚於戰時之淪陷區。故目前越南僑胞咸盼政府與法方交涉，履行去年十一月間簽訂之中法新約，并保證不再發生同樣事件，賠償華僑損失云。

警察獎章 元旦頒發

（中央社訊）內政部警察總署以各地警察人員於抗戰期間協助抗敵，勞苦倍復，勝利復員，又復不辭艱辛，維持[illegible]……警察首長，由該署呈請內政部頒發，其餘人員已通電各省各主管警察機關依照警察獎章條例規定，詳舉事實，彙報該署頒發云。

胡文虎抵京

（中央社訊）新加坡僑領胡文虎，於昨（廿一）日上午九時抵京。氏此次代表僑胞，特來京向蔣主席致敬，及報告戰後當地僑胞復員情形，並將向有關當局，商討對海外僑胞有關諸問題。

中央客機 迫降黃坪

（中央社訊）中央航空公司本月廿一日由漢口飛昆明C-46型客機，於上午十時由漢起飛，行至貴陽與都勻之間，因發動機發生故障，強迫降落黃坪地方之機場，據電話報告：飛行人員及旅客均無恙。

花園口堵口工程 凌汛前可合龍

（中央社開封廿一日電）花園口堵口工程，近日進行順利，塔德赴滬已由京返堵工地，致函黃河水利委員會頭[illegible]令黃河堵口復堤工程局，務於凌汛前合龍。該局正在拋石，并挖引河打樁與修築便橋，水勢逐漸下降。黃河水利委員會已由霜降起，停發水位報告。

戰犯谷壽夫 開第二次調查庭
證人出庭述暴行情形

【本報訊】南京大屠殺罪魁，日籍戰犯谷壽夫案，於昨（二十一）日下午二時在小營戰犯拘留所，開第二次偵查庭。檢察官爲丁承綱、翻譯黃文政、書記官張掞綱、被害人、劉錦富之妻、徐吉氏、冷韓氏、朱修谷、及證人湯玉祥、均被傳到案。冷韓氏年逾七十，含淚陳辭狀至淒慘，其子冷得容及徐吉氏之子徐小紅，同於日軍進城之第二日，被殘殺死於府子巷四十號湯玉祥家之門前，劉錦富因避難於附近之夾牆內始免於難，但曾於上述諸人剛出門之後，即聞槍聲數響，湯玉祥於十數日後[illegible]。

華北巨奸管逆翼賢 判處死刑判决全文

（由第三版下角轉來）

又被告在戰期內，當不顧危險，資助抗戰救濟地下工作人員，而且有利國家之行爲，不特於所辦實報及僞華北新報新聞中之字裏行間隨時透露盟國兵力強大，軸心國家必敗之消息，且營救中央地方工作人員張伯寅等十餘人，均經出具證明文件爲到案證明，紀錄在卷。其餘賑濟貧民開辦粥廠，募集捐款，補助學校，亦經西什庫仁慈堂嬰兒院修女利瑪竇慈寺福幼院及貧寒學生家長安健恒[illegible]數十人，具狀證明，並寫洞燈藏書物，資責保管華北畫報社及各分社之電令，[illegible]請求發核。光復之後，並奉中央印[illegible]件，其中之輪轉機四架，高速度輪轉機二架均爲亞洲之最精良印刷機械，經遺冊點交，凡社房器材完整無缺，亦應認爲有利黨國之工作等語。本院查中日戰爭發生後，政府西遷，王揖唐王克敏等在敵軍卵翼之下，組織僞臨時政府，被告明知抗戰爲國策，[illegible]……

敵寇，而爲通敵叛國之宣傳工作，纔在事實上日本憲兵行加監視時僅三日即復自由，其時被告曾遇僞在香港，並無強制，以其能力，應追隨政府，從事於抗戰工作，乃自負才智，不甘寂寞，滯於大義，喪失名節，其畏死求榮，甚爲顯著。新聞爲社會知識之泉源，時代之特有，親感影響，及社會意識，當以新聞報紙表現之。在交戰期內，舉凡軍事政治及社會意識，無不藉新聞報紙宣傳輿論，以擁護其政策，控制大衆心理，造成一般意識而發生強烈之力量。被告於回事後仍任敵軍控制之武德報社編輯局長，純將實報復刊，鼓吹擁護日寇時把握，足以控制大衆心理，造成一般意識。共後任中華通訊社顧問，又任日本華北軍報道部囑託，雖稱係額外閑員，實無任務。該中華通訊社及華北軍報道部之組織，經中央宣傳部華北專員辦事處及中央通訊社北平分社分別查覆，據稱：一中華通訊社係敵國對社內之漢文部，[illegible]……

，所載被告之廣播如「國民應有之認識」及努力」「東亞十億民衆益增滅敵決心」「感謝鼠部努起圖強」「日軍力量堅強」「告軍後富局」「以錯備荷攻東條首相」「把握現在勝利爭取最後勝利」「認清時代與環境」「共論中之「重慶又入圍」」「我們應與友邦同甘共苦同生共死」「動員全國總力」「新加坡陷落後與東亞共榮圈」「華北全民理解日本正在一致治起完成聖戰」時事述評及時事解說中之「解决中日事變的正當途徑」「中日同盟之意義」「大東亞宣言的基本認識」「如何確定的意義」「重慶失去抗戰名分」「等十誦告重慶當局」「要多援助重慶之迷夢」「重慶與中共」「軍擾的解剖」等及大東亞宣言五原則，座談會之被告言論，其侮辱盟國，詆毀政府，意圖變更民衆思想，消滅民族意識，並以實報名義主辦大東亞共同宣言，中日同盟條約徵文，代收件，強迫登載，並提出華北各報意載敵此種記載被告辦係由敵軍報道部擬定稿，強度發表爲非對照，粘存條就其社會述評比對，證明說爲有言論責任，本院據[illegible]審核，其文字言論確有相同，但被告爲之情報局長職務，係但爲言論，檢查報刊及發表新聞情報，且與家報道部中樞[illegible]……

稿，原報有中華社字樣，軍報道部供給之資料，就宮內所政小狀元論官傳寫件，對於新聞消報爲有所擬定，但該小狀元論係僞情報局專員，代當接收，經該局翻譯，發交各報刊載，是該僞情報局，除發表僞組織之情報外，並代中華通訊社軍報道部發表軍閥情報，各報之社論述評相同者係由該局所供給，被告爲該局之編任首長，僅自結其，不惜喪失名節，甘爲敵僞喉舌，以管制言論罪行亦極重大。其第三科職掌，舉凡華北各種宣傳施行之計劃，編印各宣傳資料文化機關之聯絡，指導各宣傳文化活動之支援推動，均爲共職份，其所企圖事項，分爲方針議道宣傳要點內容及手段，新聞雜誌之指導，廣播故事，編製演本，巡迴電影，街頭演員，京劇廣播，普樂演奏，並聯絡名流學者青少年新聞界及市民民衆各種座談會及講演會，侵入各種社會團體，宣傳敵國政策，多由僞華北宣傳聯盟主辦，僞情報局爲其後援，交由各主管機關實施，且製定各種紀念宣傳綱要，以爲確立決戰生活及大東亞戰爭之任務。又由第四科企劃宣傳活動方針及其對象，編纂時事解釋五十三期，時局講演一百七十種，足見計劃周詳，工作嚴密，非其他一般宣傳機構所能比擬，是被告秉承敵意旨，甘心附[illegible]……

定之低度國策與盟國政府爲苦作戰，光復敵手，即華北民衆，受此毒惡宣傳，將論於萬劫不復之地步，豈能以其文才辯稱係[illegible]之史事寫作，而妄冀[illegible]？復查佐木主筆之中華新聞學院，係被告爲教務長，就其所著之新聞學與成及該院學生有參加後方抗戰之事實，以爲未奴化教育之反證，但共爲敵人統制新聞，適應戰時宣傳工作而培植人才，仍不能認爲因抗戰建國而爲教育。僞華北宣傳聯盟既主辦各種宣傳工作，被告兼任該組織理事，以取得聯繫，亦應任爲管制新聞，統一言論之宣傳機構，與僞情報局有分工合作之妙，何能諉爲無實際工作？其後爲統制新聞，停刊各報，由敵僞合組僞華北新報，被告擔任理事長兼社長，雖其實報內而停刊，然華北新聞報紙統由主持，無論其取捨原因如何，但其結果與被告之犯意並無違背。至其他職務，係爲共工作聯繫以協助敵僞宣傳，亦應負其責任。綜上所述而論，被告於交戰期內分任敵偽機關，在其主觀上係基於一個概括之犯意，以達其通謀敵國之目的，應構成懲治漢奸條例第二條第一項第一款通謀敵國，圖謀反抗本國之罪。該被告於華北淪陷，敵勢方張，僞倡制謀，國事危急之際，竟甘從敵偽，主持情報[illegible]……

法無可恕。乃以意欲地下工作人員，救濟貧民，扶助教育，保存器材，點交房產，並於敵軍行將勇潰，抗戰勝利即將到來，乃於華北新報上之字裏行間略加暗示，均謂以爲有利於抗戰之行爲，幾總各證人出具證明書狀及到案爲之證明，然在事實上不過爲個私人交誼，或因利害而爲營救及予接濟，共募集賑款慈惠貧民以博時譽後之言論，係於傀心謝證勝利將臨之時，自綏禍過。至保存器材，更在敵軍投降僞組織解體之後，縱有微功，難掩巨過，偶施小惠，莫蔽大惡，徒足證明被告之首鼠兩端，投機取巧，有何協助抗戰及有利人民行爲之可言？於法無可矜全，於情亦無足憫者，自應判處極刑，以昭炯戒，並褫奪公權終身，其全部財產除酌留家屬必需生活費外，併予沒收。

據上論結，應依特種刑事案件訴訟條例第一條、懲治漢奸條例第一條、第二條第一項第一款、第八條第一項、第九條、處理漢奸案件條例第一條、第二十七條第一項、及刑事訴訟法第二百九十一條前段、第二百九十二條判决如主文。

本案經檢察官劉[illegible]蒞庭執行職務。中華民國三十五年十一月十[illegible]日。

◎大會珍屑◎

▲昨日之國民大會第三次預備會議，主題爲推選主席團，因此，會場內外皆有不少候選人散發印刷品，請推選爲大會主席團之一。

▲第三次預備會議的開會時間，據會場內的壁鐘所指是三時十九分。

▲蔣主席暨夫人於三時十五分由會場左側大門步入會場。

▲洪秘書長蘭友於報告主席團候選人結果後，一再聲明，正式之候選人名單，當以所發者爲準，報端所載有若干錯誤。

▲國民黨候選人中有三位並非國民黨黨員，蔣主席爲此特遞上一紙條加以說明，謂此係根據第二次預備會中所修正通過之國民大會主席團選舉辦法第一條選舉而來，故依法不受限制。

▲土著民族代表選舉主席問題，一度引起爭辯，後經折中結果，張代表道藩自動宣佈放棄資州主席[illegible]人選[illegible]，由[illegible]代表道[illegible]爲主席團候選人之一。

▲四時半選舉開始，秘書處即請在場之新聞記者，暫時退出會場，以備清查人數以發選票。

▲大會場內所設之投票箱，一共有十二個，樓上三個，樓下九個，各箱於投票前始由各監票人加封啓用，以昭慎重。

▲檢查結果，原出席代表爲一四六七人，而實際在場投票者爲一四四六人。

▲朱代表經農於投票開始前，提出臨時動議，其意爲請求大會保留民盟與共黨之主席團名額，以示大會開誠布公之宗旨，附議者一百餘人，結果得到全場之掌聲。

▲三時十二分第一次鈴響，各代表仍在場內活動競選主席團，三時十六分第二次鈴響，代表們各返原防，但對競選活動仍未減低，不過範圍却縮小了，×代表笑謂記者：今天是最熱鬧的一天，不問熱誠不熱誠，就擬爭選職，最後總說一句「請投我一票」。

▲總領館代表[illegible]學人，現年五十七歲，蠶偏長及腰寸，在台口，以右手爲[illegible]狀，遂安閑，此時水銀燈光集中台前，等到他報告時「摺奏拉」響聲四起，攝影記者大爲忙碌。

▲昨天宣佈的主席團候選人，蔣主席被選爲南京的代表，某德惠子就成了本黨推出的候選人，因爲當選者不以本黨直接產生代表爲限。

▲開票前，秘書長奉命作報告，後排一位代表要發言，三次提議請問秘書長爲甚麼不准他講話，秘書長回答他：「奉大會臨時主席命，停止一切討論，一切發言，先請秘書長報告。」

▲會場中今日開起來一條劇服整齊的青年發票員，左臂紅袖章，胸前綠綢條，他們是到講壇來觀看的政大的學生。

▲發票員送票到前排先向蔣夫人行一鞠躬禮，送上票三張夫人接票後，在邊分與蔣主席，右邊奉給白崇禧，自留一份置膝前。

▲某位代表講話甚興動，站在台上滔滔不絕，說了三段，時間已過，自稱：「再講第四點……再講第五點……再講第六點」，六點未講完，主席把他停止了，帶着不滿的情緒走下台。

▲發票前一分鐘，秘書處又一再聲明，請各代表祇圈四六人，多一人即無效，少一人則仍有效。

▲同時又宣佈注意事項三點：一、用無記名連記法票選。二、用毛筆或鋼筆圈寫，請圈在各候選姓名之正中。三、超過人數作廢，未及額：如用鉛筆圈寫亦可。

▲四時四十分各票正式啓封後發出；會場上各代表座前一片雪片，如臨考場，十二分鐘後蔣主席暨夫人已填寫完畢，等待投入票箱。

▲白代表崇禧於圈選完畢後，即依投入票箱，結果因所投之箱尚未開封，故遞與旁父退回原坐座等候。

▲蔣主席於四時五十六分投入其最寶貴之一票，隨又將夫人之票投入。

▲各代表於投票完畢後，即陸續退出會場，至五時半始畢。

▲據統計昨日大會中最精彩之表演，將爲各代表所屬之圈圈，如各代表不刻錯，共總數實爲六六、五一六個圈。

冬令救濟會 延期成立

（中央社訊）首都冬令救濟委員會，原由社會局召集有關機關團體開會，擬於本月二十日以前開成立會，嗣請市長爲主任委員，警察廳長、市黨部主任委員，社會局長爲副主任委員，茲因市府於社會局均在辦理交接，以致該會未能如期成立，擬由社會局簽請新任沈市長核定日期後，再召開成立大會。

家時，身曾親睹其門前，朱修谷供述其胞任女三姑娘，于日軍進城之第五日，在怡和巷十號遭上被三個日兵輪姦，又兩部臺因而服髓甚大，又稱彼在難民區居住之四十天內，曾見日兵殺掠姦淫，事實數不勝數。谷壽夫到庭時，仍穿草黃色軍服，立正站于受審人之木欄內，侃侃欲以狡詞洗淨罪跡，承認民國二十六年十二月十四日進城，迄二十一日始離京赴蕪湖，惟服稱曾力飭部下，勿作軌外之行動。至五時十分，偵訊完畢，此一轟動全球之大血案，公審之期當不遠矣。

市參議會發表宣言
主張國都不應遷移

（中央社訊）京市參議會全體議員，爲國都問題，會於本月十八日在中山東路該會會所舉行座談會，交換意見，經決定發表宣言，反對遷都之說，該項宣言業經草竣，於昨（廿一）日發表，茲誌其文如後：

南京市全體參議員，謹代表南京百萬市民，以萬分至誠，鄭重反對遷都之論，奉告國民大會代表諸公暨全國人士公鑒，宣言於左：

南京爲我國父孫中山先生指定之首都，載在約法，卅五年來，非軍閥亂政，暴敵內侵，均無所變更，亦不應變更，更無人敢爲言有所變更。蓋首都者乃一國之重心，非有特殊重大之原因不能變，此古今中外事例之所同也。凡有變遷之事，其動因不外三途，一曰：「避安避亂」，一曰：「抗中王遂尤或而遷都」，宋高宗避金兵南渡是也。二曰：「革命維新」，列寧推翻帝俄而遷都莫斯科，凱末爾中興土耳其，而遷都安哥拉是也。三曰：「脫野求文」，魏孝武帝之移近中原，明治天皇之遷都江戶是也。辛亥革命成功之歲，國父爲[illegible]脫離五百年來封建勢力猶藏之北平，而指定南京爲中華民國之國都，實已具革命維新之意，今國民政府及以後依憲法組織之中央政府，皆無[illegible]遷移之理由。

[illegible]行，國父遺志之致力，則國父生前指定之國都，[illegible]乃當時國民以南京爲首都之由[illegible]計立於[illegible]國都決定之國都，不可[illegible]，只有[illegible]之理由。

南京自吳大帝黃龍元年建都始，歷東晉、宋、齊、梁、陳五代，南唐、明、太平天國，以至於今，凡一千七百七十年，爲國都者十有二次。自後漢建武六年，於此立學校，孫吳永安元年，於此設國學，江東人文一時鼎盛，爲世所重，歷東晉六朝，繼代而興，學風優粹，甲於全國。梁武昭文修書立教，四方郡國，趨學向風，士林雲集，尤爲史家所稱道。明立國學，日本、高麗、琉球、暹羅諸國士子，均遣來就教。民國以來，合江浙二省，教育發達，爲全國冠，且南京在歷史文化上，基礎悠久深厚，皆遠在北平及其他各地以上。

南京因長江下游，合我國領袖領海言之，實居全國中心，有虎踞龍蟠之勝，形勢天成，而東通於海，大港肩拱，西入於川，舟楫暢通，以鐵道控南北，利航空飛城內，皆有其便，其地居北緯三十二度五分，在大陸東部爲季風氣候，一年之內，寒暑適中，共平均溫度，冬寒不低於攝氏十三度，暑熱不高於二十七度，且寒暑之期甚暫，春秋佳日較多，雨量豐沛，風溼調勻，是南京在地利上，天時上，皆有其特長，亦非北平及其他地帶所可比擬。

南京四周皆爲富饒之地，皖浙江浙平原繞之，物產豐富，其近爲上海，又爲東方之最大經濟商埠，中外百貨，以之吐納，工商林立，操全國經濟之樞紐，供給首都，既利且便，以後國勢日強，對外貿易[illegible]

利，天時、經濟、國防各方面言之，遂無不可疑之遷都之理由，在國父以其睿智定南京爲首都，並爲南京爲中心，而手訂實業計劃，使吾人不違奉實教，僅宣遷都，則首都一移，實業計劃全盤香廢，此自然之勢也，故僅遷都說者，[illegible]遷反國父策略，[illegible]，近海地爲威脅領域爲威都，不顧後世美國人有謂求國父之遺誠，立爲遷都之說，是誠何心？蘇聯自古都，殘墨都，法國自續退還都巴黎，雖不以比爲夫遷都莫斯科，畏受威脅，巴黎曾被淪陷而遷之，我國之機寄立與者，不能護台灣收復，且有海防前哨之南京，而獨欲遷都於外蒙已失[illegible]

若孫，[illegible]行爲我國最大市場，則以南京而控南洋及至捕易。明成祖遣鄭和下南洋，即由南京出發，史例可徵。南京以近海，故自倫敦、東京、華盛頓諸若，或不利於防守，但今後原子等時代便變，航空術日新月異，凡「我能往寇亦能往」之地，何處爲最佳的國防有利都市，則至難言，苟無積極國防實力，雖有地利，亦難保存。試觀倫敦滿倫，英國不因之而亡，柏林巴黎曾在國中，德法卒無以自保，是共咎不在地而在人，苟國防力強，在南京其在其他地方爭等，何所抉擇。現南京四境交通便利，進退皆易，敵來自陸，則有海河爲其方之供應，敵來自海，則可因長江伸縮於山地平原之間，是南京於經濟上，國防上，亦有共獨到之處，至少不比北平及其他各地爲劣。

故自歷史、文化、地

北地屏藩之北平，[illegible]當時，且國家復興之初，財力不濟，復建一有首都規模之南京已屬不易，更何必浪費數公帑，以另建一都爲乎？此誠事焉不辨，輕重不分，因果倒置，乃反國父勸國本之說也。凡我南京百萬市民必誓死反對之，亦我全民胞所應唾棄。國民大會代表諸公，皆社會之賢哲，國家之前途，幸勿爲此所惑，請羣起斷之，則中華民國幸甚，謹此宣言。

中華民國卅五年十一月廿一日。

朱蘭萍案怪函
傳說紛紛流言多
據一般忖測係有人造作

【本報訊】本年四月轟動首都之白鷺洲朱蘭萍殺屍案，兇犯朱克明業經地院判處死刑，後向首都高院提出上訴，至今尚在調查中。日昨高院趙院長忽接「怪函」一封，全文見昨日本報，趙院長對此案之新發展，極爲重視，特於昨日邀宜告記者稱：若投函人能於最近由台灣飛京投案，可作自首論，若係此案料係人故弄玄虛，將續查實情，則另重其罪。

【本報訊】白鷺洲朱蘭萍案，自昨日各報刊載有奇突發展後，社會人士，對是項消息頗爲注意，一般茶館酒肆，咸議論紛紛，流言甚多，雖不足爲憑信，然亦可供司法當局參考。茲略誌各種流言於後：（一）傳朱克明家屬自朱宣判死刑後即大事活動，企圖一無業游民，向法院自首，以便脫朱於罪，報載自台灣寄來之怪函，即係此舉之一種試探。（二）傳某律師已擬大膽法術，向各方疏通，準備以鉅款買命。（三）怪函發表後，雖不能即以之爲法律根據，至少可能爲緩兵之計，使該高司法當局遷轉手。各方面意見，若本案果爲流言所中，則無異置人倫法律於死地。

趙院長重視怪函
對記者云；「疑點甚多」

（中央社訊）少女朱蘭萍於白鷺洲被殺案，首都高院趙琛院長接寄自台灣基隆「自首」怪函後，以案情複雜，深堪注意，昨（廿一）日特親率推事、書記官及法警各一人出巡。自上午九時迄下午五時，作實地調查，先後至老虎橋看守所、新安旅館、湖北路、鼓樓一帶，及白鷺洲附近，詳細查訪，會詳細詢朱克明，尚途與朱之父母，切勿一見報載有人自首即見消息，即散為份樂觀，怪函可能出於捏造，據查出必將捏造之人及捏造之關係者，一併送押，並警告朱家，亦勿受招搖撞騙者之欺弄。趙氏並告記者云，今日調查發現疑點甚多，關於昨日怪函所述，若果屬實，應即凶手投案，則可反證日久無人投案，則可證明怪函純出虛構，而案情內容亦愈發使吾人有明瞭之左證。

瓊崖旅京同鄉 今日招待記者
報告海南島災情

（本市訊）瓊崖在抗戰期間，受害最重，人民顛沛流離，爲情至慘，戰事結束後，近數週風暴災變，水深火熱，情形悲慘，發起旅京同鄉會爲向各界呼籲，協助喚起政府及社會之注意，定於本月[illegible]

紀念七屆防空節
首都各界開紀念會

【本報訊】第七屆防空節紀念大會，首都各界於昨晨九時假大華影院舉行。出席空軍司令部，防空學校團，高射砲團等十餘單位代表二千餘人，由首都衛戍司令部防空司令湯恩伯將軍担任大會總主席，聯勤總司令黃鎮球，亦親自出席。行禮如儀後，湯蒙防空司令首起致詞，指出防空在現代國防上之重要性，希望發展科學，建立強大空軍，完成我國不可撼之空防，黃氏於抗戰中歷任防空總監，於大後方當勢之環境中，竭力擘劃敵寇，減少人民損害，厥功甚偉，今日出席大會，演詞極詳，頗動聽聞。繼由市府代表湯克夫、市黨部代表汪祖華，均發起致詞。詞畢，湯司令官恭讀主席於防空節告全國同胞書，宣讀畢，即由青年團與婦女會分別呈獻錦旗，並放映中國防空實錄電影助興，至十一時半散會。

李逆紹庚獄中患病
家屬要求准予保釋
證明書已呈送高院請示

【本報訊】漢奸李逆紹庚，前奉首都高院判處五年有期徒刑後，即押老虎橋首都監獄，近數日不適，據其家屬以李逆罹腸炎狀，小便不通，要求准予保釋，並因此引起前日由周佛海領銜之「開獄運動」，以「不人道」相號召。茲悉該李逆病情已由獄方具文連同醫生陳君檢證明書一紙，送呈高院請示，據醫生證明全文如后：李紹庚罹患腸膜炎，體溫 C38.5，脈搏87次，其中有甚多藥球似水腫，檢查血壓，宜入中央醫院療治，以資安全，此證。

【本報訊】僞江蘇省建設廳長楊逆光中一案，業經首都高院審訊終結，於昨日宣判，以連續共同通謀敵國，圖謀反抗本國，判處有期徒刑五年，褫奪公權五年，全部財產除酌留家屬生活必需費外，沒收。

（又訊）大批小奸，張逆總尚、虞逆東朴、楊逆同宮、郝逆英等案，今日在高院首次審訊，宣判者[illegible]

刑警隊捕獲 毒販兩名

有許逆將如一案。

【本報訊】本市長樂路一運輸公司後樓，有人販賣鴉片案，已由刑警隊破獲。茲探得其情如次：有周子標者，係廣州人，來京後，即住於長樂路一四六號內，售賣毒品，並供人吸食，因一四六號前爲一運輸公司，故每日人來人往，不爲人注意，但日久爲隣近察覺，乃密報刑警隊，當經刑警第二分隊查辦。刑警隊員宛松齡、吳克威等，奉命前往緝捕，當場將販毒犯周子標、周熙民二名捕獲，當時周欲以九萬九千元向警隊員行賄，當被拒絕，即帶隊偵辦。至於周子標等之拒捕情事可嘉，隊員對毒品之來源正偵訊中。

長江水位 日漸降退

【本報訊】冬乾期屆，長江水位漸退，汗李運輸將受顯著影響，須據招商局公布，漢口十九日退二呎八吋，九江廿日退一呎八吋，安慶廿日退一呎二吋，蕪湖廿一日退一〇呎六吋，南京廿一日退一〇呎六吋，鎮江十八日退六呎七吋，漢口水位尚無衰落。

訪中樞首長 地方父老耆宿

白崇禧[illegible]、[illegible]市政例會，今晨九時之一[illegible]聽取各局工作報告與[illegible]第一[illegible]，並[illegible]請求。[illegible]將來當有[illegible]

賀衷寒[illegible]於五[illegible]接長京市後，迷日分訪[illegible]界的宿[illegible]、張繼、鄒魯、陳裕光、[illegible]並將分訪地方父老耆宿，以探[illegible]庚[illegible]

二十二日（星[illegible]）下午二時，假太[illegible]二號康樂園[illegible]新聞記者，報告[illegible]情。

編餘軍人 行竊被捕

【本報訊】近日本市小偷扒手大肆活躍，失竊者日有數起，夫子廟泮宮內近又捕獲扒手慣犯一名，彼於十日內已連續在泮宮內行竊三次，共扒得三萬餘元。近又因行竊，爲在場刑警隊員發覺，乃予逮捕，審訊後，供稱係本市歷某某機關特務連下士，本年七月被遣退伍，生活無着，故出此下策，現刑警隊當盤查偷竊計，已依法繫辦中。

氣象報告

中央氣象局

一、首都二十一日十八時至二十二日十八時內天氣陰晏，風向偏西，風力二級。二、首都二十一日[illegible]氣溫轉陰晏，風向北偏西，風力二級，高溫度一八·八度C，（最低溫度七·六度C·六五·九F）三、全國各區二十一日天氣概況：東北（東九省）天氣陰晏，風向南轉東北，風力三級。華北區（黃河流域）天氣陰晏，風向西南轉西北，風力四級。華西區（長江上流）天氣陰，有微雨，風向東轉西北，風力一級。華中區（長江中流）天氣晴陰，風向偏北，風力一級。華東區（長江下游及東南沿海）天氣晴轉陰晏，風向南轉北，風力二級。華南區（珠江流域）天氣晴晏，風向偏東，風力二級。

戰犯谷壽夫

開第二次調查庭

證人出庭述暴行情形

【本報訊】南京大屠殺罪魁，日籍戰犯谷壽夫案，於昨（二十一）日下午二時在小營戰犯拘留所，開第二次偵查庭。檢察官為丁承綱、翻譯黃文政、書記官張殿桐、被害人屈錦富之姪，徐吉氏、冷華氏、朱修谷、及證人湯玉祥、皆被傳到案。冷華氏年逾七十，含淚陳辭狀至淒慘，其子冷得容及徐吉氏之子徐小紅，同於日軍進城之第二日，被殘殺死於廚子巷四十號湯玉祥家之門前，屈錦富因躲匿於附近之夾牆內始免於難，但曾於上述諸人剛出門之後，即聞槍聲數響，湯玉祥於十數日從難民區回家時，亦曾親睹屍骸臥其門前。朱修谷供述在其胞侄女三姑娘，于日軍進城之第五日，在怡和巷十號遭上被三個日兵輪姦，面部竟因而腫脹甚大，又稱彼在難民區居住之四十天內，親見日兵殺掠姦淫，事實數不勝數。谷壽夫到庭時，仍穿草黃色軍服，立正站于受審人之木欄內，侃侃欲以狡詞洗滌血跡，承認民國二十六年十二月十四日進城，迄二十一日始離京赴蕪湖，惟堅稱曾力勸部下，勿作軌外之行動。至五時十分，偵訊完畢，此一轟動全球之大血案，公審之期當不遠矣。

1946.12.26《南京新民報晚刊》 谷壽夫提起公訴

參議員為攤販說話　娼妓問題討論益烈

「本報訊」市參議會於今日上午舉行第十五次大會，[illegible]

物價波動激烈　勞資糾紛更多

「本報訊」物價[illegible]

羅逆君強改期提審

「本報訊」高院原定今晨第三次審羅逆君強，因皖省府[illegible]

印刷郵件限制稍寬

「本報訊」郵務當局頃對印刷品郵件[illegible]

劉姥姥逛國大會堂　效顰充主席按鈕且學噓

「本報訊」[illegible]

明年元日南京喜事　集團結婚百零五對

「本報訊」[illegible]

倒風益熾

「本報訊」[illegible]

黃金小波瀾

「本報訊」[illegible]

兩中學生突然失蹤

「本報訊」[illegible]

吸鴉片被捕　陶笑笑哭了

「本報訊」[illegible]

老農吊死

「本報訊」[illegible]

南京大屠殺罪魁谷壽夫提起公訴

「本報訊」[illegible]

國裕輪

擱淺吉陽湖[illegible]

南京事

[illegible]

南京大屠殺罪魁
谷壽夫提起公訴

〔本報訊〕日戰犯谷壽夫，曾任侵略我國派遣軍第六師團長，於民廿六年九月進攻首都時，在中華門一帶擔任攻城戰，爲一手創造南京大屠殺之罪魁禍首，首都戰犯法庭檢察處迭次偵查完畢，特於今晨提起公訴，全文長六千言，主要罪狀㈠主使及支持侵略戰爭，㈡縱容部屬屠殺強姦搶劫放火，釀成空前浩劫，起訴書日內公布。〔言〕

1947.1.9《南京日報》 谷壽夫將上審

國防會中常會決議

立法委員增加五十名額

延長任期至憲法產生集會日止

請示主席決定

國防最高委員會第二一四次會，中常會第五十次會昨（八）日上午九時，在中央黨部舉行聯席會議，于委員右任主席，王部長世杰，陳總長誠相繼報告外交軍事後，旋按議程依次討論，通過以後各案。

一，現任立法院立法委員任期，延長至依憲法產生之立法委員集會之日為止。

按立法委員任期，原以二年為一屆，現任第四屆立法委員係於卅四年一月提請國民政府主席任命，任期屆滿，當時以國民大會原定卅五年十一月十二日召集，經中央五屆一中全會議決，延至國大選出總統之日，四屆立法委員任期決議照此辦理在案，……今日再度提出，決議現任立法委員任期……增加五十名，……請示蔣主席決定。

二，通過中國農民銀行卅五年度……

三，准四川省德陽等十五縣試辦縣教育局。

四，關於公有建築，依照建築法之規定，應將設計圖說先送內政部審核，再由中央核定預算。

府令褒揚 何炳松章桐劉英

史達林今接見 蒙哥馬利

美下年度預算

美責波蘭 違反諾言

四强外長 下週會倫敦

首次會議保障奧獨立 猶人不出席巴力斯坦

美將考慮武裝 拉丁美洲各國

行政院昨例會

國府命令

越法和平 不絕如縷

緬人「獨立運動」

暹澳印英 戰爭賠償委會

英將向蘇法談義殖民地 蘇暹將重建外交

猶太電台 發出警告

印國大黨 接受英方聲明

法四年計劃

希境衝突

時人動態

施諦文　梅汝璈　李漢魂　傅作義　阿合買提江

京市新聞

低利貸款條件苛刻 銀行團多方留難 商人將遊行請願

下關發生搶案 匪徒刼鴻發祥

滬書業代表 請豁免書籍稅

教育局發表 下學期學歷

私中學生何不幸 事先要繳留額

中大續演 風雪夜歸人

京教育局 設人事室

首都警察廳 今招待記者

黃燐火柴有毒 市府嚴禁製銷

經濟新聞

飾金昨又告漲 再叩四十萬關

食米報漲 五洋回落

自辦筵席捐 可增收一億

商情

風雪話典當

谷壽夫 將上審

岡村寧次 繼續留華

昨公審戰犯小笠原 強詞詭辯推卸責任

今晨南門 汽車壓死人

京市勞資糾紛 上月份總統計

短評 下關冬防？

昨公審戰犯小笠原
強詞詭辯推卸責任

【本市訊】國防部審判戰犯軍事法庭，於昨（八）日上午十時開審日戰犯小笠原芳正，由石庭長美瑜，審判官陳光虞主持審判，指定律師王炳鈞担任辯護，當該犯押入庭時，神色强作鎮定，對所犯罪行，强詞詭辯，全不承認，辯護律師，亦認為罪證不足，庭長旋宣佈俟再搜集證件齊全後，再行開審，約二小時左右始退庭，被告還押，按該犯於作戰時，殺人越貨，所作暴行甚多，勝利後，由第九預備師副師長胡行芳及被害人家屬指控，已經兩度訊偵訊云。

岡村寧次
繼續留華

【本市訊】日本駐華連絡班長岡村寧次，以日僑戰俘遣送技術人員留用及戰犯處理等業務未了，將繼續留華，俾兼充聯絡事宜。（軍聞）

谷壽夫
將上審

【本市訊】記者昨（八日）晨以谷壽夫審訊案一事，叩詢國防部審判戰犯軍事法庭庭長石美瑜氏，承告，該案件為首都市民關注，本庭為表彰國法，并昭慎重起見，將在國民大會堂，勵志社，或中央大學三處選擇一處為公審地點，目前正極積佈署一切審訊事宜，公審之期，當不在遠。（軍聞）

1947.1.13《南京日報》 谷壽夫將在勵志社受審

東亞和平關鍵 在於美蘇諒解

蘇仍不滿美對日佔領政策

中國之命運

翻譯本將在美出售

法主張恢復與戰前疆界

美共黨反對世界問題會

緬願與英獲致協定

義社會黨已告分裂

孟買騷擾疊起

一週內殺傷案達八十九起

越南軍中亦有日本人

蘇否認在土集中軍隊

汎亞洲會議定於下月舉行

我國婦女被邀與會

日協同民主黨

國際糧食分配辦法

烽烟遍地和談黯淡中

追憶調處之經過

軍事調處執行部成立一週年

一年來調查工作之努力及其失敗

三月　調處工作推展達於最高潮

四月　共軍於東北境內大事進攻

五月　中共宣稱其中原軍區李先念部遭國軍包圍

六月　七日政府下令東北境內國軍停止前進

七月　共軍於蘇北發動猛烈攻勢

八月　延安發布全面動員令

九月　山西共軍圍攻大同益急

十月　全國各地衝突愈益嚴重

十一月　政府發佈全面停戰令

十二月　調處工作全然陷於停頓

調處工作未能順利完成

共軍遂令進攻及破壞交通詳況

過去一年間共軍間接妨礙調處之進展

工商貸款請求後照頭

今開第二度請願

堅持百分八十信用貸款

余光正昨廣播說明期望

公共汽車又告漲價

增加稅源先改良市房捐

陳局長談決不增設新稅

首都電廠

擬設新發電所

南京屠手谷壽夫將在勵志社受審

戰犯黃維禮已提公訴

改良交通設備減少車輛肇事

警廳擬定實施辦法

妙齡女竊陣上失風

八卦洲偽鄉長已被緝送法院

京蘇治安會議日內在京舉行

市政各專委人選未決定

小校成立

娛樂稅

短評

盼行總宣布數字

南京屠手谷壽夫

將在勵志社受審

戰犯資[illegible]已提公訴

【中央社訊】一日戰犯谷壽夫公[illegible]開，[illegible]國防部審判戰犯軍事法庭，負責人談，大致在勵志社舉行，并擬發出旁聽券二千張，俾市民得以[illegible]一覩此殺人[illegible]魔，如何在神聖法律之前，受正義的制裁，并開該犯所犯罪行案件太多，該[illegible]有[illegible]提并[illegible]於整理，該犯文發，一俟整理完竣，即可開審云。

1947.1.14《南京新民報晚刊》 谷壽夫案不日公審

謝局長有話說
連日物價上漲
十六日召商人商談

千餘傷兵 今送新州

碎機中嬰孩無恙 鄉婦喜天錫麟兒
聖誕墜機事 又有一奇蹟

京滬運費 明起加價

遣散難民
社會局今會議

十五年以下徒刑 一律可獲得赦免
大赦細則日內可公布

京滬道上

一年火災
警察廳有統計

張濱案怪信 白紙四張
用科學研究 無任何字跡

「呂宋小姐」墮海記
引擎起火飛機被迫降落 海上救友舞女反遭溺斃

僞偵緝隊長 夏全印受審

谷壽夫案 不日公審

·南京事·

一偽律師 扣押法院

一包米 壓死老婦

「一零三」重慶飛機 中乘客僅一人

谷壽夫案不日公審

【本報訊】戰犯谷壽夫審期，約爲本月底，現軍事法庭石庭長正加緊批閱案卷，一週後可完成，旁聽證案已備妥，一俟公審日期決定後，即可發出／據石庭長云，屆時將有三四百證人出庭作證。（尹）

【本報訊】女戰犯陳杏林業已提起公訴，陳犯台灣台南人，三十六歲，戰時在上海廣州開設華南煙草公司獲厚利，曾向日本陸軍部獻機二架並貸款六千萬元。（尹）

1947.1.17《南京新民報晚刊》 谷壽夫審三天

皮革業空前不景氣
高利貸壓倒足下

本報專訪

各街道加崗佈哨 陰曆年治安第一

憲法已經頒布了 嚴刑逼供要不得
警廳飭所屬保障人權

今日雨可停 明天半陰晴

勵志社設法堂 谷壽夫審三天
歡迎被害人家屬檢舉

中訓團救難胞

紛紛請外匯 換來奢侈品

耕牛比賽 二月四日

川島芳子為情人作證 皇兄路末被髮妻控訴

謝局長再到四聯 為商人請求貸款

老婦帶土 作賊心虛

同是落難人 相打何太急

童大王 來重士捲將

大江來去

奎光閣茶樓 初一有大鼓

故都零訊

【本報訊】日戰犯谷壽夫公審日期，國防部戰爭罪犯審判軍事法庭已決定於二月六，七，八三日於黃埔路勵志社公開審訊，屆時暖氣亦將開放，旁聽證業已印就，定下週起開始發給。（尹）

【本報訊】軍事法庭定本月二十五日至二十八日四天內，於雨花路第十一區公所開臨時法庭，收集人民對谷犯之罪證，據石庭長謂：谷犯於二十六年十二月十三日入城，駐於中華門一帶，縱兵屠殺我無華同胞，目前所接到中華門一帶控訴僅四百餘件，該庭並將發掘被害屍體，以資證明，石庭長並定二十五日召集中華門一帶保長

歡迎被害人家屬檢舉

談話，希轉告居民，凡有被該犯所部任何罪行之被害人家屬，希踴躍前來檢舉。（尹）

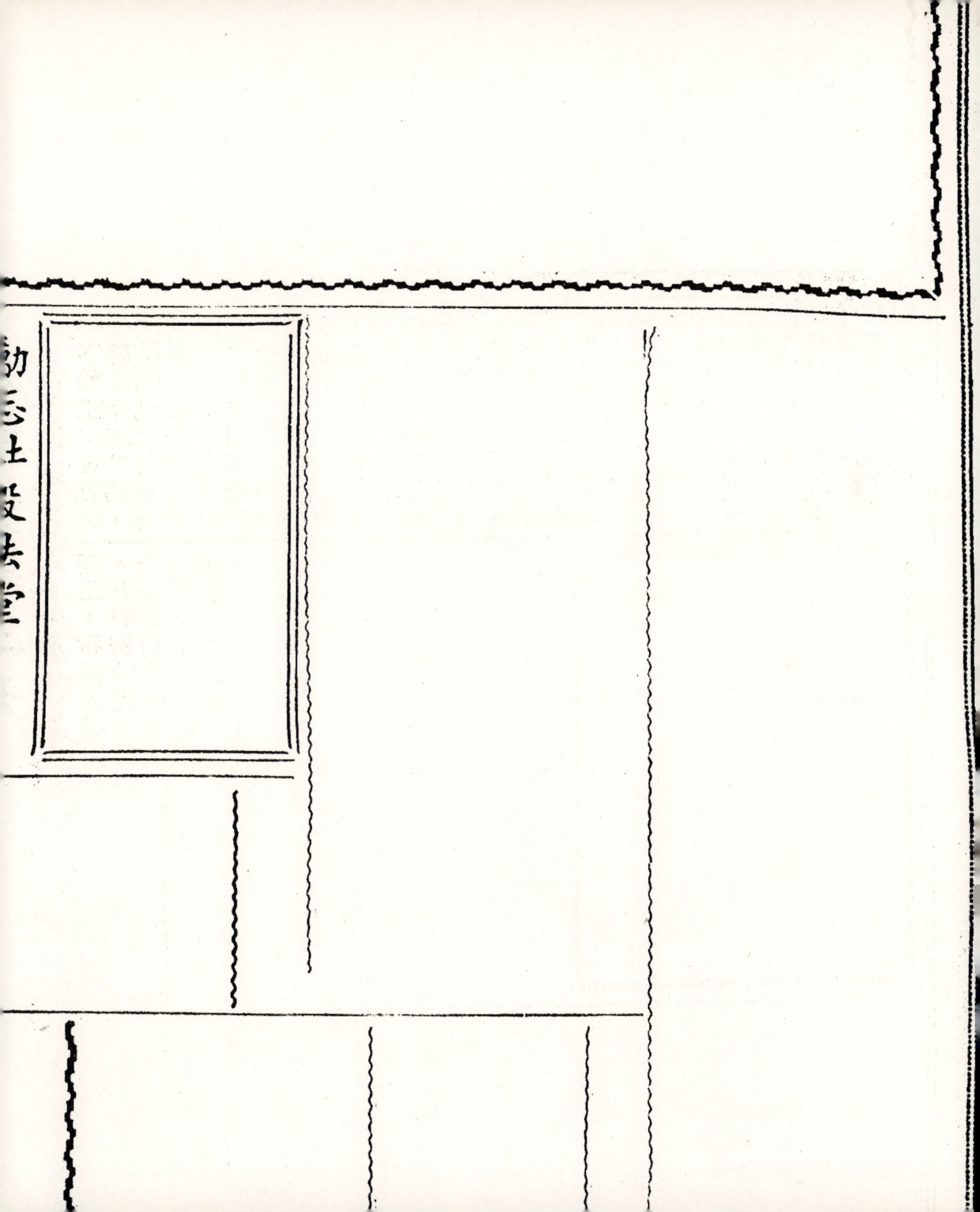

1947.1.19《南京新民報晚刊》 中華門掘尸骨

商人抓頭寸　苦渡平安年

低貸擱淺中　只好不求人

一周商報

萬元大鈔出籠　金條隨之拋出

紅土山血案　主犯即定讞

各犯罪證完全明確

奸訊

一百萬元幾乎逼成命案　保人遭殃軟禁又要賠錢

中華門掘屍骨

小桃源火警

一夜凍死八人

廢曆年關小插曲

馬歇爾鐵路　建築說不確

留美一上校　並無越軌事

六輪大卡車　來京便失蹤

一台戰犯　陳總長令再審

南京事

中華門掘屍骨

（本報訊）國防部軍事法庭石庭長美瑜，今晨親赴中華門外，由紅卍字會人員協同發掘叢葬處墳墓，視察被害人屍骨，俾作審訊時有力證據（尹）

1947.1.25《中央日報》 調查谷罪行

馬歇爾與總統會商徹底檢討外交政策

美國務院開始改組工作

解決德國未來問題

英已完成計劃草案

將提出蘇京外長會討論

法建議建立德聯邦政府

南決與義恢復邦交

希總理易人

科爭海峽事件

英將要求賠償

安理會定廿八日討論

中國滑翔運動

——在中央廣播電台廣播詞——

郝更生

英援再表示願望速商訂英法盟約

一面重申信守英蘇盟約

我國資石銷美減少

美兩名人相繼逝世

艾帥演說呼籲美人協助募兵續駐德日

美將要求蘇聯遣送德俘

北極及中太平洋區美軍分別舉行演習

下屆世運會定期在英舉行

印制憲議會選出諸委會大部委員

秀達普省回盟總部被封

英緬談判進展

蓋山月內返緬

向日索取暫時賠償

美計劃俟待馬歇爾批准

日能工潮已呈衰退

滑翔照片展覽

在社會服務處舉行

明日空中滑翔表演

鉅額款項及物資賑濟皖災民

李品仙氏抵京接洽

有關人員商定辦法

河內華僑數千撤至安全地帶

越政制可能改變

郝更生招待記者

報告滑翔會工作概況

津浦路軌損壞遣送難民延期

調查谷壽夫罪行

今日起開臨時調查庭

被害人或家屬可往檢舉

京滬路加開賀年專車

津浦車前晚出軌旅客無死傷

昨起行車減少二次

京冬令救濟半數已發放

李延昌供認行兇

遊府西街命案

因圖姦不遂乃起殺心

調查谷壽夫罪行

今日起開臨時調查庭

被害人或家屬可往檢舉

【本報訊】南京大屠殺案主犯谷壽夫，國防部軍事法庭，已定期自二月六日至八日，假勵志社舉行公審。現該庭為便利被害人檢舉該犯罪行起見，特自今（廿五）日上午九時至廿七日止，一連三天，在中華門外雨花路十四號第十一區公所，開臨時調查庭，調查暴行證據，凡被害人或被害人家屬暨目睹日軍暴行者，均可至該庭檢舉。

【本報訊】世界紅卍字會京市分會，將於今（廿五）日下午，偕軍事法庭負責人，再度赴中華門外一帶，發掘京市大屠殺案中被害人屍骨埋葬處所，俾於公審時，作為該犯縱容部屬屠殺我無辜居民之證據云。

1947.1.26《大公報》 谷壽夫昨日在京開庭

魯南大戰即將揭幕

共軍集結臨棗一線阻國軍進擊

魯東即墨方面亦有激戰

【本報南京二十五日發專電】徐州外圍戰事奇烈。攻入棗莊之共軍陳毅部二十五日正積極西向猛攻臨城台莊。臨棗一線共軍之混合部隊，現在五萬人以上。此線共軍之終極目的，在阻止蘇北國軍前進反擊，蘇魯邊區大戰，今後一週內將在臨城台莊嶧城附近展開。國軍有力部隊二十五日正撥出紅花埠向魯南反擊。又隴海東段雖經國軍完全控制，但通車尚有待。二十五日隴東徐向瓦窯、徐城集、曹浦一帶反擊，甚有進展。宿遷外圍經國軍肅清後，已無共軍踪跡，僅窯灣附近二十五日仍有小股共軍出沒。

【中央社徐州二十五日電】魯南共軍大部移嶧城境內，企圖反撲隴海東段，以攻勢防禦棗莊臨沂。參謀總長陳誠昨赴魯南最前線之臨城視察，當晚返徐州。

【中央社濟南二十四日電】魯南共軍所九師近復有幾縱北進侵擾新（泰）、萊（蕪）、淄（川）、博（山）之企圖，其目的在奪取膠濟三角地帶，控制淄博，威脅濟南。共將五師六師更圖進犯高密，阻斷膠濟線，圖打通共軍東北線。

【本報青島二十五日發專電】魯東共軍爲策應魯南共軍攻勢，近由東北調來共軍二萬餘人，裝備優良，計畫再攻青島。二十四日晚即墨之馬山駐軍發生激烈戰鬥。膠濟路東段近日時遭破壞。

【中央社青島二十五日電】膠東共軍本師前後迭次破壞膠濟路東段，計子家莊、膠縣間平毀路軌兩節。膠州之南莊間破壞枕木十一根、路軌四節。南泉、蘭村間毀路軌一節。均經路局隨即修復，車行無阻。

國軍固守定縣外圍

共軍增援圍攻定縣車站

孫長官將於日內赴保定

【本報北平電話】軍息，保定東孫村、仙人橋一帶竄到共軍安新支隊曾志田部千餘人，清河西二十里留馬、白亭一帶竄到共軍馬輝部約四千餘人，原踞撈水北滕莊一帶之共軍三百五十九旅亦向保方窺伺。又共軍留龍部殘兵千餘由滿城山區竄城南東西原屯、李莊一帶，共軍第一旅之三個團由易縣竄抵滿城之北城村、四馬村一帶。

【本報北平電話】官方二十五日未發表關於保定石門間戰況。聞塞西店已於二十四日不守。石門北上車現僅通東長壽。孫連仲長官連日未出席任何公共集會，聞將於日內赴保定。

【中央社保定二十五日電】望都南清風店共軍五千餘二十五日午向援圍攻定縣車站，國軍士氣日盛，當予來犯共軍以重大打擊，刻定縣外圍各據點仍在國軍固守中。

晉孝義東連日惡戰

國軍進迫馬莊營等村

晉東南共軍續調晉中

吉省戰事尾聲

由空中投擲衣物救濟冀西中共區

運輸機三架 日投四萬磅 辦法已商妥 明後日開始

交部視察團視察平漢路

昨由平出發赴保

塘沽新港三年計畫

中樞核准今年開始興建

全部預算超過千五百億

英議會的對華干涉論

辯論歷三小時

綏靖區工作報告

政委會舉行綜合檢討會

各有關機關敘述工作

黃河堵口

協商無結果

行總邀集各方兩度商談 共方尚須請示延安決定

駐青美海軍將遣回一部

黃河之水流回魯北

雖魯已九年 現在重返老家 昨夜到濼口 河工大員迎候 隄埝久失修 伏汛恐出危險

禁止攤派捐款

政院頒布五項補充辦法

准由人民列舉證據控告 庇縱者人員亦負連帶責任

法機意欲何爲

偵察西沙羣島

各地行轅

下月初改組

周逆佛海再審

戰犯谷壽夫案

社評

英國議會的對華干涉論

英國上議院於二十三日晚展開了一幕中國時局問題的辯論……

戰犯谷壽夫案

昨起在京開調查庭

【中央社南京二十五日電】國防部審判戰犯軍事法庭爲受理戰犯谷壽夫一案，特於今日起假南京市第十一區公所開臨時調查庭，傳訊證人暨被害人到庭，供述當時被日軍屠殺情形。並於午後三時由張富庚區長召集各鄉鎮保長三十餘名聽取被害人報告當時被屠殺事實眞象。所有報告者均係身歷其境，供述甚詳。據當時之掩埋隊長劉得才稱，被屠殺屍體二千餘具，埋於區公所後面，另有金陵兵工廠被焚斃之屍體五千餘具，又秦淮河被溺斃貧民六七百具掩埋河邊。種種殘酷事實，令人不忍卒聽。四時半結束。

1947.1.27《中央日報》 谷案昨開庭調查罪證

東北九省區域刻正考慮變更

瀋陽海關恢復成立

東北已接收鐵路逾四千公里

三千餘公里修復通車

國大留京職業代表昨成立聯誼會

綏靖區合作輔導團工作人員昨宣誓

定月底分四組出發工作

鄒魯踏雪遊鎮

蘇省劃定四實驗縣

浙贛路正趕修中

全綫本年內可望通車

第一補給區司令部遷徐

北平市政府增設民政局

南昌展開防疫工作

台報遂面臨難關

銷路雖增加紙張漲又昂

台北報業公會下月成立

航空模型比賽

昨日在明故宮場舉行

艙身機筋動力組創新紀錄

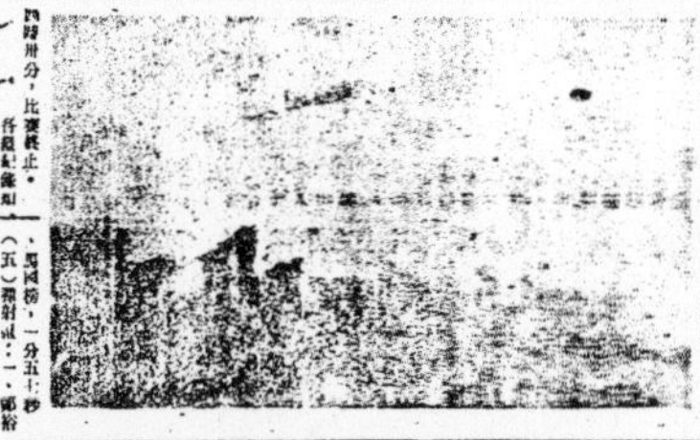

各組成績紀錄

滑翔會歡宴參加表演人員

全國航空模型賽定四月四日舉行

北平初旅

本報特派員 趙 樸

故都年景

軍調部的存廢

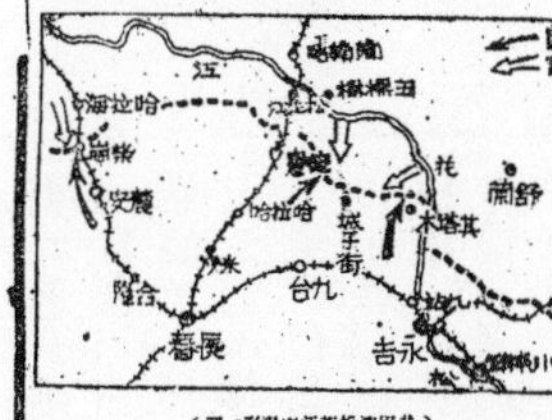

（共軍渡松花江南犯形勢圖）

美軍強姦事件

減刑實施辦法短期內可公布

周佛海執行令尚未發下

兩女播音員怠工被解僱

京市修路工程天晴即可開始

下水道工程亦在規劃

住宅公用合作社昨日舉行創立會

新春踏雪訪難民

本報記者 龔 選 舞

谷壽夫大屠殺案昨開庭調查罪證

被害人家屬痛述敵暴行

政院訂頒五項辦法禁止地方政府派捐

下關皖籍難民今開始遣送

首次九百餘人出發

救濟捐贈難民每人五百元

氣象報告

中央氣象台 一月廿六日

訊人均冒雪前往，計報到者共百廿餘人。其中有一老嫗，年八十三歲，到庭痛陳其子三人，在南京淪陷之第二日，被敵軍刺死二人，拉去一人至今生死未明，言下悲泣，要求伸冤，又有南花路丁姓，前清曾任道台，其家有一小姑娘，年僅十六歲，被日兵十三人輪姦，事後奄奄一息，復被刺刀刺入下部，腹破腸流而死，現該家已無人，其鄰人仗義，今日特到庭代伸冤屈。迄下午二時半，訊問方畢。據石庭長語記者：廿七廿八兩日，仍繼續傳訊，俟證人訊畢，即擬發掘屍公坑後之大塚云。

谷壽夫大屠殺案

昨開庭調查罪證

被害人家屬痛述敵暴行

【本報訊】國防部戰犯法庭正積極從事公審爾號戰犯南京大屠殺案元凶谷壽夫之準備工作，該庭爲求究明谷犯之犯罪證據，特於昨（二十六）日派員在谷犯部隊駐在地之中華門外十一區公所開庭調查，谷犯罪證，由該庭庭長石

又戰犯法庭爲求徹底明瞭谷部暴行，除審訊人證外，復於昨日在第十一區公所，由該庭庭長石美瑜召集全區鄉鎮保長武文斌、曹振欽、周佑之、程述之等二十餘人，詢問當時暴行情形至詳。

1947.1.28《南京新民報晚刊》 公堂擺骷髏大審谷壽夫

現在是時間問題 周佛海死定的了

首都高院趙院長談話

【本報訊】司法行政部長謝冠生，昨會召見高法院院長趙琛，對於高院審問周逆經過，有所垂詢，今晨記者走訪趙院長，詢問對於周逆駁回再審後，尙有何種途徑抗辯，據答依法律訴訟程序，第一次再審駁回後，被告人可於送達裁定書五日內向最高法院提出不服駁回裁定之抗告，假若最高法院駁回抗告後，依法被告人倘可提第二次要求再審之請求，據趙氏謂：司法所以正人心，因是司法判決較爲嚴重，否則一經偏倚於法律明文之規定，則天下大亂，施刑爲大事，國家對於被告人罪惡爲應處死，但施刑時間，必待被告山窮水盡之後執行，亦所以本人道也。由此斷論，預料周逆執行死刑之時，當倘有數日。

亮眼瞎子 全市達卅七萬

【本報訊】據警察廳戶政科去年十二月份統計，本市文盲共有三十七萬五千八百八十八人，失學兒童共有八萬零四十五人。無業者共有二十三萬八千四百七十五人，約佔全人口百分之二十五。無業者男子有一十二萬七千九百六十二人，婦女有一十一萬零五百一十三人。（S）

綠化南京 市府擬造林計劃

【本報訊】南京雖屬全國首善之區，但廣野谷地極多，尤以郊外爲甚，有一望如北方荒漠之感，市府有鑒及此，頃特擬首都十年造林計劃，冀圖綠化金陵，開第一步由地政局調查統計荒地區域及面積，第二步由社會局擬定計劃，第三步由市府與有關機關會同進行，刻此項工作，業已開始。（目）

王龍等十六律師 被控有漢奸嫌疑

【本報訊】本市律師王龍，程潔，劉守綸，王炳鈞，王果等十六人，近被具名告發有漢奸嫌疑，高檢處據此項決定加以傳訊，涉嫌與否，傳票已於今晨分別發出，庭期爲本月卅一日上午十時，此十六律師均將同時被傳到庭，至檢處是否以個別方式傳問，抑或集體審問，則倘未定。

京滬夜特快車 因故停一日

【本報訊】京滬鐵路局公佈，明（廿九）日上午十時三十分由滬開京之十六次特快車，及三十日夜十二時另五分由京開滬之十五次特快車，因故暫停開一日（達）

公堂擺骷髏 大審谷壽夫

【本報訊】南京屠夫谷壽夫，自軍事法庭定期下月六日開審後，負責審理該案之庭長石美瑜，除於前日親至中華門傳訊被害人家屬及證人外，現正竭力謀求搜集證件，即日內且將分赴鄉區，就九年前被谷部下殘殺之同胞骸骨，逐一開掘，屆時當堂以白骨及骷髏示谷犯，使之無法抵賴。（言）

國民學校 統一名稱

【本報訊】市立國民學校校名經規定統一以所在地命名後，教育局經慎重考慮結果，決定以下列十二號爲市立國民中心小學，第一區珠江路小學，第二區白下路，第三區府西街，第四區小西湖，第五區五台山，第六區琅琊路，第七區[illegible]，第八區燕子磯，第九區孝陵衛，第十區雨花路，第十一區上新河，第十二區湯山（田）

兩週內開學 各中小學校

【本報訊】本市各中小學校均定於兩週後開學，關於簿本費，教育局正核准各學校徵收數額，爲一年級二千元，二年級三千元，三年級四年級四千元，五六年級五千元。（田）

上海金價

【本報今午上海電話】金赤今晨開盤三百九十萬三，午收三百九十二萬，美票六九〇〇。

京華烟雲

[illegible]

美國大腿縫隙裏 令人悲歌漁光曲

[illegible]

國產影片厄運

[illegible]

肉價貴 捉屠夫

[illegible]

冬賑將畢

【本報訊】本市冬令賑濟業務城區放賑工作業已完畢，總計放出賑款二億一千一百七十萬零三千元，賑米一萬零一百五十一石四斗，總共發放二萬九千三百五十六戶，城郊第九，十，十一，十二區則[illegible]

一篇大道理 物價瘋狂漲

雞蛋與油條並價

[illegible]

五千塊錢 六個麵包 打發難民 回老家去

[illegible]

大江來去

[illegible]

商情表

	出	進
飾金	[illegible]	[illegible]
飾銀	[illegible]	[illegible]
美鈔	[illegible]	[illegible]
英鎊	[illegible]	[illegible]

[illegible]

新春進步

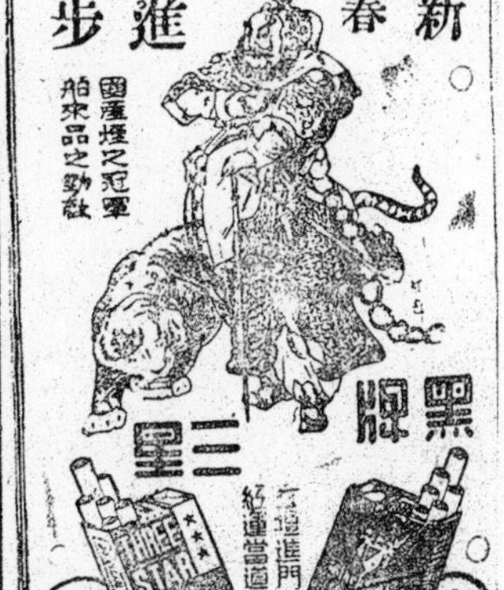

公堂擺骷髏 大審谷壽夫

【本報訊】南京屠夫谷壽夫，自軍事法庭定期下月六日開審後，負責審理該案之庭長石美瑜，除於前日親至中華門傳訊被害人家屬及證人外，頃正竭力謀求搜集證件，開日內且將分赴鄉區，就九年前被谷部下殘殺之同胞骸骨，逐一開掘，屆時當堂以白骨及骷髏示谷犯，使之無法抵賴。（言）

1947.1.29《大公報》 證人六百餘人傳訊

蘇魯邊區繼續激戰

揭開以徐州爲中心之會戰序幕
正面廣五百里的戰場殺氣騰空
台兒莊一戰具有決定性

【本報鎭江二十八日發專電】㊀郝鵬舉部反正後，魯南蘇北軍事情勢巳有決定性之轉變。軍方相信，此後共軍巳永無回竄蘇北之可能。且郝部駐地以韓莊爲重心，一舉一動均可掎魯南臨沂之背。陳毅總部原設臨沂，現亦感威脅，準備移動。二十六日運河新灣息河一帶共軍巳紛紛向北撤退，蘇北境內情勢底定。台兒莊胡塽線與嶧棗沛之線棗莊線之國軍，巳居於進攻退守不受牽制之不敗地位。㊁台兒莊大戰二十八日繼續進行，魯南蘇北戰事慘烈，宿羊山車輻山一線共軍結集主力在四萬人以上。台兒莊之戰，將決定魯南山地共軍之命運。又由徐州向北反擊之國軍二十八日晨巳越過沙溝、韓莊、微山湖東一帶，共軍巳無法活動。臨城之圍即可解除。㊂隴海線北新安鎭二十八日曾遭共軍第五師一部約三千人之襲擊，前線巳被國軍擊退。㊃海州東段海州至連雲港間路軌尚好，即可通車，惟海州至八義集間鐵路被毀，修復不易。

【中央社記者胡定芬徐州二十八日電】由於共軍對徐州再度發動鉗形攻勢，以徐州爲中心之會戰序幕，現巳正式揭開。共軍仍係以陳毅、劉伯誠爲東西兩鉗，惟此兩鉗始終未獲夾擊之效。當陳毅猛攻臨棗台支線時，劉伯誠被國軍抑留於金鄉外圍，而無法脫身南窺隴海。今劉伯誠雖巳進迫隴海邊緣，陳毅又被國軍以延實鐵爭運動，迫共以主力自臨棗台支線向海濱伸張，正面擴張至五百華里戰場，正向離心方面發展。共軍之兩鉗欲夾擊開，此就戰略上而言，共軍巳陷一籌。共軍在戰術上仍係以少數牽制多數，以多數殲滅少數，戰鬥上則迷信共「以人海填塞火海」之蔑視人道觀念。國軍自蘇北魯南兩部會師後，對此巳養有戰策。

【中央社南京二十八日電】國防部軍事發言人二十八日下午發表談話稱，本日報載鎭江消息稱：「今晨紅花埠又爲共軍攻佔。」「現新安鎭車站瓦窯兩地雙方激戰慘烈。」又「共軍自嶧縣宿羊山兩地對台兒莊採取夾攻形勢，另一路將由趙墩車輻山直撲台兒莊。」並謂「國軍續續向台兒莊西北周閘屯反擊」等語。查紅花埠、新安鎭車站、趙墩車站、瓦窯、宿羊山、車輻山、周閘屯等處，均早爲國軍駐守，日來上述各地並無戰鬥。乃鎭江方面近又不斷傳播此種絕對不確之謠言，顯係有人蓄意揑造，淆惑聽聞，希社會人士今後對鎭江方面所發出之消息，勿予輕信。

【中央社徐州二十八日電】窺伺隴海路商邱以西小壩之共軍巳被國軍擊散，一部回竄曹縣，另一部約三個縱隊則南越鐵路向寗陵縣境之觀音堂集一帶流竄，陳爲國軍兜剿中。小壩車站秩序二十八日巳恢復，車站附近被共軍破壞之路軌正搶修中。

郝鵬舉部將攻臨沂

陳毅抽調部隊阻截

【中央社徐州二十八日電】魯西共軍劉伯誠部積極向隴海路附近竄犯，意圖切斷徐汴交通，以威脅徐州。目前碭山以北及單縣附近，巳竄到共軍萬人，先頭部隊約一個團，到達碭山北十公里處。又豐縣西二十公里亦發現共軍三四千名，另股共軍約二個縱隊，二十七日竄向民權東西兩側地區，有圍攻民權之勢。該處國軍巳嚴予戒備。

【中央社徐州二十八日電】郝鵬舉部反正後，現正集中主力，準備向臨沂推擊，以搗魯南共軍之老巢。陳毅極爲恐慌，正抽調部隊前往防阻。又收復郯縣之國軍二十七日繼續推進，巳到滿上集迄沂水以西之線。共軍狼狽北竄。

【本報北平電話】郝鵬舉投誠國軍，巳經此間中共方面證實。某共方人士談及此事時稱：「來是由他願意來，去也就由他。」郝投誠後，國軍右翼壓力減輕，微山湖東形勢益爲有利。共軍劉伯誠部主力可能巳向運河以西抽撤，再作橫斷隴海之企圖，以遲緩國軍東進。乘機自魯南山地作西邁輻射之散開，以避免主力受殲。將來劉伯誠部可能一部在徐西越隴海南逸，一部撤回冀南豫北，靠近太行山。陳毅徐向前部則仍將化整爲零，分散於魯東南山地中。故國軍能否獲得共軍作主力決戰之機會，須視劉伯誠之行動是否成功。

【本報濟南二十八日發專電】魯東兩日來平靜，但共軍大調動，仍圖發動大攻勢窺魯南。連日魯西曹縣、單縣、魚台各縣仍在劇戰中。定陶係二十四日被共軍攻陷。二十七日晚魯北桑梓店附近有局部戰事，共軍有攻晏城可能。

【本報南京二十八日發專電】空軍總司令周至柔二十八日午飛赴徐州視察。又訊，郝鵬舉定二十九日由海州赴徐州請示。

定縣守軍彈藥告絕

新樂方面情勢益緊

【中央社保定二十八日電】定縣城內守軍彈藥告罄，危急萬分。二十七日晨由平空運補給，人心振奮，士氣旺盛。車站方面鐵甲車固守陣地。

【本報北平電話】平漢路定興以南迄保定間，共軍調動頻繁：㊀固城東站西二十里姚村竄到共軍野六、七兩旅各一部，共約三千餘人，有進犯國軍企圖。㊁徐水東高各莊鞏固店、周官營一帶竄到馬輝部四千餘人，圖犯車站。㊂共軍獨八旅二二、二三、二四三團，共五千餘人，據保定東南六十里蠡縣境大辛莊一帶築工事。㊃共軍新四旅一部及第八旅楊忠部，由滿城以北地區竄完縣吳村、岳山、尉公村一帶。

【本報北平電話】共軍攜械圍攻定縣新樂。新樂縣府原在東長壽，該地聞巳棄守。國共軍仍在東長壽南六蔡里之木刀溝隔河對戰。共軍新五旅刻巳竄至望都東北方顧僑許村、辛店一帶。

社評

西康亂事感言

提起西康問題，實在傷心無限。那是一個什麼世界，第幾世紀呵？中國版圖之內，倘有此等戰亂事件，且認眞在打着立體戰爭，可恥之至！

問題發生於去年三月，政府武裝剷煙。榮經天全人民頑强抵抗。戰禍延長數月，燒殺洗刼至慘。官民對立的形勢剛鬆弛了沒多久，歲底年邊又大打特打起來了。中央竟以飛機協助「戡亂」。然民變仍聲勢浩蕩，天全榮經失陷，雅安告急。問題嚴重到震動全國的視聽，更震撼着西南人心。西康何嘗邊遠？這個神秘的謎巳揭開，是不能不解決的了。

[illegible]亂起因於可恥的鴉片。我們知道，中國第一個不平等條約是江寗條約，那就是「鴉片戰爭」的產物。禁煙第一道命令是林則徐在一八三九年七月六日發出：「以十八個月爲限，斷絕鴉片。違者處死。」現在江寗條約廢除了，國民政府禁政更巳功德圓滿宣布結束。事實偏偏要那樣諷刺：鴉片戰爭又爆發在西康。戰事巳近一年之久。中國文明在那裏？政府體面又在那裏？

鴉片是誰勒種的，盡人皆知。變亂怎樣惹起的，更無從掩飾。雅安成了著名的煙土市場，巳非一日。毒化由那裏偷流出來，無人過問。西康這塊地方，有的是黃金白銀，鑛藏多，物產富。光緒年間在鹽源縣獲得一塊重五百兩的黃金，還運往巴拿馬博覽會陳列呢！西康麝香，曾是巴黎女子高貴香水的原料！爲什麼不要康定砂金，巴安白銀？不要豐富的皮革、羊毛、藥材？不要麥、粟、黍？偏偏獨愛黑色的鴉片！

我們不同情種煙，尤不同情「戡亂」。地方政治黑暗，民族及社會問題的複雜，政府置之不顧，硬認爲叛亂，必欲訴諸武力，這是危險與魯莽的舉動。「民不畏死，柰何以死懼之？」中國老百姓十分忠厚，如非官迫民變，不得已揭竿而起，沒有再比中國人民更好統治的了。但一度激變起來，可也不好惹。損害之大，更屬驚人。這種史例，不勝枚舉。像極不著名的宋代「方臘之亂」，輕輕一動，結果就是：「破六州五十二縣，殺平民二百萬。」激變是不可以兒戲的。而況西康還有一個複雜的民族問題。

西南各省少數民族不下十族。如無正確的民族政策，可謂隱憂重重。歷代蠻夷滋事，不可勝紀。當朝在位的，多不重威武。諸葛亮七擒七縱，求其心服。今日在西康變亂的倮倮，所謂「夷民」，即與孟獲同族。據林惠祥氏著「中國民族史」，這支民族在周爲「盧人」，在漢爲「僰」，在三國爲「南蠻」，在晉在唐爲「兩爨蠻」，在宋爲「烏蒙」，在元爲「羅羅蠻」，明淸以來，稱「倮倮」，「羅羅」，「夷人」，「蠻子」。他們與中國歷史共始終，是中國民族的一支，我們的同胞。他們是國家的主人之一，對國家的義務與權利，都不應有所歧視。就是說，倮倮與漢人，絕對是平等。倮倮有自己的語言，自己的「爨文」文字，自己的社會組織，我們尤應尊重之，保護之，並援助其改良與進步。不應臨以征服者之姿態，而撤其民。

西康主席劉文輝，治理康省巳二十年。今發生偌大變亂，難辭其咎。民心要求省政變革，事出有因，情屬可憫。以新式飛機，轟炸落後的人民，非文明之舉。當然，煙苦宜除，夷胞生活宜予改善，不良制度要改革，讓全體人民獲得自由平等解放，西康建設始有可爲。但這不是說，政府可趁此時機把西康中央化了。不以政治及經濟助力，去促使西康的民主與繁榮；不鼓勵地方自治及實現民族平等；則中央化者徒添紛擾而已。

中國疆域實在太大了，稍稍用心建設，則遍地黃金。偏偏短見之徒以好弄兵革，執迷於爭奪權力；一旦權力到手，則莫不以爲剝削及壓迫人民的工具。如此政治，中國尚復何望？我們認爲西康戰事是中國的奇恥，爲之心危。

日本將實行初步賠償

我獲首批物資約五十餘萬噸
接收困難在於缺乏運輸工具

【本報南京二十八日發專電】關於日本賠償問題，從日所獲之情形，可能插報告如下：

日本和約尚未成立，但日本將對盟國實行初步賠償。

現有關日本賠償的新聞，最來自駐物資委員會的東京。而東京傳來的賠償新聞太少了，即有，也零零星星的頗不具體。

[illegible]

顧祝同將由豫返京

傳胡宗南將繼任鄭綏靖主任

【本報南京二十八日發專電】軍聞社訊，徐鄭州綏靖公署主任顧祝同將軍，因陸軍總部公務繁忙，未便兼顧，巳奉令於日內返京。鄭綏署主任一職，以胡宗南將軍繼任呼聲最高。

【中央社保定二十七日電】㊀共軍冀察魯豫部萬餘人，二十七日竄據保定西五十里吳村、岳山，指揮部設於岳山，企圖威脅保垣。㊁保定西北花莊、曹莊二十六日午竄到共軍一部七百餘人，刻在該村附近徵集雲梯擔架。㊂保定南大冉附近共軍二十六日下午砲擊國軍陣地，迄今未停。㊃共軍新四旅前竄灣河東站西留馬、白亭等村，車站東高橋亦有共軍千餘名盤據。

【本報北平電話】交通界訊，平漢線北段方順橋及于家莊均爲共軍攻入。共軍進據新樂西南之化皮店後，巳與國軍在新安、正定間展開激戰。惟此項消息，軍方尚未接獲正式報告。

【本報北平電話】平漢北段定興高碑店間鐵路，二十七日夜遭共軍破壞五處，失去枕木上枝、路軌九段。北河店八十七公里處，同夜亦遭破壞。二十八日均巳修復，照常通車。

【中央社北平二十八日電】軍息：共軍自本月二十二日至二十六日進犯定縣城郊，集結兵力二萬五千餘，現仍繼續猛攻。新樂方面戰事亦甚激烈。

【中央社保定二十八日電】石莊北上國軍一部抵塞西店西二里小舖村，刻正與共軍展開激烈戰鬥。共軍七千餘人預伏東西板橋一帶，企圖堵擊國軍。又共軍第十旅三十、三十一兩團，配合民兵兩萬名分向定縣西北東南各據點胡公城、黄公城、塔子村、蘆莊、東西甘莊等處竄犯，整夜激戰。另一部三千人，包圍王莊車站，二十八日晨仍在激戰中。

中航又一客機失蹤

在由上海飛重慶途中
是三日間第二次出事

【本報南京二十八日發專電】滬訊：中國航空公司C—47型一百四十五號客機一架，乘客三十一人，於二十八日晨七時二十分自滬起飛，先至漢口，自漢口起飛後，於赴渝途中失蹤。按中航由廣州飛重慶班機二十五日失蹤，至今無消息，今又連續發生此事。

【中央社重慶二十八日電】中國航空公司一零三號飛機二十八日上午八時由機場出發，往南川等縣搜尋一三八號失事之客機，並於南川巴縣交界處之石龍場天空低飛盤旋甚久。下午飛返機場。失蹤航機下落，仍無所獲。外傳石龍場境內發現失蹤客機之說，似不確。據該公司負責人語記者稱：渠等除將繼續派機前往有降落可能之縣份搜索失事客機，並將飭該總公司電示辦理一切應變事宜。

【中央社臺北二十八日電】中航公司滬臺班機停航兩週後，今首次復航，該機可容乘客三十九人，今自滬來臺之乘客，僅有二十五人。自臺返滬時，則僅十五人。

各方在滬交換時局意見

民社黨對參加政府在討論中

【本報上海二十八日發專電】民社黨中常會於二十八日下午二時在國際聯歡會張君勱寓舉行。在滬中常委全體出席，會中討論參加政府原則問題，歷三小時餘，仍無結論。二十九日將繼續討論，待有具體決定，即將通知在滬首要秘書長，轉達中樞。確息：民社黨欲在參加政府前政府表現三事：（一）徹底改變一黨主政作風，還政於民；（二）憲法精神能先見諸事實；（三）政府改組內容如何。其中以第三點爲重，民社黨即將提出具體意見，以試探政府對改組誠意如何。

【中央社上海二十八日電】吳秘書長鐵城二十八日晨由京抵滬後，曾分別與民社黨張君勱、青年黨陳啓天作酬酢性質晤敍。記者今往訪吳氏，叩詢時局情形，承發表談話稱：「政府始終不放棄和談之努力，惟中共對此既巳堅決拒絕，暫時巳無恢復希望。三中全會決定在三月中旬召開，主要任務在討論黨政分立之辦法，俾本年年底實行憲政時，國民黨得與其他各黨派以同等地位共同推進民主政治。故今後國民黨黨務工作方針，當不外宣揚主義，領導人民，促進憲政，及競爭選舉等四點。」吳氏身體巳完全康復，擬在滬稍作勾留，即行返京。

【中央社上海二十八日電】曾琦今日上午與左舜生、李璜、陳啓天晤談，廣泛交換時局意見，下午曾訪吳鐵城。

魯東戰事沉寂

共軍攻馬山遇挫

【本報青島二十八日發專電】魯東共軍此次呼應魯南攻勢，現巳失敗。進攻馬山皆東之二萬共軍，現巳傷亡三千餘人，國軍亦有相當犧牲。共軍進攻未逞敗退後，現戰事巳趨沉寂。但共軍仍有再犯模樣。惟以郝鵬舉部投降，魯東共軍巳呈動搖狀態。

【中央社青島二十八日電】中共東北民主聯軍第四軍孫湧部巳出大連運抵煙台，人數不詳。惟悉內有日軍一千四百人，部隊長爲谷野剛盎，化名徐志雄。

飛機偵察延安

新華社之報道

【本報南京二十八日發專電】新華社延安二十七日電：二十七日下午四時半，政府機一架，在延安上空低飛偵察。

晉西南國軍

進駐和尚嶺

【本報北平電話】在平遙介休中間地區孫家寨、萬戶堡、孔家堡等地進擾之共軍，現巳增至四個旅。二十六日發有兩個支隊進犯中閤村，均被守軍擊退。

。晉西南國軍二十三日克復和尚嶺後，巳粉碎共軍攻吉縣之企圖。現國軍正

西康軍民激戰

傳天全縣境官兵受挫

【本報成都二十七日發專電】西康雅屬一帶之軍民衝突，戰事激烈，天全縣境內官軍挫敗。據雅安來客談：飛關場官軍被圍，傳團長劉元珂巳被民兵俘虜。又康省於蓉學生百餘人因川康交通受阻，不獲接濟，康主席劉文輝巳撥款五百萬元來此發放。

鋼鐵會議明日結束

昨對拆遷日鋼廠事有所報告

【本報北平電話】鋼鐵會議定明日結束。各項原則巳大致擬定，[illegible]

中共派員赴長

調查軍調部糾紛眞相
李初梨有電致葉劍英

【本報北平電話】軍調部長春分部糾紛，中共方面巳派王良科上尉前往調查眞相。國美兩方參謀長巳發給護照。王上尉二十八日將乘機飛往，中共長春代表李初梨二十七日有電經美方轉給葉劍英委員，報告彼等在長因無供應，情況至窘。中共方面仍根據李氏報告，向國方提抗議，並堅請召開三委員會議。

接收大連問題

大連市府秘書長今日赴瀋
對於接收將先作相當準備

【本報北平電話】關於接收大連問題，聞大連市長龔學遂一時不能北上，特派秘書長黃文斗二十九日由平乘車赴瀋，與大連市留瀋人員對於接收作相當準備，並對待命之警士作安寗之安排。

【本報瀋陽二十八日發專電】大連何日接收，頗爲此間人士所注意。營口普蘭店前線二十七日有蘇軍駐大連少將指揮官，關保一百五十師師長，率兵四十名至普蘭店訪晤我第一線指揮官周璞上校。據云對於貔子窩東南海面長山列島駐軍事，有所商談。聞該列島上現有共軍。又國軍收復石河西海面臻豆島後，其東南之前後大連島上蘇軍哨兵亦巳撤退。

中國答謝美工業界

華美協進社歡宴美工業代表
顧大使說盼續助我訓練人才

【中央社紐約二十七日電】華美協進社今晚設宴招待美國五十一家在戰時訓練中國學生工業技術之工業公司代表。我駐美大使顧維鈞於會中代蔣主席提交謝函。顧大使稱，爲求推進中國各方面之工業化計畫，此後十年內需要訓練以千萬計之技術人才，美國之與中國合作爲之訓練專門人才，不僅使中國受益，而中美之睦鄰與友誼亦必因之增進。中國可由此受訓之人員前述明瞭欽仰美國高度工業效率，同時美國工業界人士，亦可由以百計之受訓人員明瞭中國人民之目的，對現代化之熱誠與理想及中國青年之如何熱烈學習世界最優良工業之知識與經驗。蔣主席因諸君友好之協助，表示欽敬之忱，是亦表示全中國之情緒。蔣主席及余均希望此種最有價值及富義之合作，可以繼續發展而促進堅固之世界繁榮。

前駐華美軍總司令（現任美第二軍長）魏德邁將軍繼稱：余對中國之前途極具信心。中國工業人員學習技術，甚爲敏捷。魏氏稱呼籲美國續協助中國之復員與復興。渠稱，中美兩國以互相信賴之精神繼續合作，可以促進遠東與世界之和平與穩定。

受謝者之一，西屋電氣公司董事會主席琥勒特稱：西屋公司決協助中國樹立電化之工業，並可訓練中國學生三百人學習美國之現代製造技術。

中國學會會長馬洛里致歡迎辭稱：中國學會之被邀爲東道主，係因其毫無政治性，同時中美政府及人民又公認其具有促進中美良好有益之關係重大責任之故。

本日被請者中包括美國工商界若干最著名人物。此外何應欽、郭泰祺、金開德上將，前紐約市長李門及盧作孚等均在座。

蔣主席答謝函

余茲代表中國政府欣然感謝諸君及貴關係人員，合作訓練本國在戰時選拔赴美研究生產技術之人員。由於貴國國務院及華美協進社之努力，諸君及其他美國工商界人士，對協助我國完成巨大建設計畫之貢獻，尤甚於諸君所能覺察者。且友誼最能促進貴我兩國之繁榮與合作，此項計畫即將有此效能。今戰時訓練計畫巳告結束，余誠懇希望能由其他方法，繼續此項重要任務。中國極需受現代技術訓練之男女，吾人在面對此後重要之歲月時，極盼美國之協助。

京大屠殺案調查中

證人六百餘人傳訊竣事
明日掘墓檢驗被屠屍骨

【中央社南京二十八日電】國防部審判戰犯軍事法庭自本月二十五日起連續在中華門外第十一區區公所開臨時調查庭，傳訊南京大屠殺案被害人家屬。二十八日前往應訊者達百餘人，每日約八十餘人。石庭長美瑜每日均親自主持，分三庭訊問，自上午九時起至下午四時半方畢。

據石庭長告記者，調查工作大致告一段落，連日前來應訊者共六百餘人，均係居住中華門一帶之市民，可知當年敵軍屠殺實以該區爲最慘。據世界紅卍字會南京分會冊內載於掩埋屍體之記載，在該區由該會掩埋隊分組掩埋之屍體計四萬餘具，分別掩埋在雨花台附近。第十一區區公所後一大塚即埋有屍體兩千餘具。其由被害者家屬自行收殮或如兵工廠內被害五千餘人先行屠殺，繼以火焚，無屍可殮者尚不在內。現決定三十日下午二時由本人率同審判官葉在增、李元慶、宋書同、葛召榮會同世界紅卍字會南京分會總務組組長歐陽都麟、首都地方法院首席檢察官陳光虞、第十一區區長張富庚、保長劉德萬、檢驗員宋士豪等前往發掘被害者埋葬之墳墓，檢驗屍骨，屆時並請中國電影製片廠及中央宣傳部攝影場派員到場攝製影片，作該案有效之證據。

滬學生紀念「一二八」

會場通過宣言指摘美國

【路透社上海二十八日電】今日此間舉行「一二八」淞滬抗戰紀念大會，約有一千五百人（大部是學生）參加。其後發展成反美示威性質，在熱烈掌聲中通過了反美宣言。該宣言指摘美國劫奪了中國對日本的勝利成果。民主同盟會員數人亦係主席團之一。

張垣風雪奇寒

入夜一片漆黑
各工廠待電力纔能開工

【本報北平電話】張垣來人談：張垣連日狂風怒吼，雪後是空前之奇寒，日間平均巳在零下十五度，故行人稀少，市況蕭條。張垣僅有供應三百盞電燈之發電機，因使用過度，二十六日突然損壞。張垣入夜後，各主要街衢又是一片漆黑。當地渴望在平新訂購之發電機早日安裝完成，以應急需。聞平方估計，當在半年後始能供電，漫漫歲月，實有不堪等待之苦。據察省工業電氣整理委員會在張垣整理附近機器工廠三十三單位結果，認爲無法恢復者十八單位，其餘需款二百億，但首要者則爲電力之恢復。據資委會副主委孫越崎向察省當局表示，下月赴東北歸來後，將赴張垣一行，代表國營工廠主持視察當地情況，並謀配合之辦法。

薛篤弼飛鄭

視察花園口

【中央社鄭州二十八日電】水利委員會薛委員長篤弼二十八日下午由京飛鄭，赴花園口視察。據薛氏告記者，花園口與鄭總及中共方面商談堵口問題，尚無具體結果。

【中央社鄭州二十七日電】花園口堵口工程之進行，頃決定先將口門便橋東西兩端堵齊，然後於中間築沖走木樁處拋扎柳捆，令口門完全合龍。此需柳枝等材料約二千四百萬市斤，巳派員分赴鄭汴等六縣代購，於二月底辦齊。流入引河水流，較前巳減少三分之二。但據報修防處電稱：水頭巳於二十六日至濟南濼口。

南海海盜

趁風打劫

【中央社上海二十八日電】行總被劫帆船迄無下落。[illegible]粵省當局以雷州半島附近時生匪患，巳派艦前往清剿。惟該地居民有一部分爲生計所迫，鋌而走險。行總現巳撥大批物資救濟當地居民，前後受惠者巳達十萬人左右。

京大屠殺案調查中

證人六百餘人傳訊竣事

明日掘墓檢驗被屠屍骨

【中央社南京二十八日電】國防部審判戰犯軍事法庭自本月二十五日起連續在中華門外第十一區區公所開臨時調查庭，傳訊南京大屠殺案被害人家屬。每日前往應訊者達百餘人。二十八日開庭後調查庭，應訊者更形擁擠，達百八十餘人。石庭長美瑜每日均親自主持，分三庭訊問，自上午九時起至下午四時半方畢。

據石庭長告記者，調查證人工作大致告一段落，連日前來應訊者共六百餘人，均係居住中華門一帶之平民，可知當年敵軍

及中央宣傳部攝影場派員到場攝製影片，作該案有效之證據。

1947.1.29《新江蘇報》 南京大屠殺傳訊被害人家屬

徐州會戰序幕揭開 共軍鉗形攻勢失敗
郝鵬舉反正後即實行反擊

中航失蹤客機 傳在南川發現

美各大工業 訓練我技術學員
蔣主席特專函致謝

聯總駐華機構 本年六月結束
行總工作仍將延長

日工人五萬示威 要求推翻現內閣

粵省府擬就計劃 開發西沙羣島
已奉令接收并派員駐守

和談暫無恢復希望 改組政府短期實現
—吳秘書長昨日抵滬談—
民社黨昨開會商組府問題

日本初步賠償物資 我可獲五十萬噸
接收工作已有相當準備

蘇聯在烏拉爾山 祕密建原子工廠
美國會一領袖要求 加強保守原子祕密

京滬黃金美票 已趨微落

現在僅是時間問題 周佛海是死定了
首都高院趙院長談話

冀省根除水患 整修五大河流

張平羣發表聲明
爲譯本「中國之命運」 以麥克美倫出版者爲準確

菲島驅逐華僑移民案

津美軍飛機 投擲救濟品

美駐日代表 艾其森飛美

南京大屠殺案 傳訊被害人家屬
調查工作大致告一段落

薛委員長篤弼 視察花園堵口工程
與中共商談無具體結果

共軍猛犯定縣
國軍由空運獲得補給 城內安然郊外激戰中

遷外長否認 攻掠我僑胞

蘇聯建議四強 起草對德條約
以備忘錄致四外長代表

東京橫濱 昨輕微地震

淞滬抗戰 十五週紀念

聯總遠東區 本年首屆會議

簡電

南京大屠殺案

傳訊被害人家屬

調查工作大致告一段落

（南京廿八日電）國防部審判戰犯軍事法庭，自本月廿五日起，連續在中華門外第十一區區公所開臨時調查庭，傳訊南京大屠殺案被害人家屬，每日前往應訊者達百餘人，廿八日開投後踴往庭，應訊者更形擁擠，達百八十餘人。石庭長美瑜，每日為親自主持，分三庭訊問，自上午九時起至下午四時半方竣。據石庭長告記者，調查證人工作，大致告一段落，連日前來應訊者，共六百餘人，均係居住中華門一帶之平民，可知當年敵軍屠殺，實以該區為最慘，據世界紅十字會南京分會卷冊內，關於掩埋屍體之記載，在該區由該會掩埋隊分組，掩埋之屍體，計四萬餘具，分別掩埋在雨花台附近，第一一區公所後一大塚，即埋屍體二千餘具，其由被害者家屬、自行收殮，或如兵工廠內被殺五千餘人先行屠殺，繼用火焚無屍可殮者，尚不在內。茲決定卅日下午二時，由本人率同審判官宋書同李元慶葉在增葛召棠會同世界紅十字會南京分會總務組組長歐陽都麟，首都地方法院首席檢察官陳光虞，保第十一區區長張宮庭，保長劉德才，檢驗員宋士豪等，前往發掘被害者叢葬之墳墓，檢驗屍骨，屆時並請中國電影製片廠，及中央宣傳部攝影場，派員到場攝製影片，作該案有力之證據云。

1947.1.29《中國日報》 調查告一段落明發掘叢葬處

內政部定四月中舉行 全國警政擴大會議
討論範圍包括建警實施方案

【大同社訊】內政部以我國步入憲政大道，建警五年計劃，須待次第實施，復以軍隊復員以後，平時治安，端賴警察維持，特定今年為建警年，以資推進，此項工作，經常由該部警察總署規劃釐訂實施，目前警察之建立須待各省警保處改制，始能循序而進，故建立警保處為該部最近中心工作之一，內部為求集思廣益，樹立百年警察大計，特決定召開全國警政擴大會議，以張部長厲生為主任委員，唐署長縱為副主任委員，與會人員計為各省警務處長，省會警察局長，警總署處長，中警校教育長，中警分校主任，並邀請警察專家法學專家參加，人數約在一百人以上，時間約在四月中旬，會期約為一週，該會之舉行，將可確立建警方針，與實施方案，而為我國警政樹立一新紀元。

南京大屠殺案調查工作告一段落
明日發掘被害人叢葬處

【軍聞社訊】國防部審判戰犯軍事法庭，自本月二十五日起，連續在中華門外第十一區區公所，開臨時調查庭，傳訊南京大屠殺案被害人家屬，每日前往應訊者，均達百餘人，昨（廿八）日為最後調查庭，應訊者更形擁擠，達百八十餘人。石庭長美瑜，每日均親往主持，分三庭訊問。自上午九時起，至下午四時半方畢。石庭長告記者：調查證人工作，大致告一段落，連日前來應訊者，達六百餘人，均係居住中華門一帶之平民，可知當年敵軍屠殺，實以該區為最慘。據世界紅卍字會南京分會卷冊內關於掩埋屍體之記載，在該區由該會掩埋隊分組掩埋之屍體，計四萬餘具，分別掩埋在雨花台附近，第十一區區公所後一大塚，即埋有屍體二千餘具，其由被害者家屬自行收殮，或如某工廠內被害五千餘人，先行屠殺，繼由火焚無屍可殮者，尚不在內。茲決定明（卅）日下午二時由石庭長率同審判官宋書同、李元慶、葉在增、葛召棠，會同世界紅卍字會南京分會總務組組長歐陽都麟，首都地方法院首席檢察官陳光虞，第十一區區長張富康，保長劉德才，檢驗員宋士豪等，前往發掘被害者叢葬之墳墓，檢驗屍骨，屆時並請中國電影製片廠及中央宣傳部攝影場，派員到場攝製影片，作該案有力證據云。

白鷺洲案 下月宣判

【民本社訊】白鷺洲血案中主角朱克明，經高院多次開庭審理，迄未審結，茲據確悉，此案至遲於下月中旬，可告判決，惟大赦令頒佈後，朱克明即係兇手，也將依照大赦規定獲釋，而免一死，若判決無罪，則即可出獄矣。

管理娼妓辦法 送市參會參酌

【民本社訊】關於管理本市娼妓一事，市參議會前曾決議：由警廳嚴格管理，並擬定辦法，送市參會通過後實施。據悉：是項娼妓管理辦法，已由首都警察廳擬定，並送請市參議會參酌，一俟通過，即可逐步實施。

國防部重視考銓業務

【大同社訊】國防部第一廳，原由前軍委會銓敍廳所改設，因鑒去……經管全國各級部隊軍事機關軍文職人員將校尉級之銓敍，業務繁重，乃將原銓敍廳經管之海陸空軍上校以下官佐銓敍業務，移交副官處辦理，經數月來之試辦，頗多不便，值此憲政開始，民主之基已奠，尤待復員軍官轉業及敍待繼需考銓，為謀一事權及加強業務計，擬將第一廳擴大為七個處，分管全國海陸空軍將校尉各級官佐之考銓事宜。

……此項撥款，並提經國防部參謀會報通過，俟呈奉行政院核准後，即可實施云。

小統計

【民本社本市訊】據首都警察廳戶政科上年十二月份統計，本市不識字民衆計三十七萬五千八百八十八人，以婦女居多數，失學兒童計八萬〇〇四十五人。無業者二十三萬八千四百七十五人，其中男十二萬七千九百六十二人，女十一萬〇五百十三人。

志成獎學會 補助清寒生

【中央社訊】前京市臨參會全體參議員，為獎助京市清寒學生，曾於去歲第一次會議時，捐助全部車膳費一百零五萬元，作為獎學基金，并由京市名醫張簡齋，以診金所得，先後捐送一千四百萬元，又各方致送張氏壽禮四百七十萬元，總共一千九百七十五萬元，經組織董事會，聘定伍仲文，傅選青，陳耀東等十五人為董事，昨（廿八）舉行第一次董事會議，決定名稱：定為南京市清寒學生志成獎學基金董事會，獎助辦法，分（一）獎學，（二）助學，（三）貸學三種，京籍學生佔百分之八十，本期先以息金五百餘萬元，作助學之用，并規定助學名額為大學十名，每名補助十二萬元，高中二十名，每名十萬元，初中三十名，每名八萬元，二月一日起，公開登報徵求，六日截止，七日審查，八日公佈，九日發款。

第二批難民 今日遣送

【中央社訊】今（廿……人數，共計一五四九人，內圍鎮站三六七人，臨淮站四〇三人，宿縣站四一二人，蕪湖站三六七人，三日來遣送人數合計三千三百五十二人，如無特殊阻礙，遣送工作，將於二月中旬前完成。

【中央社訊】皖災急振游藝大會於十八日下午二時借國民參政會會議室舉行籌備會，推定黃夢飛、劉啓瑞等為常務委員，決舉行盛大音樂會，公演平劇、歌劇等，京滬名角均將被邀參加。同時張文白將軍將宴請本市工商界、金融界暨熱心社會事業賢達，共助盛舉。

大批補給貪官判處死刑
補給司令記大過一次

【大同社訊】聯合後勤總司令部，前據報該部第四補給區總經理處少將處長吳及，前被服整理站中校主任陳懷清，上尉組員崔濟川、陳家驊，中尉庫員郭瑞理，庫兵郭子弱，共同連續侵佔公有棉花、布疋、被服等物，並收受賄賂，被服科上校科長李樹梧，侵佔軍布，收受賄賂，第六運訊器材庫上校庫長包其廟，就扣財物，第十六前進庫倉中校庫長陳玉龍，上尉庫員丁猛，共同侵佔軍用燈泡，兵工第一儲備庫中校庫長唐志，侵佔軍用脊椿測速表，汽車鋼板，腳輪胎，汽油，侵佔士兵缺額，昆明營產管理所上校所長曹發朝，連續侵佔美軍庫存機器，各補照相器材，小型機器多件，并自去年六月份起，侵蝕校尉官佐缺額各案，業經該部派員查明屬實，呈由國防部轉報最高當局核示。茲悉：蔣主席以該吳及等身為補給機關高級人員，竟敢貪污成性，因顯法紀，殊堪痛恨，除吳及等十二名，均判處死刑，就地槍決，用照炯戒外，該補給區司令白雨生，身為主管，對部屬監督不嚴，以致貪污四起，尤屬有虧職守，並予記大過一次，以觀後效云。

獲赦軍事犯 多無家可歸

【軍聞社訊】政府此次為慶祝憲法成立，特頒佈大赦令，寬恕各輕犯罪囚，因而獲赦者，為數甚衆，茲悉：在大赦令內之軍事嫌疑犯，釋放後，多為無家可歸者，衣、食、住均成問題，國防部已令飭預算局財務署，速具預算將予撥款救濟云。

冬賑米款 發放完竣

【本報訊】本市冬令救濟賑款及賑米，冬令救濟委員會已將城區全部發出。第一、二、三、四、五、六等區，計有貧民二萬九千三百五十六戶，發出賑款二億一千一百七十萬三千元，賑米一千另五十一石四斗，惟各區亦有少數貧戶尚未至區公所具領，該會最近將另擇適當……

政院頒行軍粮交接辦法

【中央社訊】軍粮交接辦法，已由行政院修正通過公布施行，其要點為（一）撥粮機關交付軍粮，應按照核定交接地點，品種，數量及限期，交補給機關或軍倉接收，（二）凡軍倉及出粮倉庫，即設於交接地點之城鎮者，撥粮機關可將運到應撥軍粮，逕行運交軍倉，其已運集粮食者，應將待撥數量，通知在同一地之軍倉備查，俟受領單位領粮時，由軍倉派員會同就庫發給，（三）撥粮機關運集交接地點之軍粮，應隨時填具三聯撥粮通知單，以第一聯存查，第二聯通知補給機關，第三聯通知同在一地或附近之軍倉，（四）軍倉接到通知單時，即填具四聯印據，前往接收，以第一聯存查，第二聯送由撥粮機關蓋章證明後，由軍倉以最速方法逕送補給機關，第三四兩聯交撥粮機關分別存查及專送省田粮機關或粮食部直轄儲運機關，（五）部隊經過地區，如無軍倉，必須逕向撥粮機關領粮時，應照規定，持具補給機關補給證，向撥粮機關洽領撥粮機關發粮後即以補給證向指定補給機關轉賬。（六）撥粮機關應按照核定品種撥交現品，若因情形特殊，折發代金時應由該管通知撥粮主管機關，按粮食部核定價格核計，并截留折交現品數量。（七）撥粮機關撥交軍粮，應一律撥交淨糙，產麥省區應撥交淨麥，在可能時，得撥交麵粉，米麥每大包各淨重二百市斤．小包淨重四十市斤，麵粉每袋重四十四市斤，搭交雜粮時除照規定外，可依臨時商定之折合率辦理。（八）交接雙方應需衡器，由補給機關及田粮機關分別訂製。（九）重要交接地點，應由當地縣長、縣黨部書記長、參議會議長、度量衡檢定人員，當地駐軍長官暨田粮機關補給機關主管合組評議委員會，鑑定品質并解決交接糾紛。（十）交接雙方，如不按照核定之交接地點、品種、數量及期限，撥交或接收時，由該管區最高軍事長官查明責任分別議處。

寒門不幸室及繼配楊素貞女士痛於民國三十六年國歷元月九日下午二時四十分壽終寢內寢距生於民國紀元前七年五月二十日亥時得年四十有三歲不孝男努供職郎溪縣政府社會科長兼郎溪日報社社長聞耗匍匐奔喪不孝女慧恕侍奉在側親視含殮遵禮成服奄柩在堂謹擇於國歷元月三十一日（即農歷正月初十日）扶柩暫厝一天門普慧菴叨在戚族世學友鄰黨誼謹此訃

謹擇國歷元月廿九日卅日卅一日即農歷正月初八日九日十日家奠領帖發訃

杖期生 張競俠 抆淚頓首

哀子 努 泣血稽顙　哀女 慧恕 泣血稽顙　媳 吳萬英 泣稽顙

郵資簡表

十元　五十元　一百元　一百元　二百元　二百五十元　三百五十元　二百五十元　四百元　二百五十元　五百元　四百元　五百五十元　十元　三十元

（每重五十公分）　（每重一百公分）

春節聯歡
民營各通訊社 今在萬利歡會

【大同社訊】首都新聞事業現如雨後春筍，極為蓬勃，日報發行者計有中央，和平，大剛，救國，大道，南京人報，南京晚報，新中華，中國日報，中國特報，新民日刊，晚刊，社會，首都，益世，朝報，評論等二十家，通訊社除中央社，軍聞社兩家外，民營通訊社於勝利後，首先在京復刊者，則為民國二十二年創刊之大同社，次復刊者為遠東社，去年六月間，國光，真理，民主三通訊社繼續創刊，去年年底更有曙光，東方，民本等通訊社發稿，定二月一日發稿者計有新新，改造兩家，已登記即將發稿者計有大華，中國，聯合等三家，年來各通訊社，相互競爭，在艱苦狀態之下，業務日漸發達，茲為聯絡感情，增進工作起見，特定今日午後六時假座萬利酒家舉行春節聯歡，並將商討籌組首都民營通訊社聯合會事宜。

首都各界首長 月杪聯歡戍部

【軍聞社訊】首都各界定於本月卅一日下午五時假首都衛戍司令部禮堂舉行春節聯歡會，邀請新聞界負責人及外勤記者參加。茲悉：此次參加之機關有國防部，衛戍部，憲兵司令部，市黨部，市政府，市參議會，青年團，警察廳等單位，各界首長屆時亦親臨參加云。

教局在各區選定 中心國民學校
各校校長人選調整

【本報訊】本市各國民學校，其校名或以地名或以所屬之區保名稱為校名，市教育局為統一校名起見，特規定自下學期起，各學校一律以所在地之地名為校名，同時為積極推進國民教育之輔導工作起見，並在各區選定中心國民學校一所，並調整校長人選，以担負輔導區內各國民學校之責任，茲誌各區中心國民學校之校址及校長姓名如下：第一區中心國民學校在珠江路小學原址，校長吳鐵。第二區中心國民學校在八府塘小學原址，校長王桂林。第三區中心國民學校在府西街小學原址校長羅孟平。第四區中心國民學校在四區三保小學原址，校長丁超。第五區中心國民學校在五台山小學原址，校長徐尚棨。第六區中心國民學校在瑯琊路小學原址，校長陳越梅。第七區中心國民學校在綏遠路小學原址，校長王蕾湘。第九區中心國民學校在燕子磯小學原址，代校長金廷棟。第十一區中心國民學校在孝陵衛小學原址，代校長孫為之。第十二區中心國民學校在雨花路小學原址，代校長邵子楨。第十二區中心國民學校在上新河小學原址，代校長喬宗元。第十三區中心國民學校在湯山國民學校原址，代校長駱繼倫。第八區因浦口僅有二校，故併於第七區內，不另設中心國民學校。

日期補發，逾期再不領取者，則以棄權論，至於郊區前以調查失實，將由該會召請各區負責人或代表，會同複查後再行發放。

四面八方

事務員盜賣斗息

利川　縣府在城內米市拿獲盜賣斗息之都亭鄉公所事務員郭某一名，經拘押偵訊後……

[illegible]

慈谿 嬌妻夜逃夫自縊

[illegible]

松江 農家遭刧一夜窮

[illegible]

監委王平政梅公任等 續劾郭懺彈劾案全文

【本報訊】監委王平政、梅公任等續劾郭懺藐視法令，妨害公務一案，經監委蔡白聲等審查成立，已誌昨報，茲將彈劾書原文錄後：

為續提彈劾事查前第六戰區副司令長官兼參謀長兼武漢警備總司令現任國防部參謀次長郭懺，擅自動用接收物資違法瀆職一案，由委員何克夫、何漢文，監察使苗培成，於去年九月十一日提案彈劾，經委員錢自修、李宵庭、毛紹逸審查成立，請依法移付懲戒，嗣復查得該郭懺，在武漢任職期間，違抗主席命令，包庇偽軍長鄒平凡，收受偽金鼎饋贈，及留滯航輪，用供遨遊逸樂等違法越權貪污瀆職事實，於十月十八日，由監察使苗培成，委員何漢文，再行提案彈劾，經委員李世軍，丘念台，劉士篤審查成立，請依法移付懲戒先後送請國防部查核辦理在案，該郭懺稍顧法紀，自應靜候依法辦理，乃自該兩劾案提交國防部後發現下列事實，委員等認為該郭懺藐視法令，情節重大并對于本院行使職權施行侮辱，實有續提案彈劾之必要：（一）查對于軍事長官之懲戒，依民國二十二年十月二十八日公布之國民政府軍事長官懲戒委員會會務規程之規定，凡軍事長官，被彈劾案件，應由軍事委員會內設立之軍事長官懲戒委員會審議決定，目前軍事委員會業經撤銷，所有業務併歸國防部主管，在前項規程未經國府明令廢止或修改以前，國防部對於何委員等所提之第一彈劾案雖經陳參謀總長根據郭懺之申復，電復本院，但懲戒程序未完，仍應依照法定程序辦理。又查國民政府軍事長官懲戒委員會會務規程第八條規定「懲戒案件，在未經公佈以前，本會職員不得洩漏，其與委員本身有關係者，審議時，須迴避之」，乃該郭懺，對苗監察使等所提之第二彈劾案，在未經懲戒機關審議決定公佈之前，竟以其職守之便，披露全部有關文件，（有十二月二日，南京和平日報載郭懺面交記者照片及有關文件，又漢口新湖北日報載郭懺委報館請求披露之函可證），不惟違背公務員服務法第四條之規定，並任意對監察人員執行職務加以詆毀，以破壞政府威信，藐視法令，莫此為甚，（二）查該郭懺先後擅自動用接收物資，並未呈奉上峯核准，且經軍政部去年一月十六日子皓代電飭作，略云「貴部及接管委員會等擬製官佐及學員冬服與夏服，已就接收之日軍倉庫軍服料，檢提一部份分配利用附分配表一份，請核備一案，查冬夏服，係屬本部統籌製發，各機關部隊應照規定手續請領，且服裝制式，原有一定製作，而接收敵偽物資，尤待合理分配與利用，以充軍力，所請提用該項服料有關國家整個計劃，歉難照辦」等語，該郭懺復以第六戰區長官部名義再行續請，又經軍政部四月廿九日卯豔製代電飭開：查貴部及接管委員會等十單位提用接收日軍倉庫所存布疋經核表列品種多非軍服用料者，如安安布，紅洋布，白條絹網，花條網等，應不歸本部接收範圍，該項物資應由經濟部標賣變價歸公，本部實未便越權代准，承囑以既成事實，無法收回，仍請准予核備一節，實有歉難照辦之處」等語，後行政院處理接收敵偽產業特派員辦公處，代電軍事委員會委員長武漢行營，亦稱：「前准第六戰區兵站總監部卯支渾接字第二二七一號電，送呈配發接收物資統計表一份，並於該表末頁，附註說明第四條，以奉長官部令賚，將配發各機關部隊物資，免估價扣抵一案，經呈奉行政院本年六月廿四日已敬節京叁字第二八八八號代電示第六戰區兵站總監部接收敵偽物資統計表所列各項物資，未便充作勝利獎品一節，可見該郭懺私擅處分始終未經核准，其先後續動用至四次之多價值達四十億元之鉅皆有案卷可查，郭又藉口曾奉陳部長口頭命令許可，姑無論其所稱事屬無稽，且依法亦無口頭允許動用物資之理，夫處理接收物資，中央原有一定辦法，任何人均應遵守，況所動用者，多非軍事用品，不屬軍政部管轄範圍，不能越權核定處理，又鄒平凡部搶奪在漢日軍倉庫財物械彈，私售牟利一案，經主席以戍庚府軍義電及戌養府軍義代電，列舉被控罪行，責令查究孫長官蔚如會批「鄒已奉召到渝，查復報告各節」該郭懺加批「關此案，前在渝會面請委座免究業蒙俯准」等七字，以致該案延擱未辦，鄒則至今逍遙法外，乃該郭懺強指此十七字為孫長官所批，縱使孫長官予以承認，但該十七字與孫長官前批之十二字，各成段落，且其下有郭懺親筆簽名，該郭懺何能妄冀以長官為掩護，希圖脫卸責任，至此十七字究為何人手筆，將來懲戒機關不難予以精密鑑定也，（三）查年來民生凋敝，應酬奢靡，早經懸為厲禁，該郭懺於調遷離漢之際，收受重達二百六十兩以上之金鼎，當時價值六百五十餘萬元，又收受數達一千六百餘萬元之筵席費，又扣借招商局萊源輪，用作逸樂遊宴之具，足徵貪婪奢侈達於極點，乃猶多方狡辯，於金鼎則曰人情之常，於筵席費則，不敢矯情固辭，亦係藉口移送教育廳，作救濟貧寒學生之用以自詡，於萊源輪則謂，僅七小時半，認為不值一辯，不知公務員服務法第十六條規定，「公務員有隸屬關係者，無論涉及職務與否，不得贈受財物」，千餘萬元何等鉅款，金鼎何等重品，該郭懺竟泰然受之，而謂曰人之常情，又為圖遨遊宴樂，扣留輪船，置數萬滯渝還都人員於不顧，而謂，不值一辯，可知其早已習非為是，若不予以嚴懲，則將來全國公務人員紛起效尤，毀法蕩紀，寧有救藥乎，（四）查郭懺私擅處分接收物資及庇護偽軍長鄒平凡，斂取財物，扣留輪船，以供宴逸等情，已於前兩次提案彈劾，此次復違背公務員服務法第四條之規定，應請併予移付懲戒，再查該郭懺以種種侮辱之詞，公諸報端如謂：「查實非張，信口栽誣，出諸時常無識之人，固不足責，乃出諸堂堂監察使之口，寧非怪事」，「張冠李戴，含血噴人，實屬別有用心」，「該苗培成當時利用職權，抽取公文，伺隙煽動，斷章取義，故入人罪」等等謾罵之詞，均有使人難堪者，查刑法第一百四十條規定，對於公務員依法執行之職務，公然侮辱者，處六月以下有期徒刑，拘役或一百元以下罰金，該郭懺顯有觸犯本條之罪嫌，再查刑法第一百卅一條規定，公務員對於主管或監督之事務，直接或間接圖利者，處一年以上七年以下有期徒刑，得併科七千元以下罰金，犯前項之罪者，所得之利益沒收之，如全部或一部不能沒收時，追繳其價額，該郭懺假借權位，違抗上峯命令，擅自處理價值四十億元之鉅額接收物資以自肥，並以分惠其僚屬，實有觸犯本條之罪嫌，應移送軍法機關審判，委員等為維護法紀，整肅官箴起見，特再提案彈劾，請將前第六戰區副司令長官兼參謀長兼武漢警備總司令現任國防部參謀次長郭懺，移付軍事長官懲戒委員會及軍法機關依法懲戒審判，監察委員王平政、梅公任、何克夫、毛紹逸、萬燦、何漢文、俞鍾[illegible]、胡伯岳、劉士篤、汪牌繼、[illegible]、季波、吳南軒、金維繫、王子弦、王冠吾、丘念台、李正樂、石穎、于樹德、李宵庭、湖南湖北監察區監察使苗培成。

啓

本日稿擠，「大衆喉舌」暫停一天。（編輯部）

「物」廢歟？「人」廢歟？

同是蔗渣 我們當柴燒 人家製玻璃

在美國的路易斯安那州，為一廣大種蔗栽培地，經過壓榨後的蔗渣，在過去，皆視作廢物，後來經學者的研究，知道可供給製造可塑性的物料，因為甘蔗的蔗中，纖維質很豐富，在製造之先，經過充分的乾燥，研成粉末，篩過，再加適量的鹽酸，石炭酸及少量的水，在高……得的粗製品，只要磨得很光滑，便成為美觀的「玻璃」了，這種製品，能耐高溫，普通較大的衝擊力，又不致破碎，同時又為電氣的絕緣體，能耐火與酸性的侵蝕，如果製成棒狀，或塊狀，因質輕而且堅韌，還可以代替了一部份鋼鐵材料，如齒輪，車柄，飛機驅幹，電氣用具，以及家庭的輕便器具，用途極為廣泛。

現在，吾人利用蔗渣，不僅可以製造紙張，紙板及可塑性物料，也……，專在探討這些問題，吾國的台灣糖業試驗所，亦在繼續研究蔗渣的利用問題，國內像嶺南產糖區的蔗渣，幾全部充作燃料，實為可惜，我們應該提倡，物盡其用，拿牠來製造經濟價值更高的物品，勿使良好的工業材料浪費了。

世間人多種 君屬何種人

一、要人：要錢要命，騰雲駕霧，吃大菜住洋樓，喜開會演說，檢查健康的人。

二、富人：喜敲吸窮人骨髓膏血的人，故多肥頭胖耳，無心肝，血欠熱。

三、名人：矯揉造作，沽得一名半聲，便洋洋得意，而實際一無用處的人。

四、貴人：要人之嫡系，喜披虎皮以嚇人，多掌經濟大權，其地位以裙帶關係維繫，力斬不斷。

五、商人：利用說謊與欺詐，以追求鈔票為生的人，毛根深固，力拔不脫。

六、文人：挖空心思，用禿筆在紙上無中生有，寫字賣錢，換米下鍋的人。

七、軍人：賣命為生的人最高價每條四萬元。

八、工人：出賣技能與勞力，待有錢人製製享受品而自己無福享受的無名氏。

九、農人：把一生精力用在泥土中，只求能夠納清糧稅不坐牢獄，即使一家終年在飢餓狀態也不知怨尤的人。

十、女人：陰也，多喜擦脂抹粉，以結婚為職業，喜公喊「提高女權」的人。

十一、小人：其頭尖銳而善鑽，其眼如鼠而視短，其舌如簧而善吹，其……

— 聯絡站 —

二千餘具。其由被害者家屬自行收殮，或如某工廠內被害五千餘人，先行屠殺，繼由火焚無屍可殮者。尚不在內。

茲決定明(卅)日下午二時由石庭長率同審判官宋書同、李元慶、葉杜增、葛召棠，會同世界紅卍字會南京分會總務組組長歐陽都麟，首都地方法院首席檢察官陳光虞，第十一區區長張富庚，保長劉德才，檢驗員宋士豪等，前往發掘被害者叢葬之墳墓，檢驗屍骨，屆時並請中國電影製片廠及中央宣傳部攝影場，派員到場攝製影片，作該案有力證據云。

南京大屠殺案 調查工作告一段落

明日發掘被害人叢葬處

【軍聞社訊】國防部審判戰犯軍事法庭，自本月二十五日起，連續在中華門外第十一區區公所，開臨時調查庭，傳訊南京大屠殺案被害人家屬，每日前往應訊者，均達百餘人，昨日（廿八）日爲最後調查庭，應訊者更形擁擠，達百八十餘人。石庭長美瑜，每日均親往主持，分三庭訊問。自上午九時起，至下午四時半方畢。石庭長告記者：調查證人工作，大致告一段落，連日前來應訊者，達六百餘人，均係居住中華門一帶之平民，可知當年敵軍屠殺，實以該區爲最慘。據世界紅萬字會南京分會卷

1947.1.30《中央日報》 雨花臺畔發掘骸骨

原因異地獲釋囚犯 由行總送回籍

完美善後辦法尚待計議

滬市獲釋罪犯近四千名

（中央社訊）大赦令下後，被釋囚犯，內多貧苦無依，國家社會如何予以安插及教養之問題，頗堪研究。據悉：行政院已與行總商洽，凡原因異地之被釋囚犯，可由行總負責遣送原籍，至完美之善後辦法，尚待計議。

【本報廿九日鎮江電】蘇高院第一分院在押人犯卅八名，自此次大赦令到達後，經該院檢察處，根據犯罪情節輕重予以釋放或減刑，計合於大赦令之罪犯，釋放者七名，減刑者十五名，不合大赦令者四名，其餘十二名，尚查閱未完畢，暫仍在押。

【本報廿九日桂林電】大赦令到桂後，此間地方法院即迅速清理各囚案件，於廿八日上午起分別提訊開釋，當日釋出一三七名，廿九日上午又釋四十名，多係盜竊、妨害風化、侵佔等罪犯。

（中央社上海廿九日電）自大赦令頒佈後，截至廿九日止，上海監獄開釋罪犯男一千零三十名，女一千一百卅六名，地檢處男八百九十六名，女二百二十九名，高檢處共二百六十八名。

東北代表請求行總加強善救工作

鄭副署長允作合理措置

中共晉綏日報紀載 共區貪汚府見迭出

長春大火 損失甚鉅

贛張公渡集體農場招收難民開始耕作

復興農村安定墾民生活

劉瑞恒由美返滬

採購醫藥物資事洽妥

山東建設概況

中央社濟南分社

交通方面

水利方面

教育方面

工礦方面

經濟部商品檢驗局組織條例制定公布

陳納德將軍飛穗途中折回

平姦汚女生案幫兇今公審

台省興修大若水庫

航空客運今起暫停

滬渝航機一架失事鄂境

旅客機師二十五人罹難

長江水位突漲

（中央社漢口廿九日電）長江水位入冬後突漸低落，航行不利，最近旬日，江水漲三英呎九英吋，仍繼續漲中。茲將江漢關水位誌次：（一）漢口本月十九日最低四、一呎，廿九日八、零呎。（二）九江本月十九日最低五、五呎，廿九日九、六呎。（三）宜昌本月廿三日最低零、九呎，廿九日一、三呎。

桂永清抵高雄視察

（中央社台北廿九日電）海軍代總司令桂永清將軍，月初赴粵視察防務，並處理登陸艇走私事件，刻已自粵乘艦視察軍港抵高雄，附近之左營港。桂氏抵高雄後，即視察港務，並檢閱在營海軍部隊，二月一日可抵台北。

失事航機乘客名單

丁逆默邨定期再審

皖北難民送回去 蘇魯難民又來了

本報記者

聽明人搗鬼

救濟與權利

新年新鏡頭

誠摯的同情

經濟部王部長有所說明

福利事費

難民返鄉缺之救濟 一部份又回京市

並責遣近當局聯絡不週

首都地檢處 梆場傷人

流亡鎮江難民 將全部遣回鄉

【本報廿九日鎮江電】

雨花台畔發掘骸骨 審谷壽夫時將攜庭質證

鉅額現款食米 救濟魯南難民

郊區田賦 設櫃征收

二月一日起調整水價

氣象報告

中央氣象台

雨花台畔發掘骸骨

審谷壽夫時將攜庭質證

（中央社訊）爲證實南京大屠殺案戰犯谷壽夫之慘酷罪行，國防部審判戰犯軍事法庭，特於昨（廿九）日下午二時發掘雨花台附近受害人集中埋葬野塚，由石庭長美瑜偕同法醫潘英發掘檢驗，該項野塚係根據廿六年紅卍字會南京分會掩埋隊隊丁之指認而發現。法庭方面已獲得埋葬統計表，此表僅爲該隊經手承埋之一部份，總數已達四萬三千〇七十一人。發掘自下午二時於普德寺荒地開始，該地約葬尸一千餘具，土工掘土尺許，即見骷髏縱橫其間，從檢出之頭骨，經法醫斷定有男尸女尸及童尸，並發現彈孔刀痕。據石庭長表示，此次掘出尸骨，將於二月六日審訊時攜庭質證，俾埋冤泉壤者，含恨得伸云。

1947.2.1《中國日報》 軍事法庭續掘冤塚

荒草萋萋白骨森森 軍事法庭續掘冤塚

【軍聞社訊】為明確證實南京大屠殺案主犯谷壽夫之殘暴罪行起見，國防部審判戰犯軍事法庭，於昨（卅一）日午後二時，最後一次在雨花台聯勤總部兵工署第六十兵工廠後試砲場，發掘野塚三處，由庭長石美瑜，審判官宋書同、葉在增、李元慶，首都地方法院首席檢察官陳光虞，檢察官丁承綱，法醫潘英才，檢驗員宋士豪、陳文浩，會同世界紅卍字會南京分會會長江政卿，第十一區區長張富庚及卅二保保長姜炳旺等，蒞場發掘檢驗。據姜炳旺保長云：此處一帶所掩埋之被害者，為數將在七千以上。敵寇雖於殺戮後臨時掩埋，迨至我國勝利後二月，又於該處挖掘防空壕，致屍骨暴露於外者，不知凡幾。四鄰住民，因該處為電網所隔，不能自動掩埋，故昨日發掘三處中，有一塚屍骨，即曝陳土上，其頭骨多經風化而易剝落，令人一見，為之酸鼻。

京市各團體通電 擁護政府聲明

【中央社訊】南京市參議會，商會，農會，總工會，銀行公會，婦女會，新聞記者公會等十餘民眾團體，頃就國民政府對於中共拒絕和平談判之聲明，表示擁護，通電全國同胞稱：

中央通訊社轉全國各報社并轉全國同胞公鑒：勝利逾年，干戈未息，包藏禍心，企圖武力割據，以遂其黨派私慾，吾政府忍讓謀國，深知建設必須和平，立國尤宜統一，一年來政府苦心孤詣，與共黨和平商談，且不惜以種種方式，謀求和平統一之實現，盟邦馬歇爾將軍亦不辭勞苦，遠涉重洋，從中作公允之調處，當時對和平建國綱領，曾由各黨一致協議，軍隊整編方案，亦為共方同意簽訂，即國家根本大法，亦早經政協商定原則，乃共黨出爾反爾，三毀舉世所共知之停戰協定，不斷向國軍進攻，以和談掩護共軍事政治之陰謀，戰事不利，則假顏言和，及見餘稍張，又以毀憲暨恢復去年一月十三日前之軍事態勢為討價還價脅迫之資本，驟敢公然拒絕調處，關閉和平之門，欲以軍事叛亂，顛覆政府，陷我正待復興之國家於永劫不復之境，不特影響民生經濟，抑且有損國際地位。茲頒政府對共黨拒和之聲明，具見政府當局斯求和平之殷切，與夫委曲忍讓之苦心，無如共黨變本加厲，不惜自絕於國人，發動全面攻勢，禍國殃民，自毀艱苦抗戰勝利之成果，事實俱在，決非任何動聽之詞所能掩飾，吾中華民國為全國人民所共有之國家，豈容共黨以一黨私利所據，方寸之地皆為國家領土，豈容造成地方割據，任何軍隊均應受政府指揮，豈容作為政爭工具，而國民大會所制定之憲法，尤為全國各黨派共同商決之根本大法，亦非共黨一手所能撕毀，吾人目睹大局，惕然心憂，特一致主張，通過擁護政府和平建國與實現民治之方針，深望共黨幡然悔悟，停止叛亂，解民生於倒懸，謀國家於安定，和平統一，始克實現，否則一意孤行，即將為全民共棄，共他在野黨派，亦應本其真誠，深體政府意旨，參加政府共同治理，以完成民主憲政與民生經濟之建設，臻國家民族於富強康樂之境，尚望海內人士，同伸一致之主張，庶國家幸甚，民族幸甚，南京市參議會，南京市農會，南京市商會，南京市總工會，南京市漁會，南京市婦女會，南京市教育會，南京市新聞記者公會，南京市律師公會，南京市銀行公會，南京市會計師公會，南京市醫師公會，首都各界憲政協進會同叩。

皖北難民遣送 五日來計四千餘人

【民本社本市訊】皖北難民於一月廿七日開始遣送回籍後，已有五日，據悉：至三十日止，共計遣走難民三四二八人，內至臨淮關者一一七三人，至蚌埠者八六〇人，至宿縣者八八〇人，至蕭縣者四八三人，至固鎮者三二人，三十一日應遣送者共一一六一人，已報到九二七人，內至宿縣者四六九人，至蚌埠者三八一人，又至蕪湖者七七人，除至蕪湖者由專輪送往外，餘均於昨（三十一）晚搭津浦車北上，是為難民受遣者之第五批，至一日仍約有一千餘人作第六批之遣送。

有關方面暢談 難民遣送情形

【民本社本市訊】皖北難民分批遣送回籍後，且聞乃有回至南京者，且據回京難民告：渠等被遣至當地後，並無救濟等情，記者為此，昨特走訪有關各方根悉：遣送難民工作開始後，曾分別於安慶、蕪湖、當[illegible]縣、臨淮關、明光、蚌埠、宿[illegible]、固鎮各地，設立九個難民接遣站，到達目的地後，即由接遣站發給還鄉食糧，每人每日麵粉二斤，（小口一斤半）以里程計算）復由皖省府轉發中央賑款五千元，作為返籍里費，到達原籍後，老弱者由救濟分署發給麵粉，歸當地縣府收養，壯年及青年，以工代賑，幼童進教養站，現皖北廿四縣中，已設置六〇所，由縣社會科及教會主辦，每所可容納兒童六〇至一〇〇人。難民到達當地後，決無置之不理情事，惟救濟物資缺乏，勢難持久，是為可慮也。

全國滑翔模型賽 四月四日舉行 滑翔會徵求飛失模型

【本報訊】中國滑翔總會定于四月四日舉辦全國性滑翔模型競賽，刻已擬定計劃，積極籌備中，即將與全國各省市當局接洽，并開為配合該項競賽，將有兒童模型表演及出版模型月刊云。

【本報訊】滑翔總會于一月廿六日在京舉行滑翔模型表演時，曾有上海區選手張汝濮君所造之橡筋繪身模型一架，于飛翔十一分四十五秒破全國紀錄後即飛出視界，該會以該架模型寶貴，已向各方探詢其下落，如有拾得者，請送至本市船板巷中國滑翔總會，當致酬勞，該模型機翼長三尺，紅色，上有ASC 031字樣，機身長兩呎半，白色尾翼，紅橡筋兩呎半十二條，表演時係由明故宮機場，向光華門方面飛去。

夫婦同浴 雙雙中毒

【本報訊】地政署總務處處長李鳴北，前（卅）日晚，夫婦兩人突告同時斃命，聞李鳴北夫婦死前曾共同沐浴，天氣寒冷，故室內燃有火爐，不料因此煤氣窒塞，致死原因，或係煤氣中毒。

舞廳老闆心不死 聯呈再請開舞禁

【民本社訊】關於開放舞禁問題，市府迭作表示，不加重視，惟各舞廳老闆心猶未死，近又死灰復燃，昨日金谷經理楊炳華，新亞經理邢長貴，大都會經理田金發，復又聯名具呈市府，要求開禁，並請俯納民意，根據市參會決議之管理營業性舞場原則，給予「營業自由，娛樂自由」。據市府方面表示：舞禁問題並不嚴重，若市參會通過開禁，市府毫無問題。

擴大慶祝戲劇節 文運會昨召開籌備會 經議決慶祝辦法八項

【軍聞社訊】本（二）月二十五日為戲劇節，中央文化運動委員會為擴大慶祝起見，特邀請首都各界於昨（三十一）日下午三時在該會會堂舉行籌備會，到社會部、市政府、憲兵司令部、衛戍部、警察廳等機關代表及戲劇界人士二十餘人，由該會指揮科長沈壯聲主席，當經決議慶祝辦法如下：（一）是日上午九時在文化會堂中正堂，舉行慶祝會。（二）公推張道藩為主席並請各機關代表致詞。（三）利用各報刊登專號。（四）以大會名義向主席致敬並通電全國戲劇界。（五）是日正午十二時聚餐，下午二時至六時八時至十一時舉辦各種戲劇表演，其中包括話劇、平劇、崑曲、邊疆劇及大鼓相聲雜耍等節目。（六）利用各廣播電台播送廣播劇。（七）散發傳單標語。（八）大會籌備委員會即日成立，下分總務、宣傳、演出等組，由各有關機關分別担任。

市參各委會聯席會議

【中央社訊】京市參議會各種委員會召集人聯席會議第二次會，昨（三十一）日下午三時舉行，到劉守英等十三人，[illegible]主席，首由東北[illegible]民眾代表陳德北報告[illegible]，即開始討論議案七件，[illegible]臨時動議，通過請沈市長邀請兩局長[illegible]改善道路交通及環境衛生。

四方八面

上虞 催糧如臨大敵

本月十四日中午，有上虞保警十二名，攜機步槍十餘支，至齊東鄉公所催收前岑倉鄉欠繳縣府三十二年度軍公食穀米七石。時鄉長不在，即將幹事丁某扣押，鳴槍示威，如臨大敵，街頭民眾，紛紛逃避。飯後，保警隊即押同幹事去鄉長家，鄉長時已返所，乃遷怒幹事，不問皂白，將其痛行掌頰，復將其押至五車鎮，始由旁人勸釋。據該鄉鄉公所人員稱，此項公糧，係三十四年三月縣府撥付參會，由前岑倉鄉所欠繳，因參會收取無着，該鄉又經併編，故下鄉強征云。

樂清 奸匪暗殺鄉長

近來本縣奸匪份子，極其活動，去年十二月二十七日朱田鄉鄉長遭該匪黨暗殺，聞該兇犯於暗殺朱鄉長後，又將告白一紙貼於牆上，略謂：「我等係三五支隊特來懲兇戒惡，希地方人民幸勿誤會」等語，當朱鄉長被綁時，適有警備班隊士二人在旁，因手無寸鐵，匪徒乃從容將朱鄉長拖至山上槍斃。又訊：樂清縣城區各鎮因農曆年關，惟恐奸匪搗亂，特於元月十八日舉行各鎮戶口突擊檢查，以免奸匪混入云。

嘉興 如此混蛋警長

本縣王江涇住民俞和尚日前在鎮上義和軒茶店內與數友合夥推牌九賭博，其時該地王江涇警察所陳警長亦在其內，結果陳警長大負，惱羞成怒，返身上前促賭，眾鄉民以其亦係賭客，有如此舉動，均前往勸阻，該警長即亂鳴警笛，所內警士聞聲趕至，各鄉民紛紛逃避，在此混亂之際將賭客俞和尚、邱阿金，阮兆芳三人捕獲押解抵所，一頓毒打，俞和尚、邱阿金腰部均受傷，結果乃交保釋放。

中共內鬨透視

大同社記者 李莉珍

四、山東各地進行清黨運動

毛澤東之戰亂政策，在山東各地中下級幹部中引起普遍不滿，加以中共在蘇北之軍事慘敗，益促使山東中共內部之動搖恐慌，噤聲載道，幹部紛紛藉故辭職退伍，中共膠東渤海等區黨委，為要整肅內部，鎮壓反對情緒發展，現正展開清黨運動，對幹部黨員普遍檢查，據說：被開除與被懲罰者甚多，更將此等被開除者和認為有問題者已百人集中，成立特種訓練班，加以精密甄審與思想改造，計渤海區之特訓班即有四個隊，共中男的三個隊，女的一個隊，共六百餘人，名為訓練班，實則集中營，故近來魯東各地中共黨員，均起覺悟，紛紛投誠，這又顯示中共對青年煽動的一種明證。

五、渝同志會遍貼反毛標語

吳玉章為中共元老之一，居蘇十餘年，黨內聲望頗高，對中共政策，一貫持穩健態度，故不為毛澤東所悅，外調任四川省委書記，居渝年餘，怏怏不樂，去歲十二月三十日為其六八誕辰，延安方面態度冷淡，毫無表示，吳氏於是日晚在渝市曾家岩三十三號寓所舉行宴會，招待在渝幹部及友好，酒後吳氏向與會之少數人談稱：「黨中上層在此艱苦時期，爭權奪利，派別分歧，使下級工作人員均懷疑慮不安於位，長此以往，終亦不能對前途抱樂觀，同時中央自前決策，令人難測，惶惑迷惘，此後誓不發動任何工作，做一天和尚撞一天鐘，以靜觀事變」。然而吳氏的持重，並沒有得到黨內人士的好感，最近中國共產黨非常委員會在重慶則展開熱烈的反毛運動：曾於去年十二月五日大散發告同志書並發動該會所屬之黨員推動其「反毛」宣傳工作，同時化龍橋共黨機關報印刷廠，中三路共黨支部，七星崗等處牆壁上發現大批「反毛」標語：「打倒毛賊澤東」！「反對毛澤東的走狗吳玉章」。「同志們：覺醒吧！起來參加中國共產黨革新運動」！等標語，下署「中國共產黨非常委員會重慶同志會製」，吳氏聞訊後大感不安，乃手令將所有之標語立即撕毀，並密令其指揮的第五縱隊對郭白濤「制裁」一面令張友漁派密員調查機關報內之非委會嫌疑份子，並予祕密監視，同時下令各部門負責人分別召開小組座談會，痛斥非常委會，並謂：如有發現為非委會人而報請處分者重獎，同時實行連坐法，故中共今日紛爭與混亂之局面、可以說是無以復加了。

據中共自民十六年「八七」會議之後，將陳獨秀一派打倒，求行一時風狂的暴動政策，當時所謂「無動不暴」者，實是代表共精神，及民十九年立三路線「又爭取一省或數省的先勝利口號乃至於毛派的路線，無一不在使中國政治陷入紛崩之境。但「多行不義必自斃」！最近中共自首之風，已足致共黨於死命，此項運動，不僅在所謂「小黨員」中，即黨中具有名望之中央委員，軍幹部，乃至於最近之蔡鵬舉部反正，亦造見不鮮。我們看過上面這許許多多事實以後更可明白中共對和談的拒絕，是必然的，明乎此，則我們對中共的提出反對內戰，要求和平的口號，甚至於政治協商等等做作，不能不認為幾種政治的幌子。（下）

上篇刊一月卅日本報

被控漢奸嫌疑 十六律師受訊

原告登報聲明 否認提出控訴

【中央社訊】王龍，劉守綸等十六律師前經具名成舍我等五人向高院控告漢奸嫌疑一案，前（卅）日中央日報有成舍我緊急啓事一項否認其事，並謂係他人盜用名義，昨上午高院檢查處開偵查庭，傳訊王龍等十六律師，該十六律師等均已到庭，據王律師稱：「自抗戰以來，即隨中央政府西遷，歷任中央警官學校講師，第九戰區幹訓團政治教官，軍事委員會戰幹團教官等職，至抗戰勝利復員時期，猶任湖南行署復員工作計劃委員，並攜帶證件多種，謂從來參加抗戰工作，並無任法情事，此次被人化名誣告，恐係奸人陷害，以圖顛倒是非，淆亂人心，或因律師平日代人辯護，遭受嫉視」，王氏又稱，此被告之十六律師，皆不識成舍我其人，既有成事本人登報聲明否認其事，則其住址自可從報館登記冊中查得，是非如何，總有水落石出之一日」，至高院檢察處調訊偵查結果如何，尚不知得，惟依法，如原告人傳訊不到，則此案自不能成立。

中央大學師範生要求調整合理待遇

我們是大學裏的師範生。現正埋頭學習，準備在不久的將來担負起神聖的教育重任，為培養下一代健全的國民而獻身，為未來文化事業的發揚而努力。

誰也知道，教育是國家百年樹人的大業；沒有教育工作者的努力，一切人才無從作育，科學無從發達，文化無從闡揚，國家更不能達到富強之境。因此，世界上所有進步的國家，對於師資的培養，都是異常重視，盡量給予良好的學習環境和職業的保障。而我們中國呢？文盲佔百分之八十以上，教育急待發展；宜乎政府當局更應特別重視師資的培養，給予優厚的待遇，以鼓勵一般青年從事教育。可是我們的待遇如何呢？請看看下面的事實：

在學校裏，不錯，我們是全公費的。但是，即以中央大學為例，全校同學中，除了新同學沒有統計外，有百分之九十五都是公費生。這便是說，除了極少數極少數的例外，一般同學是享有公費待遇的。難道這是師範生特殊的公費生。

> 零用金每月三百三十元

除了與一般同學相同的伙食費外，我們還有特殊的零用金和制服費，這說起來頗為動聽，也許可以令人嘖嘖稱羨；但是實際的情形呢？我們的制服費是一年領一次，每年八千元。請問我們領了還連做半套制服工資也不夠的八千元，能做什麼樣的制服？零用金更是可笑了，每月三百三十元，我們真不知道該怎樣去用一筆款項。而且就是區區的數目，也還不能乾乾脆脆按時發下來，總要等待等待，直等到法幣貶值，錢更不值錢的時候，才能領到手」。這其中有無弊端，我們不能肯定的說；但歸根結底，吃虧的總還是我們。像這樣的待遇，與其說是對于師範生的優待，毋寧說是對於師範教育的一種諷刺。

學校行政官僚作風

而畢業以後呢？受了國家優厚待遇的師範生，是規定要服務五年，畢業方能領到文憑的。不錯，既然受的是師範教育，畢業後當然從事教育工作；如果有工作可做，別說五年，就是十年，終身也是應盡的責任，而且也是我們樂於從事的。然而請注意這一個事實：我們的工作是無保障的。現在一般學校中，雖然高喊着師資缺乏，但是學校行政，也正和我國其他機關一樣，大多為官僚作風，有關係，有靠山，自成幫派者，即使不學無術，也未始不能濫竽充數；而受過專業訓練的師範生，若沒有什麼社會關係，人事背景，卻在畢業之後，立即會嘗到失業的痛苦。請問在這種情形下，我用什麼辦法去服務五年呢？如此下去，豈不使得有志從事教育者裹足不前，已經從事教育者企圖另覓途徑，而為我們教育前途埋下深重的危機？這實在是值得我們深深警惕的事情！師範生的待遇，絕對不能再像這樣的繼續下去了！一定要合理的改善！

教育衙門化

一月十八日，我們的代表曾向教部請願，要求合理調整師範生的待遇。所獲得的答覆是：自本年起，零用金每月約可增至一千元，制服費全年約二萬元，但須等到十月才能領到；而且這項辦法，教部還要等到行政院核准後方能決定。這豈不是鏡花水月嗎？到十月以後的兩萬元，也許還不及現在八千元的使用價值來得大，難道這樣的調整是合理的嗎？若謂物價波動，無法預算，為何全國若干萬公教人員的待遇可能隨物價的波動每二個月調整一次，而全國僅萬人左右的師範生待遇反不能隨時調整呢？這是公平的嗎？至於服務問題，據教部負責人的表示，擬按照各師範生的省籍分派工作，但是並沒有詳細的辦法和一定的保障，只不過是負責將各畢業生的名冊，分令各省市教育廳局，查照辦理而已。

照這樣說來，我們在畢業以後，還要到各省市教育廳局去鑽營奔走，才能求得棲身之一所，這是對我們的服務問題，已解決了嗎？這與教部不負責分發有什麼兩樣？教育廳局的衙門是多麼森嚴啊！沒有相當的人事背景是休想接近的。試問我們在畢業後，那裏有這麼多的金錢和時間，久住在省城地方，天天走動官府，去追尋一個渺茫無着的希望呢？此外教部負責人又說，實支到職的旅費是不可能的，只可以略為津貼一點而已，這又是十足的官腔了。像我們的零用金一樣，每月三百三十三元，不就是政府的津貼麼？政府對我們的旅費，可能亦和零用金一樣，每人津貼一點，但數目一定微乎其微，甚至走不出了南京，說來是多麼好聽呀！既分派工作又津貼旅費。但事實上，我們在感激之餘，卻有啼笑皆非之苦。

三點要求

以下三點，是我們向政府提出的最低的要求：

（一）我們的制服費和零用金，政府應照當時物價指數發給。

（二）政府應照師範生志願統籌分派工作，並實支旅費。

（三）政府應切實執行有關優待教師之法令。

現在，我們正帶着沉痛的心情，為了整個教育的前途，為了整個國家未來的命運，據理向政府力爭。希望各界社會人士同情我們幫助我們，以達到這個合理的願望！

國立中央大學全體師範生同啓 一月廿七日

大眾喉舌

有話大家來說	不分派系立場
真實姓名註明	住址尤須寫清
如需保守秘密	可以改用筆名
內容如有不實	文責必須自負

究竟是誰對？ 堵口復堤之爭

政府說是要必須如期合龍 中共說政府放水淹「解放區」

編者先生：

黃河是我們的一條禍水，數千年來，黃水氾濫，遺害華北人民，災難不可勝計！政府決定採用美籍顧問的技術，並運用一部分救濟的物資，對於「黃禍」為一勞永逸的根治，這是千載一時的良機。

我們所抱憾的，即對此有百利而無一害的治黃工作，亦捲入了政治漩渦，例如花園口的堵口復堤工程，政府說是必須如期合龍，以拯汎區民眾，中共說是政府放水淹「解放區」，要反對，並宣佈採取自衛行動，將在下游築壩攔水，使黃河不克暢流。

一件福國利民之事，一旦染上了政治色彩，使在汎區到縣中的老百姓就該死了！

讀者 上

月亮是外國圓 我們也有奇蹟 『立春日·蛋會立』

把你的錶撥準，靜等着中國農歷的立春日（正月十四日子初三刻）下午十一時四十五分，也就是陽曆二月三日，這是神秘莫測的一剎那，中國古代傳下來的智慧與我自己曾親眼目睹的事實，告訴我們在這個時間鷄蛋能夠豎立，而且極其平穩。

根據經驗，我知道有許多人懷疑這件事，甚至發明相對論的名教授愛因斯坦博士，也反對我的發現中國上古的智慧，我在重慶的時候曾經去拜訪張平仲先生，當時他是政府的發[illegible]總領事，也是「立春日蛋會立」之說的權威。他第一個告訴我：中國古書中所載的這件立春日不平凡的奇事，他又將這事告訴愛因斯坦，後愛氏親自在他的後園中做過試驗，而沒有效驗。

編輯者及飛行者都嘲笑這奇事不足奇，只要把蛋黃搖散後，便可「立」了。我敢保證他們檢驗「立」過的蛋，決沒有與平常的蛋二樣。

我一次變為「蛋會立」的權威，可與「雞蛋[illegible]

月重慶的時候，當時魏景蒙（現任國際宣傳處處長）也還我在立春將近的時辰，試驗豎立二打雞蛋。事極簡單，我們將雞蛋放下，結果就立直了，所以我不得不相信這奇事了。

我將這事報導給美國公開周知便引起了激辯，愛因斯坦告訴記者稱，「這是荒謬的」。對於此事，我曾要求紐約本社通知愛因斯坦，他的相對論也不能使我相信，總之，司密吏生諸研究院，海岸測量局查部和哈佛大學科學家都試驗過。

當一九四五年夏天，我自重慶回來休假的時候，沒有一個人要我陳述戰訊，或中國政局的消息，每個人都異口同聲問我：「立春時在中國雞蛋會立是真的嗎」？

今年魏景蒙又告訴我一個新玩意兒，他在古書中又尋着一件奇事，把鴨絨放在一隻一寸長的毛竹筒底部後，埋在泥中，在立春的時候，鴨絨會自動上升到竹筒外面。（華晚，雷道爾著）

男女間態度和印象

在你（妳—下同）剛獲得一個稱心的對方時，切莫立即改變自己已往的態度。因為他（她—下同）們的接近你，完全由於你給他的第一印象不錯，並非是他已整個了解你了。

你切莫為了找不到對象，而拚命的打扮，交際，放浪……引人注目，卻不必為人所愛。如果你想你的男朋友[illegible]，什麼事都知道的樣子，把他想告訴你的話，先說出來；否則即使能結婚，以後也極痛苦的。

交朋友時，別過份壓抑自己，去迎合對方的歡心，除非婚後一直能如此，不然會悔之莫及。許多婚姻的破裂，雙方都說是因為對方「變了」，其實不是「變了」，是個性情顯露了（[illegible]

聯絡站

[illegible]

荒草萋萋白骨森森
軍事法庭續掘寃塚

【軍聞社訊】爲明確證實南京大屠殺案主犯谷壽夫之殘暴罪行起見，國防部審判戰犯軍事法庭，不憚繁雜，又於昨（卅一）日午後二時，最後一次在雨花台聯勤總部兵工署第六十兵工廠後試砲場，發掘野塚三處，由庭長石美瑜，審判官宋書同、葉在增、李元慶、首都地方法院首席檢察官陳光虞，檢察官丁承綱，法醫潘英才，檢驗員宋士豪、陳文浩、會同世界紅卍字會南京分會會長江政卿，第十一區區長張富庭及卅二保保長姜炳旺等，蒞場發掘檢驗。據姜炳旺保長云：此處一帶所掩埋之被害者，爲數將在七千以上。敵寇雖於發覺後臨時掩埋，迨至我國勝利後二月，又於該處挖掘防空壕，致屍骨曝露於外者，不知凡幾。四隣住民，因該處爲電網所隔，不能自動掩埋，故昨日發掘三處中，有一塚屍骨，卽曝陳土上，其頭骨多經風化而易剝落，令人一見，爲之酸鼻。

1947.2.5《大公報》 谷壽夫連審三天

蔣主席昨飛鄭視察

臨沂爭奪戰將急轉直下

【本報南京四日發專電】蔣主席四日晨十時三刻乘專機往鄭州視察，午間到達。顧主任祝同等在機場迎候。蔣主席在鄭約留三小時，曾與顧主任共進午餐，垂詢該方面情況。四日下午五時半原機返京。

【本報上海四日發專電】軍息：㈠臨沂爭奪戰有急轉直下趨勢。截至四日晚止，共軍主力實際已撤離臨沂、費縣。秉信國軍早晚可收復該兩縣，但此不能對魯南之戰起決定性作用。㈡徐州會戰仍在醞釀。共軍劉伯承部攻佔鹿邑、柘城，並進迫亳縣、永城、碭山、蕭縣，祇其序幕。其目的則在側重右翼迂迴，自徐州以西，向南滲透包圍徐州企圖。惟以其現有兵力看，絕辦不到。㈢棗莊臨沂一帶國軍已發現共軍十六個師番號，但主力何在，抵今未判明。臨城以北地區共軍主力四日向台兒莊以東鄒城以北移動，由鄒城北進之國軍四日已越過李家莊，抵臨沂外圍十八里。臨城台兒莊前線四日無戰事。國軍之另一箭頭正指向滕縣。此路國軍並在打通津浦線工作上確立一初步基礎。

【中央社合肥四日電】共軍劉伯誠部二萬餘一日由豫東柘城向亳縣猛犯，經地方團隊激戰一晝夜，三日晨共軍攻陷。一部約四五千竄抵白馬驛，另一部千餘竄肥河口，有渡渦河兩岸續向東犯模樣。

【中央社鄭州四日電】隴海東段小壩車站被共軍破壞七公里，刻正搶修中。柳河附近鐵路四日晨又遭由北竄來千餘共軍破壞。

【中央社徐州四日電】魯南前線轉成相持狀態，國軍刻仍繼續部署北郊之殘敵工作。

【本報濟南四日發專電】魯境戰事仍環繞魯南。共軍積極地臨沂形勢緊張，共高級指揮部遷入山區，臨沂城。[illegible]

一週戰況的綜合觀察

中央社南京四日電

[illegible]

魯南 [illegible]

豫東 [illegible]

華北 [illegible]

東北 [illegible]

太原積極佈防

城內學校多改設傷兵醫院

傳文水被共軍攻陷

【本報太原四日發專電】文水城傳已被共軍攻陷，因原（?）[illegible]

【本報北平電話】太原積極佈置城防，城內各學校多已改設為傷兵醫院。又文水屬淨化、萬戶鎮一帶共軍，一日晚由張蘭鎮南北地區分三路越過鐵路西竄。經國軍沿途痛擊，損失甚重。經上下鎮後，上下鎮後，向丹村一帶竄去。按文水距并一百八十里。

社評

吉田內閣的前途

[illegible]

共軍圖攻滄縣

高級人員三面竄伺

【本報北平電話】滄縣西十里大和莊附近發現共軍四個團，城東北齊家務呂橋莊一帶有共軍三千餘，城東南小集鎮、三里店一帶亦有共軍三千餘，高家鎮附近由山東竄來共軍五千餘，均有進襲滄縣企圖。[illegible]

普蘭店小接觸

共軍進攻被擊退

【中央社瀋陽四日電】[illegible]

平津車昨遇劫

由平開津在北倉附近遭洗劫

三匪緊挾機車司爐從容逸去

旅客皆被搜索損失甚鉅

【本報訊】平津間四日下午三時半由平開津之第六次對號特快客車下午七時[illegible]

馬占山綏赴瀋

【本報北平電話】留居北平之東北保安司令部副司令長官馬占山，[illegible]

熊式輝昨飛京

稍留即轉長春

【中央社南昌四日電】東北行轅主任熊式輝返鎮接洽事畢，四日携眷專機飛京，略事勾留即轉長春。

蘆台鎮一度被攻陷

漢沽蘆台間鐵軌昨晨修復

田莊以北煤車昨觸雷脫軌

【本報訊】北寧線天津唐山段蘆台鎮三日晚一度被共軍攻陷，四日晚仍在激戰中。[illegible]

共軍圖襲保定外圍

連日積極破壞平保交通

【本報北平電話】平漢北段平保線徐水至固城間三日晚十時一機車觸雷傾側，四日上午十時二十分自高碑店開出救援車一輛，前往救濟。[illegible]

谷壽夫受鞫

接連審三天

【中央社南京四日電】國防部審判戰犯軍事法庭定六日至八日每日下午二時起假勵志社公審南京大屠殺主犯谷壽夫。[illegible]

綏主席董其武談

改善蒙胞生活

改良畜牧與辦福利事業

發展教育提携蒙旗青年

【本報歸綏三日發專電】[illegible]

綏南漸趨安定

和林托縣共軍退出

【本報歸綏三日發專電】[illegible]

撤退駐華美軍

提出已獲外委會否決

【中央社華盛頓三日專電】[illegible]

美大使將易人

合眾社有此報道

美使館已加否認

【本報南京四日發專電】[illegible]

美軍離平前夕

美鈔趨漲 土產傾銷

新來一批物資低價讓給政府

【本報北平電話】美軍撤離平前夕：㈠美金需要量日趨增加，而平市為數並不過多，[illegible]

軍調部班機

今日飛延安

【本報北平電話】軍調部五日有班機飛延安。[illegible]

何應欽訪馬帥

作二十五分鐘會談

【中央社華盛頓三日專電】[illegible]

張發奎獲美勳章

【中央社廣州四日電】[illegible]

膠濟路自造機車

第三輛即可竣工

【中央社青島四日電】[illegible]

民社黨中常會

參加政府問題可望商決

【中央社上海四日電】民社黨定五日下午在寓開中常會。[illegible]

英民航訪華團

巴特溫等抵滬

【中央社上海四日電】[illegible]

僑胞教育

馬來亞吉打發生問題

教育部究有什麼對策

【中央社南京四日電】[illegible]

各部會首長昨會議

內容未發表 與金融有關

貝祖詒昨奉宋院長命入京

【本報南京四日發專電】[illegible]

【中央社上海四日電】央行總裁貝祖詒應宋院長召，四日搭快車晉京。

政院例會

通過王化成為駐葡公使

【中央社南京四日電】行政院四日上午九時舉行第七百七十五次例會，宋院長主席，各部會首長官均出席，由王外長世杰報告外交。致通過決議各案如次：

討論事項 ㈠修正工會法案，決議修正通過，送立法院。[illegible]

任免事項 [illegible]

港穗間江輪失火

乘客二百餘人罹難

【中央社香港四日電】港穗間江輪西安號今晨五時十分失火，傳受難者共有二百餘人。[illegible]

全國水利會議

六月六日在京召開

【中央社南京四日電】全國水利會議定於本年六月六日（大禹節）在京舉行，[illegible]

簡報

【蘭州電】[illegible]

【南京電】國府五日令，茲制定鹽產稅條例公布之，此令。

【南京電】[illegible]

【蘭州電】[illegible]

谷壽夫受鞫

接連審三天

【中央社南京四日電】國防部審判戰犯軍事法庭定六日至八日每日下午二時起假勵志社公審南京大屠殺主犯谷壽夫。審判長由石庭長美瑜擔任，審判官亦經決定爲葉在增、李元慶、宋書同、葛召棠，書記官爲張體坤，譯員日文三人、英文四人。此案人證多爲被害人，身歷其境者計有數有餘、陸李秀英等五百餘人。當時從事難民區救濟工作之金大美籍教授史邁士與貝德士及曾赴東京作證之前紅十字會南京分會會長許傳音均將到庭作證。

1947.2.5《中央日報》 谷案明日公審

全國紀念農民節

首都各界舉行大會 肅電向蔣主席致敬

上：卅六年度農民節紀念大會農林部周部長詒春致詞。
下：畜牛比賽黃牛組優勝第一名。

農民節與農民運動

馬超俊

海軍違法官兵 二十一人解京

諸暨縣境 發現鎢礦

港西安輪失慎 死傷乘客二百餘

蔣主席電唁 唐母之喪

肅清京滬烟毒 主席令兩市長切實辦理

綏靖區舊賦均豁免 非法捐稅一律廢止

卅五年度免賦額經核定

蔣經國抵杭 督導團員甄核

京滬車昨晨出軌 車廂未毀損乘客無恙 由京駛滬火車均停開

門頭溝煤礦 礦工均反對發還英商

選拔綏靖區幹部 甄審委會昨舉行會議 政務督導團二組今出發

時人行蹤

英交通訪華團 昨專機飛抵滬

金融機構 分別恢復

監察院彈糾案件

谷壽夫明日公審 人證物證均搜集齊備

門西施粥廠 今開始施粥

拓寬中山路 商移電線桿

國防部令飭 查報忠烈事蹟

本市區長民選 四月中旬舉行

旅館漲價一倍 理髮增加十分之六 洗衣價格亦經調整

下關滿地死屍 竟無人掩埋

氣象報告

中央氣象台

多為被害人身體共覩者，計有殷有餘、陸李秀英等五百餘人。當時從事難民區救濟工作之金大美籍教授史邁士（Dr.Smythe）、貝德士（Bates）及曾赴東京作證之前紅十字會南京分會會長許傳音，均將到庭作證。又日人小笠原清亦將到庭偕谷壽夫作證。據悉：現已搜集之物證有：（一）南京市參議會調查南京大屠殺案之報告書及表冊（有證實人證之案件計二七八四案）。（二）世界紅十字會掩埋被日軍屠殺之南京市民屍體統計表。（三）崇善堂掩埋被日軍屠殺之南京市民屍體統計表。（四）外交部罪證調查表。（五）司法行政部戰犯罪證調查表。（六）曼徹斯特導報駐華通訊員田伯烈（Timperley）對於日軍在華暴行之著述。（七）南京安全區檔案。（八）日軍自攝之暴行照片十五幀。（九）紅十字會醫務科長蔣公穀及處長金韶盤合著之「陷京三月記」。（十）南京蒙恥記。（十一）發掘之被害人屍骨三十具。（十二）日軍自攝之屠殺影片（放映作證）。根據世界紅十字會南京分會救濟隊掩埋組報告，自廿六年十二月廿二日至翌年十月三十日，共掩埋屍體四萬三千〇七十一人。崇善堂掩埋隊，自廿六年十二月廿二日至廿七年四月廿三日，共掩埋十一萬二千二百六十六人（內男一〇九、三六三，女二、〇九一，孩八二二人。）上述兩團體

谷壽夫明日公審

人證物證均搜集齊備

（中央社訊）國防部審……掘墳之屍骨，已達十五萬

1947.2.6《中央日報》 拘留所中訪谷魔

南京大屠殺案主犯谷壽夫今開始公審

[illegible]

拘留所中訪谷魔

[illegible]

艾拉培在大屠殺時救助我難民有功

沈市長願迎其來京養老

[illegible]

谷壽夫案起訴書

一、事實

[illegible]

二、理由

[illegible]

台籍士席像模型已刻成

[illegible]

綏靖區土地債券發行辦法擬就

稻谷與小麥券各千萬石

[illegible]

救濟難民一期款撥下

綏靖區復員補助費財部已撥八十餘億

[illegible]

田賦冊籍今年全加整理

[illegible]

行總一官員貪汚被押

[illegible]

各省將設軍管區

由省主席兼任司令官

[illegible]

周佛海二次抗告

已送達最高法院　羅逆君强日內將再審

[illegible]

西安輸土屍體發現一二一具

[illegible]

徐州破獲謀害案

兵站經理員謀財殺小販　警備部五小時內即破案

[illegible]

鄂失事航機原因在研究

[illegible]

廬山建設分頭進行

[illegible]

破獲經過

[illegible]

綏靖區督察團第一組抵平

[illegible]

鑛產稅條例

國民政府五日令：茲制定鑛產稅條例，公布之。此令。

[illegible]

南京烟犯多監獄容不下

願戒又無醫院

[illegible]

郊區土地籌劃測量

[illegible]

、以寬大的心懷，優待這犯，二、以緩衝的方法，管理戰犯。其次，再談對戰犯的日常生活：一、待遇：上兩餐與我國兵相同，副食費約一萬九千元左右，每餐菜物有葷菜，此外處方法，對戰犯們亦有合理的待遇。二、獄中不備看報，但也常常供給他們看故事書報，及日偽管理處留交下來的書籍，藉以安定戰犯們的心神。三、早晨七時，可以放出來散步三十分鐘，下午二時到三時，又給戰犯們散步的時間。四、更有多餘的時間，留戰犯們洗澡洗換衣衫。日本人很愛清潔，所以，在拘留所中找不出一個蝨子。

現在共有戰犯卅七人。內中將五人、大佐一、中佐一、少佐一。那五中將為：一、高橋坦（駐北軍參謀長及特務武官）。二、內田準行（七十師團長）。三、谷壽夫（南京大屠殺案主犯）。四、磯谷廉介（香港總督）。五、土橋勇逸（軍團長）。

最後，他說到谷壽夫。谷壽夫由滬來京，已有二個月了，進所時，曾對報上所說：從前，我把中國看得錯誤，如今，看明白了。他還失去日記的，我想，谷壽之語，未必出自衷心。看他發歸罪行時的一副嘴臉，又何嘗承認自己的錯誤呢？談到這兒，一羣戰犯，都散放到空地去了。五個中將，自成一組，往來如穿梭，他們很珍重這個散步的時間，更不肯把這短短的

【本報訊】今當公審大屠殺案主犯谷壽夫之際，首都人士於痛悉當日屠殺時唯一救星之德人艾拉培尚在人間及其生活困苦之訊後，實不勝欣慰及感激。艾氏現年六十六歲，於民元一二年前來華，任職西門子洋行，民廿六年抗戰發生後，艾正任該行南京分行經理，遂留西留後，艾氏與在京英美法德僑人牧師合組國際委員會，眾以艾正直忠勤，共舉其擔任會長。自陷城之初，以至其去京前，氏日夜奮鬥，與著辛勤，並於其自和私宅內收容難民一千餘人，對難民之救助與保護，厥功至偉，迄今廣州路小粉橋一帶難民，猶縈懷其恩德不置。民廿七年六月，難民紛紛散去，氏亦於斯時返國。歸國後，即以其在京秘密攝錄大屠殺電影片及當時私人日記，公諸全德，而大屠殺之慘狀，遂得大白於天下。太平洋戰爭爆發，中德邦交斷絕，而此一高齡老人在德亦以認識友邦（指日本）罪，而被希特勒政府禁錮囹圄，備受苦楚。德國投降後，老人傳已被釋，

拘留所中訪谷魔

三日上午九時，記者隨同國防部審判法庭，赴則要到戰犯拘留所訪問那批驚駭的南京大屠殺案主犯谷壽夫。我們明知道這種探訪下係很大，而手段又倫廉頗，因爲戰犯在憂疲不安的情緒中，神經已不堪再受任何的刺激了。

隨我去的，是本報特官，介紹我們和拘留所的負責管理人楊之被殷因見面，楊上校是一位極和藹的軍人，他約我們下午再去。

下午的天氣不十分晴朗，我們又到了戰犯拘留所。

時間，忽數的在調節而進。谷魔穿了一件黑大衣，戴一頂灰色呢帽，黃呢軍裝，紮起了綁腿，足登一雙布棉鞋，又短又小，又黑又老，迅速過去，從得怪可憐似的，昔日擁試，而今安在哉？

我們由翻譯官介紹，向他們說明來意。谷魔却顧用淨辯的笑。這說：這有什麼值得訪問，又有什麼意思。記者向他微笑，心中十分難受，想昔日南京數十萬同胞，都在他此獰笑一笑中，做了刀下鬼，現在雖然做了階下之囚，而一笑之可怕，依舊不減當年。

另一處階級小的戰犯，則以擲球、遊戲、下棋消遣，有許多們開相對，大家一齊同讀報，原來也怕無聊情。

因爲整齊清潔，高級的戰犯，都分人一室，約略看了一遍，留在腦子裏的印象，是狹窄、安靜、整齊、清潔。（戴紋社郭思一）

艾拉培在大屠殺時

據此間傳消息，彼一子一女一婿，聞已生死不明，老妻亦已年逾六十。彼在英國保險公司人壽保險金已全部無存，西門小菌敵錢老金亦已無望，生活困苦，時常不飲。京市沈市長怡及艾氏外籍友人聞訊後，極表同情，并已託人探詢艾氏確址，並願予以援濟，如果彼許可，前擬設法使其來京長住，以了餘年。

1947.2.8《申報》 南京大屠殺案真相

南京大屠殺案眞相 各證人憤慨陳詞
公審時期可能延長一日

京市長訪查 一德人下落
因曾保全市民生命

綏區政令例會

天門墜機原因 漢口揣測紛紜

贛南安遠發現大量石油礦脈
藏量可供二千工人開採五十年

財部清理救償公告換發債票

英交通訪華團 晤我有關長官

審奸初步統計
全國辦結者兩萬餘件
丁逆默邨案今日宣判

白報紙進口 請免征附加稅

中國文化劇團

更審惠逆彬士

行總貨行緊縮

平津物價漸穩 禁止黃金買賣

節約生產・肅淸貪汚 健全保甲・普及民教
籌備紀念新運推行四大工作

鄂省奇女孩

(上)軍事法庭門外……

(下)谷壽夫在法庭上答辯。

社論 輸出推廣委員會的功能

政府對於出口貿易，其重要的措施，照過去情形，約略如下：㈠廢止出口稅，㈡舉辦借款，如打包，押匯及開放信用狀等，㈢收買生絲，並準備收買茶葉，至最近又實行，㈣出口匯票的補助，和㈤設立輸出推廣委員會。

所謂輸出推廣委員會，其應負的任務如何，我們曾略貢意見，認為應側重實施，不可僅備諮詢的性質，亦不可僅具輔導與通常行政的性質。而此次明確規定為「期達到所負推進督導及研討發展輸出貿易之重要任務，其本身並不經營任何輸出貿易，更無獨佔控制輸出貿易之意，」則其性質，似仍着重於諮詢與輔導方面，與我們的期望，頗有出入。所以然者，我們的重點，放在收買上，而政府則採取補助即津貼手段。所以不需要直接經營，更不需要獨佔貿易。那麼，這個輸出推廣委員會，實際上自然要變為輸出諮詢委員會，或輔導委員會了。

話雖如此，就推進督導，及研討發展這幾點上說，這個委員會，確也不為無益，而且很覺得重要，理由如次：

㈠是具有提撕警覺的作用　出口貿易的盛衰，決不單是出口商的利害問題，而是整個的國民經濟所係，這項理由，我們迭經指陳過。今有一個政府所信賴的專門機構，經常在研究，調查，建議，輔助，用以喚起當局的注意，這項效用，……

要聞簡報

南京大屠殺案眞相
各證人憤慨陳詞
公審時期可能延長一日

（本報南京七日電）南京大屠殺案主犯谷壽夫，七日繼續開庭審理，傳訊證人及被害人，下午二時正，石庭長等蒞庭，谷犯押解出庭時，神態仍極鎮定，首由庭長訊其入城及搶掠時日，谷答：三日晨入城，十五日從中華門內外開始向蕪湖撤調，十六日，十七日繼續西調，至十九日始畢。旋由京市參議會副議長陳裕光報告調查敵人罪行經過，略稱：自去年七月一日起，即專事調查，共計二七八四案，計分十類，㊀槍殺案一一五九件，㊁刺殺案六六七件，㊂集體屠殺案三一五件，㊃燒死案一三六件，㊄打死案六九件，㊅先刑後殺案三三件，㊆先姦後殺案二〇件，㊇炸死案一九件，㊈水淹案一一件，㊉其他三二一件。其中值得注意者：㊀三分之一案件發生地點均在中華門外一帶，即被告防區以內者，㊁十二日至二十日間之案件最多，在即被告駐京時期，最後陳氏請求除谷犯外，所有有關屠殺人犯，均應引渡來中國，明正典刑。繼即傳證人訊問眞相，計有劉誠中，謝立三，胡和之，崔殿發，張孫氏，李陳氏，郁[illegible]氏等三十餘人。旋有當時任鼓樓醫院社會服務部主任之[illegible]女士出庭說明，至下午五時五十分，[illegible]定八日下午二時續審，尚有十餘證人，俟八日訊問後，即將進行辯論階段。因案情較多，審訊困難，公審可能延長一日。本日各證人中案情較重要者附誌如次：㊀趙榮生係本人被害，彼當庭描述敵人撬門情形甚詳，述及如何用拳術擊退敵人，惟因無武器，故終被槍刀刺傷其頭，迄今傷痕歷歷在目，計頭部刀傷十一處，頸間兩槍疤，左手腕槍傷，並致手腕變形，左手中指被析斷。繪申述時有聲有色，木立一旁之谷犯，亦爲之動容。㊁張孫氏丈夫被殺，庭長詢以傷在何處，張謂：「那裏還能看呢」？旋稱：「我與日本鬼子仇多呢！要說三天都說不完，我受的害太大了」！憤懣之氣，溢於言表。繼稱：彼本身亦被敵人驅姦，同時見到其小姑與一鄰人均被姦而致病等等，語調沉痛，聽者髮指。㊂郁畢文稱：是日邀被共六人，爲敵人包圍，五人均被刺死，郁當時亦被刺昏去，醒來復爲日兵以槍柄打擊，再度昏去，至當日午夜又蘇醒，當即以傷痕示衆，計刀傷七處，槍傷兩處。㊃劉毛逸述伊母被害情形，謂當時伊母在一防空壕內滅避，洞內共三十餘人，全部被日人關閉洞內而死。㊄陳文龍之兄被殺，計傷十一處。㊅孔韓氏母舅，姿嫂，妹妹共六人被槍殺。㊆朱郭氏父與兄弟二人，親見被殺，其父被殺後，且毀於房內，再用火焚燒。以上各證人陳述後，谷犯並隨時致辯，其所持理由，大要爲發生事件，㊀不在被防區之內，㊁在戰爭激烈時，不可能有平民藏留民房，㊂以上各情形不可能發生，亦不可能有，㊃做作之證不能承認，㊄在戰爭時或有傷害之事，本人頗可同情，不能負責，措詞狡猾，聽衆均極憤激，庭上宣布八日續審，即行退庭。

（中央社南京七日電）國防部審判戰犯軍事法庭，七日續審戰犯谷壽夫，前往勵志社旁聽之市民，較第一日尤爲踴躍，爭欲一睹此罪魁之猙獰面目。本日審訊共歷三小時又五十分，大部時間爲被害人到庭提供證據。

1947.2.8《中央日報》 昨續審谷壽夫

補助綏靖區行政費 共需五百三十億元 第一期二百億即行撥發

【本報訊】關於綏靖區暫免田賦由中央撥款補助一事，經綏靖區政務委員會約集財政部、糧食部、田賦署各機關代表會商決定，凡有綏靖區（包括江蘇、山東、察哈爾、河南、綏遠、河北、熱河、山西、湖北）已收復各縣，自收復之日起，至本年三月份止，依照補助標準，應將補助款，經財政部地方財政司核算結果，共需五百卅億又六千三百〇六萬七千二百元。第一期已撥一百九十億八萬二千三百七十九萬七千七百六十元，其餘補助金額三百卅億二萬三千九百卅六萬九千四百四十元，亦將繼續撥發。此項補助款尚不包括新收復縣份。

【本報訊】綏靖區政務委員會，昨（七）日舉行例會時，通過綏靖區各縣免賦補助案一件，紀者探悉該案內容如下：

（一）綏區收復各縣無論收復日期久暫，一律先撥發第一期補助款；

（二）凡在卅五年度以內收復者，均予按計在內，其在卅六年收復者，暫不予計列撥發；

（三）凡前經收復現復陷落者不予計算；

（四）蘇、魯、晉、豫、察、綏六省根據各該省所報縣等及內政部查報之資料分別計算，其餘冀、熱、鄂四省，因無縣等可資參考，均按照縣等平均數核算撥發；

（五）江蘇省收復於上年九月間，為配合緊急命令內借十億元，除予撥發第一期免賦補助款時內扣除；

（六）河北省綏靖區各縣第一期免賦補助款，仍照案撥發停賦一年；

（七）第一期補撥補助款，由國庫署撥匯四撥發，由省通知各省：一、飭即查明各縣實施賦額分縣具報；二、將實施各賦補助標準依據分配，仍將分配情形報核；三、該款絕對不許由省挪用；四、仍准暫免田賦原則之規定，迅將應行免賦各縣，會同財糧兩部核辦。共二、三、四等期補助款，俟免賦案報院核定後，再行撥發；

（八）綏靖區已收復各縣，自收復之日起，至本年三月份止，依照免賦補助標準，應行撥發補助款，統由財政部地方財政司核算共需五百卅億六千餘萬元，除已准撥二百億元外，尚不敷三百卅億有奇。又今後軍事進展，收復縣份，將隨日有增加，擬請院核撥四百億元，存儲備用，仍由財政部撥發。

急賑綏靖區難民 加撥百一十億元
急賑總隊延長六個月

【本報訊】綏靖區難民急賑總隊，現因各綏靖區之急賑工作迅速展開，而綏靖收復之縣份亦日益增加，總計三八六個縣中，已被收復急賑者共達一一六大縣，今已舉辦者已達四十餘縣。最近，該隊現因使命同將於明（九）日三月期滿，待擬准延長展期急賑工作之時間，傳聞已擬准展延六個月，俾克竟綏靖各綏靖區之急賑工作。

【本報訊】綏靖區難民急振款，前經行政院核准撥發九十億元，現款項已全部支撥，現以急待辦理各綏靖區之難民急振工作，現已經救濟委員會核准加撥一一〇億元，以用於與未辦理急振之三二〇縣。

救國公債換票 六月底截止

（中央社訊）救國公債換領債票展期，經財政部公告再延至本年六月底止……

昨續審谷壽夫
證人陳述暴行歷歷如繪
今日下午開辯論庭

【本報訊】戰犯谷壽夫，國防部昨（七）日在勵志社舉行第三次公審，二時正，審判長石美瑜，審判官宋書同、李元慶、葉在增、張體坤，檢察官陳光虞、書記官……及日籍翻譯官二人，相繼出庭……

調查三航機失事 監委范爭波報告

二、當日氣象情形

三、飛機機件及機場設備

四、飛行人員之經驗及訓練

五、當日各班機飛行情形

六、善後措施

七、失事原因及責任問題

八、建議

市參會決定 審核學校收費

國貨展覽會 定期舉行

新運紀念日 加蓋紀念郵戳

全國漢奸案 逾三萬件

六項證件 可以請邮

丁逆默邨今宣判

，請卹有效，俾使各遺族得進行請卹，凡持有下列文件之一者，均得視爲請卹有效證件：

（一）原有部隊對遺族之死亡通知書。

（二）各級軍醫院對遺族所發傷亡殞命或病故通知書。

（三）戰友私人函知其家屬與告死亡情形之函件，其郵戳日期確爲已往而信封內字跡相同，經查屬確實者。

（四）遺族所持之證件，其證明人係高於死亡者一級以上之直接或間接長官並有關防，確於死亡時寄予者。

（五）原直屬長官或任他職以之出具保證書，並有現服務機關印信及私章者。

（六）無現職之原直屬上校以上長官出具證明蓋

昨續審谷壽夫

證人陳述暴行歷歷如繪

今日下午開辯論庭

【本報訊】戰犯谷壽夫，國防部昨（七）日在勵志社舉行第三次公審。二時正，審判長石美瑜，審判官宋書同、李元慶、葛召棠、葉在增，書記官張體坤，檢察官陳光虞，被告辯護律師梅祖芳、張仁德及日翻譯官二人，相繼到庭。被告谷壽夫亦由憲兵押到，立於被告席上，向審判官作一鞠躬。這個當年殺人不眨眼，殘暴如豺狼的劊子手，今日在法律之前低頭了。

石庭長首再度詢被告，何日率部入城，大肆屠殺，是否因中國軍隊劇烈抵抗之故，而圖報復？谷犯供稱：余之部隊十三日正式進城，惟十五、十六、十七三日即開始分批離京，二十一日被告亦率剩餘之少數部隊至蕪湖。在十二、十三兩日中，城郊一帶，戰事猛烈，雨花台中華門爭戰，均無人烟，所云進城之際，大肆屠殺，實不可能及不能有。繼後辯曰：余率部駐南京一週，十七日參加入城式，十八日參加慰靈祭，所至之處，確不曾見有屍體，所言證非撤謊，有當日參加之其他部隊官長可證明。法官問曰：被告曾承認，彼在南京之歐美人士曾向松井司令官提出抗議，彼既不承認有屠殺行爲，當日歐美人士所提出之抗議，究係何事？谷犯答稱：此乃余被捕囚禁於巢鴨監獄時之事，松井司令官因曾詔余，言及歐美人士不滿日軍行爲而抗議，但未言及余之部隊所爲。

二時三刻，審判官詢前市臨參會副議長陳耀東，報告調查大屠殺案經過，略謂：市臨參會奉命組織調查委員會後，開始積極進行各項調查，總計確鑿之案件共二千七百八十四件，罪行種類有槍殺、刺殺、集體屠殺、燒殺、先姦後殺、先刑後殺、打死等項。殺生於被告駐區內者總計達三分之一，皆在中華門附近一帶。希望庭上不僅應依法嚴懲被告，且應引渡中島與其他戰犯至京公審究辦。語畢，旁聽席上報以熱烈掌聲。

至此，庭上傳訊證人，其中有七十高齡之老翁，名趙永順，因被砍十一刀，左手削去一手指，頸上復被刺數刀。又有柯榮富者，身遭七刀二槍，然此二人皆死裏逃生，昨日均出庭作證。繼有當年服務於鼓樓醫院之陳瀾女士，亦在庭上對日軍暴行作簡短有系統之陳述、六時，庭諭被告還押，今（八）日開辯論庭，繼宣佈閉。

1947.2.12《大公報》 25日續審谷壽夫案

金融市場愈趨混亂
中樞昨開緊急會議
妥籌對付之策 力挽狂瀾之倒
宣布黃金國有？停黃金買賣？
政府當局在縝密研討中

【本報南京十一日發專電】金融市場之狂濤，似已不可收拾。京中金價十一日午後竟破九十萬關，政府當局亟謀有以安定。十一日午蔣主席在官邸召集宋院長及政府金融經濟委員商討對策。宋院長並於十一日發行政院會後，召集財政經濟各部門負責長官開緊急會議，會後沒有消息透出。惟據行政院高官人談稱：宋院長對金融市場之狂潮，已予密切注意，正慎思對策，以制止此種混亂現象。聞對策業經商定，即可付之實施。記者十一日走訪政府各要員，咸對金融市場混亂現象感困不語。京中盛傳政府將宣布黃金收歸國有，政府要員既不否認，亦不予以證實。惟各方均認為出口補貼進口附加辦法之事先未周密考慮，以致與美國稅條例抵觸一事，是一大錯，還不如乾脆於陰曆年關過後即調整外匯為妥當。因這一措置的錯誤失效，再加以華南戰局沉重，舊年後本應騷動一下的市場，遂至一發不可收拾。遊市遊資集聚之數額，據內幕中人稱，亦出乎意料之外，此與大量之發行與近來軍費支出之鉅大，亦有關係，致遊資之來有如洪水，成不可阻擋之勢。據經濟界人稱，政府對策亦不外：（一）由中央銀行稍放大量配售黃金，以殺漲勢，待市場相當穩定後，再作其他打算。（二）宣布黃金國有，或停止黃金買賣。

【本報南京十一日發專電】京黃金市場十一日續趨狂漲，午後金價會一度破九十萬關，飾金售出最高掛牌九十三萬。至晚八時許停市時，回小至八十七萬。金市最初開，即報七十二萬，後步步上昇，午時即至八十四萬；美鈔初報一萬四千元，午間會昇至一萬六千元，午後回跌至一萬五千元，銀行業暫停交易。銀樓交易亦極有限。每人限購一錢，然自晨至晚，各銀樓皆擁滿了觀牌價的人，惟多咋舌而去。連日金價狂昇，一般物價亦皆隨漲斜昇。小民叫苦不迭。然亦不願束手待斃。記者十一日巡走市場時，見各錢兌店門前三數布衣市民，將袋中法幣一古腦兒掏出來，請換美鈔，或三元，或五元，最大之交易亦不過二十元。這都是在生活狂潮中的掙扎。百物市價都沒有了一定標準，有錢的人見貨就搶，甘的洋貨都漲了一倍以上。與市民生活關係最大的米市場，因社會局限價關係，上熟米突然絕跡，次米供應無價八萬六千元，而上米黑市已破九萬，物價野馬，以棉紗布正最俏，對一般市民無異迎頭一棒。一般公務員對三月份待遇之調整，原寄有殷切希望，這兩天也都冷了這份心腸，都說：「就是調整一萬倍，又何濟於事？」而在這次混亂中，最吃苦的還是報業。京報紙價十一日已漲十三萬多，較舊年前漲了四倍，民間報紙幾全臨無法維持之境。

【本報南京十一日發專電】立法委員楊寶琳等三十餘人鑒於近日金市波濤，影響國計民生至鉅，決建議行政當局，宣布黃金收歸國有，否則即停止黃金買賣。立法院財政、法制、經濟三委員會，並將舉行聯席會議，討論此項建議及禁止美鈔流通諸問題。

【中央社南京十一日電】黃金美鈔黑市價格近日狂漲不已，因而影響物價之波動。政府對此已極為注意。據關係方面消息，當局已有妥善辦法，日內即可見效。屆時黃金美鈔黑市價格以至物價均可獲穩定。今日上午行政院例會時，宋院長予文對目前金融情形曾有所報告。

【中央社上海十一日電】中央銀行總裁貝祖詒因金鈔及物價狂漲，十一日夜快車晉京，向當局請示處理辦法。

物價如脫韁之馬
各地糧價飛昇
平民叫苦連天

【本報北平電話】平郊不靖後，人心浮動。糧販以麻袋運鈔者，絡繹不絕。投機家已轉向貨物，貨物市場亦謝絕整躉。

【本報漢口十一日發專電】昨日此間黃金牌價雖仍為六十二萬一兩，晚間暗盤達七十萬。今晨牌價照舊，暗盤昇至七十五萬。中午一度未掛牌，人心更形浮動。下午三時以後，牌價七十二萬，盛傳暗盤逼近八十萬大關。中上米今已破十萬大關，漲至十一萬至十二萬元不等。各公司商店之貨，昨一日更改一兩次牌價，近已司空見慣。衆認此種全面漲風，乃長期戰亂之必然現象，斷非少數地方政府與商會平抑所能奏效。當此種消息傳遍各鄉村後，其影響將更不堪設想。

【中央社漢口十一日電】此間糧價狂漲。熟米每石已超過十四萬元，武漢行轅今午召集有關方面商討抑制辦法。

【中央社青島十一日電】青市物價狂漲，金鈔食糧波動甚烈。旬日來赤金每兩自四十七萬二千元昇至六十八萬，美鈔黑市自七千五百元昇至一萬一千五百元，大米每百斤自八萬昇至十二萬，麵粉每袋四萬昇至七萬，二十支棉紗每包昇至三百萬元。其他各物均約增漲三分之一強。

【本報鎮江十一日發專電】鎮江物價如脫馬奔騰。十一日黃金每兩曾高至九十七萬元，食米已漲十萬元，其他各物有價無市，小民叫苦連天。

【中央社臺北十一日電】金融無市，米價暴漲，黃金美鈔投機分子爭相搜購，使此間金舖今均閉店休業。糧商亦多歇業，不願拋售。平糴米零售處門前，今均形成長蛇陣，益見擁擠。陳儀長官今日下午三時，召集重要機關舉行緊急會議，商討糧價及物價問題。

察糧運平
傅主席准撥糧三千擔

【本報北平電話】察境為避免春荒，曾限制糧食出境。傅主席以平市糧荒，特應地方當局之請，撥糧三千擔運平，調劑市面。據十二戰區辦事處長李鵬九氏稱，刻已奉到此項命令，三千擔糧將車皮一百個，平綏路回程向例缺乏物資，此後當可裝車下行。

社評
重新估計中英關係

最近，由於英上院對中國問題的辯論，又使國人想起英國來了。同時，在另一方面，英國自從工黨政權成立以後，經濟復原的計畫開始一步步地推展，它在國際間的勢力跟着就雄厚起來，使它有恢復到舉足輕重的模樣。最近英法締結同盟，意義深遠，更令人注意它的活動。無論是為遠東問題，或者是就國際遠景着眼，我們對於中英兩國間的關係不能不重新估計一下。

海通以來，中國的外交，被動的多，主動的少。因為中國自己沒有造成一種局面的力量，英國的對華政策往往不變不改。這樣的改變，主要的有幾起。從江寧條約到庚子事變這一時期內，英國在遠東的動向是受兩個因素的支配：一是推廣以印度作基地的商務，一是防制俄國勢力膨脹以維持英帝國尤其是印度的安全。為了施行這個政策，它本來想找中國作配手；但是我們在經濟與政治上都沒有和它呼應的力量，所以它除了在中國爭取它所需要的勢力範圍而外，不得不另求與國。這時候，日本的維新工作已經展開，漸漸樹立起強國的基礎，它在東亞的地位正適合英國的需要，於是這兩個國家便接近起來了。其結局是英日同盟和日俄戰爭，使日本成為第一流的國家，而被英國以及別人認為是所謂東亞的安定勢力。英國對中國的態度是：在保持既得權益的前提下承認日本在華的特殊地位，聽其拓展。這態度在第一次歐戰期間及巴黎和會中尤為明顯。不過，議和以後，美國成為太平洋上最強大的國家，英國的政策亦隨之一變。因為，英國一方面覺得美國在遠東的目標大體上是與它一致的，同時在商業上日本已經和它發生了競爭，中國既然仍舊是個無合作能力的國家，英國乃不得不由親日改為聯美了。華盛頓會議之後，英國廢除與日本的同盟，而認美國為遠東的配合。英國為了推行中國門戶開放機會均等的原則，主張尊重中國領土主權的完整及行政權的獨立，英國也就改變了前此在中國爭奪地盤的作風，暫取觀望態度。等到國民革命軍北伐，中國民族運動的勢力澎湃起來，英國比較有眼光的人士認為這種追求自由平等的高潮是不能遏制的，所以決定改變政策，以謀與中國妥協。一九二六年奧斯汀張伯倫的對華宣言，便是一個劃時代的轉變。從此以後，英國對中國的態度愈來愈消極；後來因歐洲局勢的不安，它更無力東顧，而傾向於附和強有力的國家。九一八事變發生，因為英國不願干涉，英國就默然的袒護日本。可是羅斯福總統上任對日採取積極政策以後，英國却又停止支持日本了。總之，在這時期內，英國幾乎可以說並無一定的對華政策。

後來歐戰爆發，德國以閃電戰橫掃西歐，英國的形勢岌岌可危，它在遠東無疑的是要避免與日本正面衝突。滇緬路的封鎖，那時中國人認為最不友誼的而甚至一般英國人自己都引以為恥的行為，也就是由於英國在那時候沒有力量得罪日本。假如說珍珠港的突擊是英國所未料到的，英國更沒有夢想到日本會從陸地上佔領馬來亞的全部。直到歐洲勝利，英國在遠東沒有積極作戰，而讓中美兩國擔負大部分的責任。因此，中英的關係更加疏遠，同時中美的合作却更見密切。尤其不幸的是，當中國最需要盟國援助的時候，英國不但不能滿足我們的願望，而且邱吉爾在多次演說中反故意的忽略中國的貢獻，甚至還加以奚落。同時，馬來亞淪陷以後，當英國正在與德國作生死存亡的掙扎，中國人，尤其是中國軍人，自以為對日抗戰這樣久尚能支持下去，而英國竟在短短的幾星期內便在新加坡投降了，因此不免氣燄稍高，也每有過使英人難堪的言論。這兩種態度，使中英的感情增加了許多芥蒂。平心而論，這兩國在抗戰的過程中，有一個時期是處於同樣的艱難境地，感覺同樣的孤立，被迫着作同樣的苦鬥。由於彼此環境的迫切，所以往往只看見自己一面，而不能體諒對方的困難。現在戰事業已結束，雙方開明的人士，對這段不愉快的經過，應該當作是戰時的非常狀態，我們今後必須本互助互惠的精神，建立健全的新中英關係。

在中國方面，我們應當認識英國原來就是一個最成熟的民主國家，經過這次戰爭，它內在的政治和經濟力量更加鞏固了。英國的代議制度，在近三百年內，由不斷的調整與改進，它的政治機能已經達到穩定的地步，並且能夠吸收震盪。同時，英國是最初實行社會政策的國家，它的民生經濟也比別人平衡些。這次大戰發生之後，工黨加入政府，佔相當重要的地位，藉戰時種種設施，切實推行有錢出錢有力出力的原則，使一個極端放縱的資本主義國家走上社會民主主義的路上去。一方面將國民經濟作平均的發展，另一方面又能保持個人的一切自由。由於英國人民富有尊重法治的習慣和愛護公益的精神，這政策在戰時是完全成功的，所以他們的政府在抗戰期中已經能夠着手計劃戰後的復興改造。後來工黨主政，這計畫便按步付諸實施。憑着他們國民的忍耐和刻苦，英國現時已逐漸恢復了元氣。今天一般英國人所享受的福益水準大致已較高於共產主義的蘇聯和資本主義的美國。這樣一個前進的國家，是值得做我們的朋友與榜樣的。

同時，我們希望英國人對於中國也要有一種新的認識。假使他們仔細想想近百年來中國所經過的艱難與紛亂，這五十年來中國社會的變遷，三十年來一般人民教育水準的提高，他們對於目前種種失調的現象也許就不會太悲觀了。我們不是一個完全沒有內在力量的民族。我們和英國人一樣是富有體驗是非觀念的，是能看到自己的弱點和矛盾的；我們有更古老的文化，但是我們也能接受新的思想，試探新的途徑。如果我們拿民國元年時候的一切情形和今天比較一下，就可以看出來，中國是有進步，並且進步的速度是逐漸增高的。在政治上，中國雖說沒有過西洋式的代議機構，但是歷來有自由平等的傳統；它經過相當的演化，一定可以變成現代化的民主國家，而為遠東的穩定力量。英國的一貫政策既然是要在遠東交結一個強大而穩定的國家，中國是一個最適當的選擇。在商業上，英國在中國國際貿易上有最悠久的歷史；雖然近三十年來經過許多波折，中國人對英國人的商業道德和出品還是有相當信用。在這種良好的基礎上，要恢復與發展對華的貿易是不難的。

依我們的觀察，自從工黨執政以後，英國對遠東及對中國的認識是比以前要開明多了。不過，英國政府還得認識，中國是願意與它友好，並且有做朋友的價值。中國人也得要了解，在我們工業發達以後，有許多地方是英國所能幫助的。英國民風的淳厚，社會的安定，公民權益的平等，以及他們處事的嚴謹，都是可以供我們借鑑的。在目前，雙方因為物質的限制，不能盡量展開大規模的合作。但是，這合作總於有一天會發生的。所以我們誠懇的希望，中英兩國的政府及人民現時都應當在培植友誼的方面着手，避免在小處彼此刺激，將來一切的關係都可以用友好的精神來推進的。

卅五年度徵實
限本月底結束

【中央社南京十一日電】三十五年度糧食徵購徵借現多已徵達百分之七十。糧部於三十五年度徵糧，一再延遲，除已有大部省份徵實均已超過七成者依時結束外，其餘徵購徵借已近七成者即將於本月中結束，未達七成之各省份糧部已電各省主管徵糧機構加速督徵，最遲亦限於本月底結束。

大連糧荒
每日自殺者數十起

【本報瀋陽十一日發專電】據大連來人談：大連市內現由武裝農民維持治安，市內糧荒益趨嚴重。每日自殺者有數十起。中共規定由鄰居與保甲長負責防止。公園內並禁止遊人，意園內自殺者亦日有所聞。

魯南局勢漸臨決定階段
王耀武部昨日乘勝直迫蒙陰
泗水方面共軍正不斷增援中

【本報南京十一日發專電】軍息：（一）魯中魯南局勢已漸臨決定性階段。收復新泰之王耀武部十一日晨復排除共軍第九師之抗拒，進駐敖陽鎮，並乘勝直迫蒙陰。泗水共軍仍不斷增援，國軍左翼正指向沂水，右翼則疾趨濟寧臨沂線。（二）郝鵬舉被俘後（按實係為共左右劫持），隴海線東段及魯南形勢轉緊。惟經國軍反擊後，今日磁山南邱間與臨沂東面沿線之共軍已被擊退。（三）[illegible]、郯城、臨沂間戰事熾烈，兩軍今仍隔沭河作戰。陳毅總部已移莒縣。

【中央社徐州十一日電】繼郝鵬舉主持魯南及統率第四十二集團軍之畢書文氏昨來徐謁陳總長及薛岳主任，報告郝部被劫經過，並表明該部擁護政府之赤忱，備受嘉勉。畢因奉命代理郝之本兼各職，十一日下午離徐赴新安鎮，轉前線就任。據悉郝部原有四師，約一萬九千人，此次與共軍在白塔埠及其他地區血戰兩晝夜，除創共軍二萬餘外，該部大部完整。郝在此次戰役中，曾親率特務團向共軍衝鋒，與共軍主力遭遇，力戰被俘。該部現分駐隴海東段之河淵車站及東海，重事整補，即可重上前線。

【中央社徐州十一日電】魯南前線國軍十一日在臨沂南李家莊十華里瀧埠東西之線，繼續掃蕩殘餘共軍。

【本報濟南十一日發專電】魯境共軍現聚散無常，主力潛伏，避免犧牲，戰局不易速決。魯南國軍仍在臨沂郊外，與共軍相持，但飛機偵察臨沂城內，空不見人。濟南外圍共軍東移後，十日下午四時五千餘人由章邱以北渡小清河，經國軍痛擊，傷亡頗衆。當晚復有共軍三千餘由辛家寨向章邱普軍鋼進攻。激戰竟夜，十一日拂曉被國軍擊退。

【中央社徐州十一日電】共軍[illegible]部約萬餘人，由廣饒南進，到臨淄城東三十里河陳家樓等二十餘村，揚言即攻取臨淄、益都，國軍已嚴防。

【中央社徐州十一日電】郯城以北之國軍刻正肅清地方，安定秩序，正面國軍十日進駐華埠（李家莊南）。同日另部國軍進抵曹莊邦莊及七及山之線，當面共軍為新七師新四師等部，據險頑抗，國軍仍繼續推進中。

【中央社開封十一日電】蘭封以東之國軍，為狙擊共軍劉伯誠部之流竄，本日進抵舊考城西南地區，與商邱國軍在民權附近會合夾擊，刻正激戰中。該股共軍為第三縱隊，行將全部就殲。

【中央社鄭州十一日電】共軍劉伯誠部日來流竄民權附近，意圖由此進犯蘭封。十日上午十時共第六七兩縱隊之各一旅由商邱方面沿鐵路西集民權附近，同時共第三縱隊全部及獨白馬兩團亦由曹縣方面前來，共計兩萬餘人，分向民權小壩車站小店舖斷堤頭等處猛撲。戰至下午五時，共軍白馬兩團損失三分之一以上，宣告潰退。其餘各縱隊亦因受重創向東北方面逃竄，共未及設逃而被國軍俘獲者有國民兵以下二千餘人。此一戰役，已使共軍三路會攻蘭封之企圖完全失敗。

募捐也須統制
向海外募捐須僑委會批准

【中央社紐約十日專電】中華公社本日發表政院僑務委員會訓令，禁止國內任何公共團體未經僑委會批准向海外華僑捐募款金，其目的在防止不肖之徒假藉名義，剝削華僑。

廣州驚人走私案
海關督察長押交法院

【中央社香港十日電】廣州憲兵六日晚逮捕走私犯六十人以上，並沒收大批違禁品（主要為香煙），約值一萬億元，多係自九龍來之旅客所攜帶者。憲兵已將全部沒收品交海關。據悉，粵海關督察長梁佑乃已由最近到達之新任粵海關稅務司張勇年下令逮捕，押交法院。據傳梁氏與最近憲兵及海關官員所發現之屢次走私案有關。

東北縣銀行
監理會成立
決先設四省分會

【本報瀋陽十一日發專電】東北縣銀行監理會已成立，由關公苑、高嘉風等為委員，六日午召開第一次會議，決定先行成立遼寧、安東、吉林、遼北四省分會，並先成立瀋陽、永吉等行。一等縣行資本五百萬，二等縣三百萬，三等縣二百萬，均官商股各半，以期配合各縣合作社，發展農村經濟。

熊式輝昨飛平即返瀋
東北局面即可立見端倪
大連接收仍循外交途徑

【本報北平電話】熊式輝偕夫人及隨員一行十一日下午一時半乘天雄號專機抵平。前往歡迎者有李主任宗仁夫婦、趙一山、李誠毅、張良辰等。熊當即返寓休息，定十二日晨返瀋陽坐鎮。熊此次在京對東北各項重要問題均作縝密檢討，並獲得相當結論。

【本報北平電話】和談停頓遍地烽火中之東北局面，行轅熊主任式輝返瀋後，即可立見端倪。大連之接收，聞仍循外交途徑解決。如外交上無進展，當不致遽行接收。至東北紅軍撤退問題，可能於商談日本賠款求得解決。至東北全面主權之接收，政府已有準備。東北地方當局當待中央適合時機之命令以執行。

郝鵬舉遇伏被俘
畢書文通電說明經過

【中央社南京十一日電】魯南綏靖區司令官郝鵬舉於反正後，即與共軍在駐地附近，激烈對戰，不幸於本部督剿時，竟被共軍劫持。該部副總司令畢書文等九日發出通電，說明郝氏被共軍劫持經過，並呈報在防地就任代總司令職務。原電如次：

國民政府主席蔣、國防部長白、參謀總長陳、陸軍總司令顧、海軍總司令陳、空軍總司令周、後勤總司令黃、中央社轉各院部會軍政長官鈞鑒，暨全國各黨派、各民衆團體均鑒：本軍為擁護政府實施憲法和平民主團結統一之旨，曾於感（二十七）日通電，返軍於國。蒙政府慰勉有加。復承各方紛電嘉許，希冀之殷，益加惕勵。全軍將士，誓願追隨國父，為建設富強新中國而奮鬥。乃中共黨人別具用心，滋長內亂，反對本軍感電主張，乃集結共軍十餘萬人，在隴海東段白塔埠一線，於六日偷襲，圍攻本軍。我郝總司令指揮有方，將士用命，血戰兩晝夜，殲滅共軍二萬餘人，殘餘紛紛四竄。我郝總司令親自督導，分頭追剿，卒能克奏膚功。乃以奮勇深追，郝總司令與少數衛隊遇伏，被共軍劫持。共餘各部完整。大功初竟，主將遭遇意外，全軍將士惜恨填膺。今後誓仍本郝總司令救國救民之精神，貫徹到底，始終不渝，決不受任何變換。總之，郝總司令雖被劫持，本軍全體將士為國家流血之精神，決不為動搖，且益加砥勵，以期無負於國家，無負於民族，以貫徹並報答郝總司令為國効忠之初衷。並正式警告共黨，對我郝總司令，應即禮遇送還，如有所危害，本軍將士為公為私，誓必殲盡共軍，上以報國家人民，下以全公私精神。耿耿此心，天日共鑒。臨電悲憤，伏維垂察。代魯南綏靖區司令官兼代四十二集團軍總司令畢書文、參謀長劉伯揚，師長曾紀瑞、李鐵民、李仰周、趙越動、副師長何兆祺、李清華、彭學一，張永慶暨全體將士全叩佳（九日）。

共軍攻元氏
易縣方面共軍增援

【中央社保定十一日電】(一)石家莊外圍共軍仍圖伺機進擾，刻正積極破壞[illegible]東長壽間鐵路，並調動平山、行唐、獲鹿、元氏各縣大隊，分向正定西北四十里柴里村及獲鹿東北地區集結。(二)太行第十一軍分區三十四團范金標部千餘名武器齊全，刻由高邑東西端莊竄至元氏縣東南大東莊一帶，似有進犯元氏外圍據點模樣。(三)國軍收復易縣後，乘勝掃蕩，現縣城四週十里內，已無共軍。共軍第四、五、八各旅主力均受重創。現共軍易淶邊區總部已由保定、滿城、完縣、唐縣各抽調兵力增援。

晉境戰報
共軍竄汾孝靈霍等縣

【本報太原十一日發專電】共軍攻陷孝義、文水後，汾陽縣城已陷入三面包圍狀態。汾陽、孝義戰役共軍受創後，陳賡率四個旅竄晉東南，似有增援平漢路之模樣。晉中[illegible]各部兩個旅分別竄入汾陽、孝義、靈石、霍縣等縣地區，似有窺伺汾陽縣企圖。

陳誠晉級
陞為陸軍一級上將

【中央社南京十一日電】蔣主席核定陸軍二級上將參謀總長陳誠晉陞為陸軍一級上將。陸軍中將加上將銜東北行轅主任熊式輝、臺灣警備司令陳儀、川康綏靖公署主任鄧錫侯等三員，晉陞為陸軍二級上將。

平軍調部中共人員
昨分批飛邯鄲延安
餞別席間並無黯然消魂之態
長春分部三方人員紛作歸計

【本報北平電話】軍調部中共方面十一日起開始第一批撤退，目的地為邯鄲及延安。赴邯鄲者計：黃越千、寶健昌、張晉、任希武、禮世光、王長春、張德滋、邵振方、郎長學、陳蔡、朱積西等十一人；赴延安者計為任璐、孫玉如、徐大年、張養功、任興洞、王良科、馮登仁、魏藍辰、董小元、董小光、張慧琴、薛修樵、孫正、齊明熙等十四人。十日晚中共代表團假北京飯店舉行歡送會，葉委員亦參加，聞並無黯然消魂之情緒，中共幹部對回老家皆極歡欣。

【本報北平電話】鄭介民委員已決定不返平。軍調部國方人員之分發，由蔡文治參謀長全權處理。國方共有職員四百餘人，內中有參謀人員一百八十餘人，將於十二日陸續回往服務地點。雇用人員發薪至二十五日即解雇。十一日下午國方全體人員集會攝影，以作紀念。

【本報北平電話】軍調部齊齊哈爾三十六小組、安陽十四小組、石門十二小組、張家口二十小組人員，定十三日前返平。另有四個小組，因撤退計畫未就緒，飛機運輸未商妥，返平期未定。十二日有班機飛延安，中共一部分物資運至延安。中共長春分部參謀長伍修權及一部分人員定十四日撤回哈爾濱。葉劍英委員將於十五日飛回延安。又董越千十一日並未離平。

【中央社長春十一日電】軍調長春分部三方面工作人員將自十二日起開始撤退，共方三十一名人員先行，首批七名定十二日乘專機飛哈，翌日機續載送政府與美方人員撤退北平。十三日、十五日、十七日、十九日每日將有專車一列由長開出經瀋陽赴平，載送政府與美方人員及物資器材等。政府方面首席代表鄧為仁將軍、參謀長周勵武少將，及美方代表泰森上校定最後離長，可能在十九日二十日兩日內搭機飛平。鄧為仁少將現告記者稱，前年長春四一四事件中被共軍俘虜之政府接收人員張大同、行轅經委會曹志湖，十四地區空軍司令部錢稀章三名可能於十二日搭輪送軍調部共方人員之飛機由哈返長。

【中央社長春十一日電】軍調部美方人員將於本月中旬前離長，長春市民對彼等過去一年來為中國和平統一之努力及其犧牲精神極表感謝，長市各民衆團體將於彼等離長前準備集會歡送，以示惜別。

鐵路視察團
昨晨赴張垣

【本報北平電話】周北峯已於十一日晨乘平綏車赴張垣視導作業。

【本報北平電話】交部京北鐵路視察團章祜等十一日晨七時五十分乘車赴張垣。平漢局副局長蘇紀忍及該局工務、機務、運輸各處負責人隨行。計程當晚即可到達。定十四日返平。平綏線國軍均主動四出警戒，以資戒備。

林故主席誕辰
蔣主席親臨紀念會主祭

【中央社南京十一日電】林故主席八秩誕辰紀念會於十一日上午十時在中央監委會秘書處舉行。蔣主席親臨主祭。于右任、鄒魯、張繼、鈕永建、陳其采、焦易堂等陪祭。到有吳鐵城、白崇禧、邵力子、狄膺等暨林氏家屬林陳少華（媳）、林平（孫）、林娜（孫女）等百餘人。儀式簡單隆重。

滬江灣爆炸案
軍械庫長判無期徒刑

【本報南京十一日發專電】軍聞社訊，上海江灣爆炸案經國防部派員澈查，問長德純在過去一再疏忽，已釀成災象。一為疏忽，一為無保管軍械之充分知識，因致釀成爆炸巨案。據悉該庫庫長王仁珊應負刑事上責任，經國防部軍法處判處無期徒刑，其判決書正呈主席核示中。聞該犯仍羈押上海淞滬警備司令部監獄內，暫時尚不解京。

谷壽夫案
二十五日續審

【本報南京十一日發專電】軍聞社訊，南京大屠殺主角谷壽夫一案，經國防部審判戰犯軍事法庭連續三日之公審，因案涉範圍較大，尚未終了。茲悉軍事法庭已定於本月二十五日上午九時仍在黃浦路勵志社開庭公審。

通縣城內秩序恢復
黃昏一場虛驚 近郊漸趨安謐
北平城門檢查工作加緊

【本報北平電話】通縣城內秩序已恢復。平通間十一日對開臨時列車兩次，近郊已無共軍蹤跡。順義至張辛莊一段鐵路，仍為共軍控制。上午傳馬駒橋被圍攻，該地駐有工兵某部，經大興縣政府派隊前往四海鄉一帶搜索，並未發現共軍。又傳永定門二里許安樂林沙土村一帶，十一日午後二時竄來共軍一部。記者驅車至永定門天橋一帶，市民照常操作，無異平時。惟各城門之檢查工作，已較前加緊。警局並已制定緊急檢查辦法，加強城防。自通縣事件發生以後，三十六小時間，平市顯已失去其平靜，謠諑繁興，傳說紛紜。行轅王參謀長定十二日上午邀請各報記者舉行一談話會，對北平當前局勢，定有一番明確剖析。

【本報北平電話】通縣十一日黃昏又鬧一場虛驚，有共軍兩名，攜機槍一挺，未及隨共軍撤退，潛伏於兵站醫院之屋頂上。五時許，被巡邏隊發現，兩共軍即自屋頂開槍亂掃，巡邏隊還擊，槍聲大作。兩共軍以彈盡被俘。又通縣東站夜七時被不明番號之部隊襲擊，經國軍還擊，即倉皇退去。

【本報北平電話】北平十一日晚四城忽大半黑暗，為時甚久。據悉平津唐輸電線又告破壞，而石景山電廠有一部機器亦告失靈，旋即修復。又電車公司通州發電廠至十一日午後仍在燃燒中，該廠職員宿舍被掠一空，辦公室全部燃燬，發電機法式搖盤被燒燬，一時尚難修復。該項電盤國內無處可購，短期間難得復原。今後行車僅借電使用。

【本報北平電話】北平北郊張辛車站以西孫河以北地區，有共軍盤踞。孫河北國軍建立之兩據點，不時遭受襲擊。北平綏靖區現正與近郊各縣之主腦會商，急謀展開有力綏靖工作。

【中央社北平十一日電】軍息：共軍數千人昨晨襲擾通縣，經國軍驅散後，分向該城東北潰竄。城內外治安恢復，北平通縣間電話全通。

膠東戰事一觸即發
東北共軍精銳續運烟台龍口
膠濟鐵路時時遭受破壞

【本報青島十一日發專電】共軍為策應魯南戰事，現陸續由東北向烟台、龍口輸送軍隊。該項共軍裝備優良，多係至膠縣、高密、即墨、平度各縣境。膠濟路兩側共軍每夜必出動破壞鐵路，膠濟路隨時有被切斷之危險。察其情勢，似在威脅青島，膠東戰事隨時可爆發。

政院例會
徵定期土地增值稅
派定中英文教基金會董事

【中央社南京十一日電】政院七七六次例會十一日上午九時舉行，宋院長主席，報告財政金融情形，王外長報告外交，谷部長報告與中共商談黃河堵口復堤工程情形。

報告事項 ㈠關於糧食事業機械借用外匯辦法案。㈡陝綏等陞級案。

討論事項 ㈠東北棄產處理辦法案通過。㈡徵收定期土地增值稅案，通過。㈢修正綏靖區田賦實施辦法案，通過。㈣食管與天然棉同樣課稅，人造棉、紡織棉紗稅率案，通過。㈤擬先拔工訓練實施辦法案，通過。㈥修正外交部組織條例案，修正通過。㈦交通部民用航空局組織條例案，修正通過。㈧農林部海南島農林試驗場組織通則案，修正通過。㈨省保安警察隊組織通則案，修正通過。㈩西京市政府組織規程案，修正通過。⑪山西等省[illegible]處組織規程暫修正條文案，通過。⑫延長山東省臨參會參議員任期案，通過。

任免事項 ㈠派羅凱士爾、艾沛森、杭立武為中英文教基金會董事。㈡任命倪惠僧為內政部人口局局長。㈢派喻任聲試用為農林部總務司司長職務。㈣交通部簡任秘書莫衡另有任用，應予免職。㈤任命朱葆芬為交通部簡任技正。㈥任命孔容照、張啟彝為署江蘇高等法院推事兼庭長。㈦任命陳錫珊為西康高等法院首席檢察官。㈧任命浙江高等法院首席檢察官鄭慶高為福建高等法院首席檢察官。㈨任命湯飛九為中央防疫處處長，並免去該員原任中央防疫處技正職務。㈩任命李興鉅為天津商品檢驗局局長。⑪任命[illegible]為衛生署東南防疫處處長。⑫任命[illegible]為經濟部中央地質調查所副所長。⑬任命李春昱為國立北平研究院副院長。⑭行政院秘書長甘乃光兼政務委員會委員，應免兼職。⑮[illegible]為交通部郵政總局局長。[illegible]任命光宗為公路總局督察工程師。[illegible]以陝西省水利局長[illegible]試用為陝西省水利局長。[illegible]任命王元輝為[illegible]市公用局局長。[illegible]川省保安處長、副處長劉兆藜並將原任[illegible]長王元輝，均予免職。

谷壽夫案

二十五日續審

【本報南京十一日發專電】軍聞社訊，南京大屠殺主角谷壽夫一案經國防部審判戰犯軍事法庭連續三日之公審，因案涉範圍較大，尚未終了。茲悉軍事法庭已定於本月二十五日上午九時仍在黃浦路勵志社開庭公審。

1947.2.14《南京新民報晚刊》 本月廿五日審屠夫

周佛海死期已近
司法部令到即予執行

「本報訊」最高法院駁回周逆佛海抗告書，[illegible]……一切懸候司法行政部命令。（言）

吉普無眼
撞毀警亭

「本報訊」[illegible]

騎術比賽
月之廿四

「本報訊」[illegible]

元宵小販
妻女走失

「本報訊」[illegible]

金市穩定
上熟米仍無所見

「本報訊」[illegible]

市錢業公會
社局核准籌組

「本報訊」[illegible]

淮清橋飛來怪彈
賣菜翁應聲倒地

「本報訊」[illegible]

審屠夫
本月廿五日仍在勵志社

「本報訊」[illegible]

五洋各貨普跌中
瑞豐烟號獨抬價
商人不滿紛貼標語反對

「本報訊」[illegible]

孝陵衛一人壓死

[illegible]

南京事

[illegible]

深夜架人
妨害自由

「本報訊」[illegible]

桂花去無蹤

「本報訊」[illegible]

本市屠宰場
改隸衛生局
市政會議今晨通過

「本報訊」[illegible]

製造偽鈔犯
四名提公訴

「本報訊」[illegible]

加價聲

「本報訊」[illegible]

金焦山風光依舊
甘露寺重兵駐紮
◇鎮江遊記◇

「本報特寫」[illegible]

行情

飾金（出）	[illegible]
飾金（進）	[illegible]
飾銀（出）	[illegible]
飾銀（進）	[illegible]
美鈔（出）	[illegible]
美鈔（進）	[illegible]
上熟	無貨
中熟	無貨
次熟	[illegible]
糯米	[illegible]
龍頭細布	[illegible]
萬壽斜布	[illegible]
萬壽細布	[illegible]
吉祥元布	[illegible]
高樂元布	[illegible]
綠士林	[illegible]

審屠夫

本月廿五日仍在勵志社

【本報訊】大屠夫谷壽夫二十五日審論庭旁聽證，今日已開始發出、據軍事法庭方面訊：上次公審秩序欠佳，此次將由勵志社負責維持・擴音器移至大門口，無證者可於人行道上聽審，此次旁聽證，僅發一千張，以避免庭內過份擁擠，影響審訊。（尹）

1947.2.25《大公報》 谷壽夫今續在京受審

魯戰擴大情勢益緊

萊蕪棄守博山淄川陷落

膠濟線北共軍分路猛攻

濟南戒嚴外圍不斷有接觸

津浦正面收復滕縣趨鄒縣

【本報濟南二十四日發專電】魯中戰場擴大，形勢緊張，二十三日夜共軍發動各地總攻，均遭遇國軍之堅強抵抗。濟南外圍共軍二十三日夜分以小部進攻齊河、晏城、黨家莊、中宮鎮，均被擊退。二十四日復攻長清，亦未逞。魯中戰事更慘烈，國軍因任務完畢，二十三日開始由萊蕪吐絲口分路突圍，迄二十四日仍沿途血戰中。博山經過一日夜之血戰，二十三日晚城郊混戰猛烈，二十四日早迄訊不通。另有共軍一部由博山攻淄川，現正激戰中。膠濟線以北大戰亦展開，二十三日晚共軍兩萬餘由陶唐口分攻長山、鄒平，另一路由桓台索鎮攻張店車站，一路由齊東攻章邱，現均激戰中。魯東共軍兩萬，攻灰埠、沙河，已血戰六日夜。國軍即完成新部署，兵力雄厚，共軍如企圖窺濟南，必遭失敗，但當局爲安維治安，二十四日晚八時戒嚴，並抽查行人。

【本報濟南二十四日發專電】博山、淄川二十三日夜已陷共軍手中。

【本報南京二十四日發專電】軍息：㈠魯中戰事愈演愈烈，張店博山間支路二十四日已不通，馬尙站附近亦有血戰。沙河鎮、灰埠、青石關、桃花泉一帶二十四日雙方拼死爭奪，死傷慘重。又陳毅部三萬餘二十四日越過蒙陰，圍攻泰安，情勢危急，國軍正馳往增援。

【中央社徐州二十四日電】津浦路正面國軍二十四日晨十時收復滕縣，魯南門戶已洞開，今後共軍在該區已無險要據點可資抗拒。

【中央社徐州二十四日電】由臨城棗莊北上國軍胡璉部，二十四日下午五時進駐滕縣，刻正與兗州國軍以南北合擊姿態撲向鄒縣會師中。津浦路局已着手修復臨城兗州間百八十里之路軌，預計津浦南段交通四月底可由浦口通至兗州。

【本報南京二十四日發專電】中共發言人梅益二十四日晚發表戰訊稱：萊蕪附近二十三日發生激戰，國軍第七十三軍、第四十六軍及第十二軍之一師被共軍加以包圍殲滅，總指揮李仙洲暨兩軍長以下五萬餘人全部被俘，戰事在繼續發展中。

王外長由平飛抵瀋

謂東北問題可無焦慮

後日飛長春週內返京

軍情忽緊張鄭洞國奉召飛京

大連共軍北攻德惠城郊激戰

【本報瀋陽二十四日發專電】王外長世杰二十四日晨九時偕夫人及隨員二人乘專機赴瀋陽，何市長思源親往機場送行。王氏定二十七日返平轉京，過平時不擬再作勾留。王氏對於北平之行極表愉快。彼以外交當局之地位，對於外間之一切猜測均拒作詮釋。

【本報瀋陽二十四日發專電】據悉，中共部隊正以帆船由山東轉運至大連登陸，普蘭店以南之共軍亦在增加，並於二十二日午夜向北攻擊，計有獨立師兩團之衆。廖耀湘軍迎面還擊，共軍向東北方竄去。將來大連接收，縱無外交問題，而自己是否要大動干戈，已頗顯明。

【本報瀋陽二十四日發專電】王外長世杰偕夫人與秘書譯官員各一人二十四日十一時由平乘專機抵瀋，歡迎人員多未及迎接。王氏入城，下榻張嘉璈公館。王氏以外交部長資格抵此，外交複雜局面之東北，難免被人注意。但王氏僅謂：日本投降後，從未來東北，此行無特殊任務，擬了解東北政治經濟情形，獨不提外交兩字。並謂：東北問題可無焦慮之處，而[illegible]所帶數冊書本，足以說明王氏北來不單爲遊歷。

【本報瀋陽二十四日發專電】王外長世杰抵瀋後，即在張主委嘉璈公館與熊主任式輝及張氏三人登樓晤談，避免會見賓客。王氏謂：如時間允許，將赴長春一行，最遲月底返京。

【本報瀋陽二十四日發專電】王外長世杰二十四日午後由張嘉璈陪同參觀鐵西工廠，二十五日王氏招待記者，將發表書面談話。聞王氏二十七日飛長春，當日返瀋，二十八日返京。

【本報瀋陽二十四日發專電】二十四日中長路南北兩段全部客車停駛，軍運頻繁，似爲一種新部署新局面之預兆。

【中央社南京二十四日電】據可靠方面消息，外交部王部長將於四五日內自東北回京。又訊，行政院宋院長子文原來與現在並無赴東北之意。

【本報瀋陽二十四日發專電】東北局面忽告緊張，鄭洞國奉召二十五日返京，預計二十六日返瀋，將赴長春坐鎮。

【本報瀋陽二十四日發專電】廖耀湘軍長二十三日由瀋赴鞍山防地。據悉，二十五日中長路客車仍將停駛，兵車多由北往南開，而大連難民則紛紛由南往北逃。

【本報長春二十四日發專電】軍息，共軍紛紛渡過松花江，有再犯吉長企圖，共方係林彪指揮作戰。

【本報瀋陽二十四日發專電】松花江不日將解凍，共軍又趁機渡江南犯，德惠東南之城子街正受中共之優勢部隊圍攻，另一部隊則襲擊長春德惠間之鐵路，阻碍國軍增援。樺甸以北地區亦在激戰，共軍目的似仍在搶攻據而劫倉糧，本溪以東之城廠鎮一度陷落，現已收復。

【中央社長春二十四日電】松北共軍約兩萬人二十四日晨猛攻德惠城郊，我守軍奮勇應戰，砲火激烈，迄晚德惠附近仍在激戰。

【中央社吉林二十四日電】軍息，竄擾德惠、九台一帶共軍約萬餘人現被國軍截成數段，完全失去連絡，形成半身不遂狀態。又農安縣政人員及鐵路員工遵當地駐軍指示，今日上午已作戰略撤退。

社評

綏靖區政務檢討會議

北方綏靖區政務檢討會議原定今日開幕，以候白崇禧部長北來，會期改爲明日。其鄭重將事之意，灼然可見。顧趁此時機，一論北方綏靖工作。

近月來各綏靖區政務之推動，大體依據去年十月十六日國防會通過的綏靖區施政綱領。這個綱領，其基本觀點及辦法，大致可稱健全。不過這些辦法，一經實行起來，往往就變了質，走了樣，原意變失，面貌全非。這是非常可慮的一點。此中癥結所在，非本文所能詳論。然有一個要點必須說明：綏靖區既存在着新情勢，面對着新問題，要適應這種新情勢並解決這些新問題，就須基於新觀點和新作風，眞正拿出一套合理而不背時的新措施，然後綏靖區的政務工作纔能够順利展開，而獲得預期的成果。但是按諸實際，各綏靖區工作人員，大抵仍是基於舊觀念和舊習慣，撥舊戲法，唱老調子。試看許多綏靖區所展覽表演的，不幾乎都是一些陳舊得生了銹的老辦法嗎？這就描出了綏靖區政務工作的還覺。

這裏須有一個大家公認的原理，就是：綏靖區的一切，決不能還原，而必須改革；決不能開倒車，而只有向前進。以土地問題爲例。這問題，在綏靖區，也許被人看做不甚嚴重，其實它的嚴重性却是不可否認的。調整租佃關係，早成爲綏靖工作人員的口頭禪。而且原則已規定，土地所有權歸地主，耕作權歸現耕的農民；在現耕農民繼續佃耕中，實行減租，其租額不得超過農產正產物三分之一。這些原則，本來相當合理，然考其實際執行，則問題正多。例如說：許多縣長徇豪紳地主請託，對於佃農直接間接的施用壓力了；若干原來的佃農見地主歸來，懾於威勢，將過去分得的土地以及淸算的財物「奉還」了；或且惟恐報復，而典當變賣，盡其所有，以償還前所淸算過的富戶了。而同時所謂限租減租等等，大抵口惠而實不至。一般說來，有些綏靖區域，依然是還鄉豪紳們把持的天下，他們回鄉以後，故態復萌，倚仗官府，勾結污吏，不僅擡頭，而且恣意橫行起來了。所以大多數貧農們不僅生活不能改善，並逐漸要受凌辱遭壓迫。試看若干縣分，役政則鄉鎮保甲長（地主豪紳）的子弟可以免役，出糧則幾乎全由中農以下負擔。一面是揚眉吐氣，一面是忍氣吞聲：這就使所謂安定民生和解除民困一類動聽的話完全落了空。在這種情勢之下，任何彌縫補苴粉飾點綴的小動作，任何浮泛空洞誇誕陳腐的宣傳口號，都不足以打動一般人民大衆的心坎，也就不能觸着現在綏靖區眞正問題的核心。

當前綏靖區最普遍而可怕的一種傾向，就是土豪劣紳的大翻身。他們翻身以後，還要唆使若干地方行政人員和地方團隊，替他們去「火中取栗」。這些可說是綏靖工作的眞正敵人，而現在却多充任了鄉鎮保甲長。究其原因，正如江蘇王主席巡視蘇北的時候所說：「今天鄉鎮保甲長好人極少，實以供應浩繁，好人怕挨馬鞭子，多不願出頭。」這樣搞下去，基層政治當然不堪設想，而一切綏靖工作也就無從眞正展開。更進一步說，現在綏靖區的工作，總須着眼於人民大衆，讓一般直接從事生產的勞動農民能够一齊擡頭。若僅僅注意於爭取所謂「地方公正士紳」，那不過是當年曾國藩打太平天國時候的故技，縱可抓住一些所謂「正紳」，然在今日亦斷不足以共擔時艱，解決問題。時代不同，自不容抄襲舊壘卷。這裏不妨述一件事實：一週前閉幕的察哈爾行政會議，大會出席逾千人，包括各縣市民衆代表及即將分發各縣市的工作人員。其中民衆代表三十七人，其年歲均在五十以上，長袍馬掛，紳士氣派，並有一位代表登壇大講尼采哲學。會場却看不見穿白茬皮襖的老百姓。以此與傅主席於抗戰期中每年在綏西召開的行政會議相較，那時出席民衆代表包括着地主以至佃農貧農各階層，一堂討論，各暢所欲言，一面固令人有隔世之感，一面也似乎令人不禁爲綏靖區施政擔憂。察省猶且如此，其他綏靖區情狀更可想見。今日一切問題之鑰，在使廣大的民衆生活有實質的改善，在以政治主張與政績求收廣大的民衆之合作，而所謂地方士紳的還鄉擡叫，却决無助於當前眞正問題的解決，或且更爲推行一切合理的新措施的障礙。這一點，希望當局加以深切注意。此外，如辦理地方救濟，減輕人民負擔，嚴禁報復，根絕貪污諸端，與上舉問題相較，似可視爲枝節問題，然若干綏靖區確亦不曾做出什麼出色的成績，尤爲憾事，其詳容他日再撰文申論。

汾陽解圍

晉西局勢漸穩定

難民泣述中陽臨縣苦況

【本報太原二十四日發專電】國軍收復文水縣城及汾陽北之羅城鎮後，汾陽之圍已解。晉西局勢亦告穩定。

【本報太原二十四日發專電】據市自中陽城逃并之難民稱：共軍攻入縣城後，除槍決守城之劉六龍等二人外，改編地方團隊，並將張師長居乾等軍政黨工作幹部送往離石，轉解興縣，沿戶搜查，無一倖免，並將素稱小康之王潤、苗其昌、李維屏等數十家掘地數尺，存物悉數掠去。王之住宅分配流氓居住，縣人均赤貧如洗。共軍已在各村抽拔壯丁，人民逃者極衆，來并難民曾於途中遇五十餘以上之臨縣老翁充共軍擔架隊，該老翁含淚相告：臨縣全境已無五十五歲以下十三歲以上之男丁，城鄉滿眼婦孺老弱，田園荒蕪，父母妻子離散。共軍現將五十五至七十餘歲之老漢亦徵編擔架隊與運輸隊，驅赴數百里之前線，沿途不勝其苦，死者極衆。

【本報北平電話】國軍二十三日收復文水城，共軍向西潰去，晉局益趨穩定。共軍新七團二十一日竄至靈石城東胡家嶺一帶，新八團現據高壁鎮附近，復有另部兩千餘由兌九峪竄雙池鎮，第十八團由靈石城西南離漢、王禹北竄西坡附近，有襲攻靈石模樣。

梁延武抵平

談晉省近情

經濟危機最爲嚴重

【本報北平電話】山西省政府社會處長梁延武氏於日前來平，據稱太原之情勢非如外傳及一般人所想像之危急。其外圍各重要據點皆在國軍控制中，以北之忻縣，以南之平遙、介休，及東方之壽陽等地皆有國軍駐守，故太原絕保無虞。目前山西境內亦無大規模戰事，而物價高漲，人民不得安生爲當前最嚴重問題。物價高漲主要爲受戰事影響，治安亦因之不穩定。如長久拖延，則危急萬分。晉省救濟工作早已展開，急振金六十二億元業已發放，政府已盡最大努力，尙不能解決人民諸般困難問題。行總物資因交通不便，已久未向太原運送，目前分送一部布疋，爲數極少。晉南晉北有二急振大隊辦理急振事宜。山西全省共一百零五縣，五億元急振由農民銀行辦理而尙未開始。至土地問題，本兵農合一之政策，依據政府頒布之綏靖區土地處理辦法處理。

平北戰事

・共軍攻孫河南岸據點・

【本報北平電話】平北孫河南岸國軍據點連日遭共軍襲擊，地方團隊正與鏖戰，共軍中發現有一個團的番號及附近各縣大隊。通縣之西集鎮亦有小股共軍滋擾。以上兩地共軍均在將村大量徵集擔架，揚言作攻擊準備。

平通車恢復

・平包直達車週內行駛・

【本報北平電話】北平通縣間直達鮮油快車前因治安關係停駛，據聞已於日前全部恢復，八次行車情形極爲良好。又平包直達客車經路局積極籌備，將十五日可試行通車。

自三月一日起行駛，票價爲二萬七千九百元，其車次及詳細時刻正由路局計畫中。

大沽鹽場遭毀擾

【中央社本市訊】長蘆鹽務管理局大沽鹽場之引水口高沙嶺距大沽約十六公里，二十一日晚遭共軍一千餘名襲擊。共軍裝備齊全，並携有迫擊砲等武器，當時守衛鹽場之鹽警僅一百五十名，相差懸殊，經支持至半夜，即撤守大沽。二十二日黎明鹽警增援部隊畢集，共軍不支潰退。事後鹽警傷亡三名，共軍遺屍一百五十餘具，高沙嶺設備因共軍破壞不及，幸得保全。

平保間大體平靜

滿城附近共軍備戰

【本報北平電話】高碑店西南長溝鎮二十二日遭共軍十四旅第十、十三兩團三千餘人攻佔，國軍二十三日派隊反擊，當即收復。平保間已大體平靜，鐵路搶修工作進展順利，二……

【本報北平電話】自姚村徐水敗退之共軍第二、第三兩縱隊一部約五千餘，已先後竄往唐縣、完縣，共主力集結滿城西北白銀、大冊營、紫口等地，仍……

全面改組政府

當局決力求實現

改組後政院人選已有推測

青年黨參加政府名單攜京

【本報南京二十四日發專電】政府全面改組，當局已決定儘力求其實現，尤希望民社黨於參加四機構後再提出參加國府委會及政院之名單。據悉：政府全面改組時，行政院可能由蔣主席兼任院長，而以張羣爲副院長。

【本報上海二十四日發專電】青年黨參加立法院、監察院、參政會、憲政實施促進會之七十人之名單，業於二十四日晚由左舜生、李璜、劉東巖携往南京，即將提交政府。據左氏行前語記者，此項名單雖經本黨中常會決定，但不能謂爲最後決定，蓋尙須與政府洽商後爲定。例如本黨準備參加立法院者僅十三人，在全院中比例甚微，對立法院行將制定選舉法等十大法律之獻議，如不獲得會外協議之權，即無參加亦等於零。諸如此類，必須與政府商妥後，此項名單始能作爲最後決定。

【中央社上海二十四日電】青年黨左舜生二十四日晚携該黨參加四機構名單乘車晉京，對政府全盤改組事有所商討。

津黨政軍人員

聯袂赴平與會

【本報訊】津市長杜建時、第二軍軍長林偉儔、冀北師管區司令李兆鍈、市黨部主任委員邵華、天津縣縣長劉桐山等，於二十四日下午一時十分隨同第十一戰區副司令長官上官雲相乘第「一八號鐵甲車由津赴平，出席白崇禧、谷正綱兩部長召開之綏靖區政務檢討會議。津臨參會議長時子周及秘書長郭……

綏政檢討會延期

白崇禧昨未能北來

冀五區專署各縣長均將參加

【本報北平電話】白崇禧部長二十四日未抵平，谷正綱部長在平已與白部長直接通電話，白氏二十五日是否來平，須二十四日晚請示蔣主席決定，谷氏二十四日出席市府紀念週講演，中午對平市黨部各級人員訓話，下午在朝陽門勵志社與督導團人員開會。綏靖區政務檢討會爲候白部長延至二十六日開會，會期仍爲兩日。冀五區專署所屬各縣縣長亦已奉令參加此次召開之檢討會。

【本報北平電話】北平綏靖區政務檢討會決於二十六日開幕，聞將不採取普通檢討會之輪流報告形式，將特別着重於以下三個問題之提出與交換意見：㈠民衆問題。㈡地方財政問題。㈢綏靖區自衛組織問題。㈣綏靖區土地問題。尤以土地問題爲討論之核心。現各有關機關亦正忙於準備提案。河北省府及民衆團體對於擴大河北綏靖區之請求亦將於檢討會時正式提出。熱察等省因已全部畫爲綏靖區，問題較少，督導團將於會中有視察冀東涿縣、承德之總報告，報告書正趕寫中。

處理綏區城市土地

地政署訂定辦法公布施行

【中央社南京二十四日電】綏靖區城市土地及建築物處理辦法經地政署擬定公布施行，該辦法要點如次：

㈠綏靖區內城市土地及建築物經非法處分或強佔者，一律由原所有權人依原有證明文件收回管業。前項證明文件遺失者，由保甲及四鄰證明之。

㈡前條土地如原設有典權者，仍由原典權人佔有使用，其原設有典權以外之他項權利者，仍繼續有效。

㈢綏靖區內城市土地及建築物，其所有權人逃出未回者，由縣市政府接收代管，在兩年以內所有權人得依原有證明文件聲請收回管業，逾期無人聲請者，由縣市政府收歸公有。前項土地及建築物在代管期內之收益，扣除必需之代管費用後，其餘額應交原所有權人。

㈣在變亂期內爲他人強佔之土地及建築物，如佔用人曾施改良工程者，應由原所有權人照實際費用償付之。前項償付額由雙方協議之。協議不成時，由地權調處委員會調處之，不服其調處者，得於一定期限內向司法機關訴請受理。

㈤在變亂期內爲他人強佔之土地及建築物，如佔用人與原所有權人間原有債務糾紛者，應由雙方協議自行清理之，協議不成時，依前條第二項之規定辦理。

㈥綏靖區內城市建築地如因原建築物毀滅或其他事由致界址不明者，由縣市政府依據原有產權證件重行勘界，如有必要，得依照土地法之規定，施行土地計劃。

㈦本辦法於村鎮內市建築用地與建築物適用之。

居院長抵平

將留一週處理朝陽校務

行憲後司法制度將有變更

惟法院審判官仍係獨立制

【本報北平電話】居正院長偕最高法院院長夏勤二十四日下午二時半自京飛抵平。北平地方當局及司法界人士皆在機場歡迎。居氏着藍袍馬褂，御棉鞋，頭帶土耳其式毛織小帽。此七十二齡之老革命家滿面笑容，無限興奮。據稱北平一別十年，此行看來無大變更。對中途飛行並不感覺疲倦。並稱：「一年來我回故鄉已有三次了。」居氏於高等法院午餐後，五時返高院圖書館小憩。居氏答記者問稱：國府實施憲治，司法制度上將有變更，各黨各派參加政府，但法院審判官仍係獨立的制度。條例所訂定則由立法院方面審議中。居氏相信中國司法精神卓備，儒法兩家並存，而法家之內涵殊爲完備，吾人應發揚傳統的法家精神。居氏又稱：中國法律屬於大陸派，實際學習日本，而日本係抄襲德國，日本早已被我們打敗，中國是否由此即轉學英美法律，居氏則以與大陸國家之傳統未合。居院事表示無所聞，並稱如係事實，當然不合法。據稱：此來係在北平逗留一週，完全爲朝陽學院院務而來，亦不擬赴津。末稱：「一個私立學校辦得像國立是够多麼困難呵。」居氏昨晚應高院之歡宴，二十五日將訪此間軍政界友好。

【本報北平電話】居院長正定今晨赴朝陽學院視察，高等及地方法院全體人員定二十七日請居院長訓話，指示工作。對於有特殊技能之漢奸將予解放俾可贖罪圖功一事，居院長表示無所聞。對和平前途，居氏表示終須到來。記者叩以何時，居氏答以法官慣語道：「你問當事人吧。」

……過林明早於二十三日即先行赴平。

傅作義滯平

昨訪谷正綱

【本報北平電話】傅作義長官二十四日因故未返察，上午與熊主席劉多荃會晤，下午曾訪谷部長正綱。傅氏可能在平候謁白部長崇禧，然後成行。平市日來已出現中國寒帶裝備之部隊，平「明日報」載稱：部隊移動調防乃極普通之事，至謂「接防」、「聯防」均係誤傳。又與傅長官同來之孫蘭峯氏已離平。

周逆佛海難免一死

申請覆判昨再駁回

【本報南京二十四日發專電】周逆佛海案經其妻楊淑慧二次申請覆判後，久無消息，外間盛傳有變。茲悉周妻之申請已經最高法院於二十四日再度駁回，周逆之死已成定案。

中共聯絡處

延安稱無取消理由

【本報南京二十四日發專電】中共聯絡處訊，延安中共發言人稱：京、滬、渝三處中共聯絡處之設立與存在，以前皆爲政府與美方所請求，及政府方面所許可，其任務爲與中外各方聯絡，包括與聯總行總之聯絡在內。除非政府方面決心從此以後不再談判，正式通知中共撤退此等機關，或中共方面自行決定撤回，則決無取消之理由。

……在積極備戰。

【本報北平電話】河北平原殺伐已久，但從未有目前之慘象者。人民皆以朝不保夕之心情苟延殘喘，耕牛牲口能殺即殺，不然即爲他人劫去。綏遠地區糧食棉花，猶多未收割，而新的春耕時期又至。老百姓家家有地[illegible]，[illegible]工作日日演習，其苦可知。

【中央社北平二十四日電】第十一戰區陳副長官繼承以平漢北段國軍殲滅共軍主力後戰事已告一段落，二十四日晨搭車由平出發赴涿縣視察。

司徒飛廣州

【中央社上海二十四日電】司徒大使二十四日晨離滬飛穗，傅涇波等隨行。

【中央社廣州二十四日電】美大使司徒雷登二十四日下午二時二十五分由滬乘專機抵穗，行轅副主任鄧龍光、省府秘書長丘譽、歐陽市長、外交特派員郭德華、燕大畢業學生、美領事館門等數十人到機場迎接。下午五時半大使在美領館接見各報記者。晚七時應燕大同學晚餐招待，預定二十八日午離穗赴香港。大使此次來穗，僅爲學術性之旅行，擬不與地方軍政當局接觸。

美內長

由滬飛東京

【中央社上海二十四日電】美內長柯魯格偕隨員等一行十三人，於二十三日下午自沖繩島飛滬，與在滬各中美首長會面，曾與司徒大使晤談，業於二十四日上午十一時乘美軍機飛東京，晉謁麥帥，並視察美佔領軍概況。

平戶口淸查

湯永咸談處理經過

被捕者已保釋移解

【本報北平電話】湯永咸局長爲平市治安發表談話，略謂淸查戶口乃警局任務，當此四郊不寧，歹徒伺機之際，尤爲當務之急。本局此次奉命舉行，事前曾與有關機關再三籌商，夜晚行亦均依法辦理。例如深夜受檢，均會同該管段保甲以資證明，至於查獲案犯共計一千六百八十九起，以漏報戶口者爲最多，計一千六百四十四起，已飭各分局令其補辦手續，均在二十四小時內交保開釋。其他吸食嗎啡與私藏武器之案件不過四十餘起，亦均於二十四小時內移交法院、警備司令部、憲兵十九團內訊辦，此爲本局事後處理之大概情形。至於檢查人員態度欠佳，總難不免，雖在出發前再三告誡，仍恐難免，惟事……

夏勤將來津

・在平談行憲後之法律・

【本報北平電話】高等法院院長夏勤對記者稱：司法行政部早經行政院，院行憲之後，相信民刑各法律條文無過鉅之變更。彼以國大代表一分子參加制憲，對於除中央最高司法當局外無黨派性一條強調通過，而另一條法官應超出黨派者則未予通過，認爲應列入地方性之法典中。[illegible]博士盛讚中國司法之傳統，如親屬繼承法等，法界甚感興奮。[illegible]已應我國之特邀爲顧問。定本年六月再來中國。對於法官負擔太重，夏深爲憾。[illegible]

・谷壽夫今在京受審・

【中央社南京二十四日電】南京大屠殺案主犯谷壽夫，定二十五日上午九時由國防部審判戰犯軍事法庭在勵志社禮堂公審。審判長仍爲石美瑜庭長，預計辯論及傳訊證人等當需費時日。南京市民咸盼及早審畢，判處該犯以嚴刑。

香港一戰犯判死

【中央社香港二十四日專電】日本佔領香港憲兵隊長野間賢之助大佐今宣判戰犯罪，處絞刑。

谷壽夫今續在京受審

【中央社南京二十四日電】南京大屠殺案主犯谷壽夫，定二十五日上午九時由國防部審判戰犯軍事法庭在勵志社禮堂公審。審判長仍爲石美瑜庭長，預計辯論及傳訊證人等當需整日時間。南京市民咸盼及早審畢，判處該犯以嚴刑。

【中央社香港二十四日專電】日本佔領香港憲兵隊長野間健之助大佐今宣判戰犯罪，處絞刑。

1947.3.3《大刚报》 今口辩論終結

公教人員日用品配售數量已決定
社會局定期查驗發放 本月中決可開始供應

【本報訊】民生日用必需品第一期配售本市公教人員，將定本月十二日永館，並經社會局查驗發放，十五日必可供應。至於各項物品每人每月所得，細則已經規定：（一）米或麵粉，職員每月中熟米八市斗，或二號麵粉二袋，工友減半。（二）布匹每半年配售一次，職員每人夏季漂白布五丈，卡其制服料一丈五尺，冬季藍布五丈，棉質制服料一丈五尺，工友夏季漂白布一丈五尺，冬季藍布一丈五尺。（三）燃料職員每人每月煤球二百市斤，工友減半。（四）食鹽職員每人每月四市斤，工友減半。（五）食糖每人每月二市斤，（六）食油職員每人每月三市斤，工友減半。至於配售價格均按三十六年一月份當地平均市價供給，由社會局核定。警察機關人員，除已領食米及發給制服，不再配售食米布匹，其餘物品，官佐則照職員例，警士減半配給，工廠職工則以代購方式辦理，唯限於現按生活指數計算工資之工廠，每人一月可得各項物品定為米五市斗，布四丈半，平二丈，煤球一百市斤，價格則依當時本地物品之議價為標準，至於私立學校，民營業商館，通訊社及社會服務機關，事無任何配售。對於市場所需物品之供應以扶助商營為主，政府於必要時用售物品調濟市場。

南京屠夫谷壽夫案今可辯論終結
磯谷廉介月中即將受審 內田孝行日內提起公訴

【本報訊】南京大屠殺主犯谷壽夫自經國防部軍事法庭於上月六日公審以來，即將結束。今（三）日該庭仍假勵志社再度予以審理，預可辯論終結，定期宣判。……

［illegible］

【本報訊】磯谷廉介（台兒莊會戰時日軍之司令官，日寇投降前任香港總督）可於本月中旬開審。……即將完畢，不日即可提起公訴云。

（本市訊）國防部審判戰犯軍事法庭於三五日內將戰犯內田孝行一名提起公訴，……

小小勤務兵 偷去大皮箱

【本報訊】［illegible］

幹訓班敦請 陳立夫演講

（本市訊）南京特別市黨部，為加強基層黨務工作人員工作效率，……

情場失意後 歐陽鵑自殺
偃臥鉄軌受重傷 生死存亡尚難卜

【本報訊】［illegible］

小學生做賊 警察局拿辦

【本報訊】［illegible］

郵局被裁之雇員 可獲二月遣散費

（本市訊）南京郵政管理局……

公役被開革 竟然去做賊

【本報訊】曹志志，湖南人，曾充國防部……

黑暗！
二號鍋爐又壞 三天停電一次

（本市訊）首都電廠因於煤斤缺乏，電煤損壞，曾實施分區停電制度，……

京畿之田家

木郁著楊均

城郭外面，在那邊起伏的山坡下面，七零八落的小茅屋，疏疏朗朗地排列，那麼矮……

［illegible］

本市新聞

毛家橋火燒屋
聾啞人也有節

［illegible］

車禍 送醫院勒戒

［illegible］

周逆佛海死刑執行仍未有期
周逆作人可望減刑

［illegible］

公有土地即將標賣

［illegible］

中山陵上將植樹苗六百萬株

［illegible］

婦女生產合作社成立

（本市訊）南京市婦女工藝生產合作社……

禮拜唱醉酒 與車夫比武 大華門口大打架

【本報訊】［illegible］

京市拾零

［illegible］

王清泉君·劉松濤君注意！

代金恤金已匯發 撫恤處來函答覆

不望配破布爛糧 祇要有愉快精神

編輯先生：我們也是有父母……

大學女郎徵男士 戎馬書生覓淑女

△某女士，北平人，……

警校七月招生 大學生可報考

代郵

來函照登

執行職務之終結，或係推行其政府既定之國策，而免除其責任。凡其中規定：戰爭罪犯處於監督指揮之地位，而試其犯罪未盡防範制止之能事者，以戰爭罪犯之共犯論。故就谷案論，當時谷之部下在京大事屠殺，罪證確鑿，其成立罪刑，當無可狡辯云，

。・・

【本報訊】據悉：谷案審結後，磯谷廉介（台兒莊會戰時日軍之司令官，日寇投降前任香港總督）可於本月中旬開審。檢察處之偵訊即將完畢，不日即可提起公訴云。

（本市訊）國防部審判戰犯軍事法庭於三五日內將戰犯內田孝行一名提起公訴，緣該犯自民國二十六年十二月起至三十四年中日戰爭結束時止，從事對我侵略戰

南京屠夫谷壽夫案

今可辯論終結

磯谷廉介月中即將受審

內田孝行日內提起公訴

【本報訊】南京大屠殺案主犯谷壽夫自經國防部軍事法庭於上月數次公審以來，迄將結束。今（三）日該庭仍假勵志社再度予以審理，預可辯論終結，定期宣判。據承辦該案之某軍法官語記者：審判谷爭罪犯係依據戰爭罪犯審判條例審理，與普

爭，八年間不遺餘力，戰役之犖犖大者，有太原，浙贛，廣德常州等會戰，其職務之升遷則由步兵大佐以至第七十師團中將師團長，蹤蹟我江西，南昌，江蘇溧陽，浙江奉化等地近廿縣，部隊所至之處，燒殺淫擄，無所不用其極，罪情備致於正在審訊之谷壽夫。（中央社）

1947.3.4《大剛報》 谷壽夫案辯論終結

本市新聞

谷壽夫案辯論終結 定於本月十日宣判

昨開最後一庭屠夫猶作狡辯

（本市訊）谷壽夫案昨（三）日午後二時，在勵志社大禮堂開最後一次辯論庭，聽衆不如前數次擁擠，審判長一行升座後，谷犯首對前一庭未及答辯者，重複加以申訴，謂其進駐中華門時，附近居民逃避一空，而今竟謂有在花神廟屠殺七千人一事，故不勝駭異，凡此事實，均係捏造，請庭上能將被告方面各證人如一一四師師長吳中戈賀定宗等全數傳到，再加審訊，使全案得以大白，嗣由翻譯官翻譯上次開庭時檢察官所指各節，該犯照例否認，不外列舉其固定之理由，三翻四復，絮絮不休，最後經審判長申斥，如再一語重複數十遍，將禁止其發言，至此由檢察官再起立，加以駁斥，檢察官謂：被告謂一向主中日親善者，何故參加對華侵略戰爭，假使軍人服從命令，然命令不正當，被告亦須負責，被告既謂，府部紀律嚴明，然當時並無命令或報告可查，今日懸念，被告複謂，作戰期間人民逃避一空，按實際情形當時南京交通與外界隔絕，人民逃無可逃，多遭其害，而南京大屠殺是一整個行爲，被告身爲主將，當然應負共犯責任，被告迭謂起訴書所言不確，其中證據多係捏造，然本庭所調各機關之卷宗均有案可稽，身歷其境，親眼目睹者一千多人暨外籍人士均到庭指陳作證，日人自攝屠影照片尤可作證，可見罪證確鑿，被告提罪情虛，以脫卸罪責而已，今日報告書辯開傳歸法庭與檢察官各節，可以想起當時被告大權在握時囂張跋扈之情況，綜上理由，依法律處以極刑，請畢，谷犯側辯護人辯護，繼谷犯再度申辯後，由辯護人梁仁僧律師起立爲加以辯解，謂請庭上秉公裁判，檢察官復又加以辯駁，谷犯最後答辯時因燈光不明，所擬底稿，看不甚清，遂移至台右電燈下，繼續辯論達半小時之久，辯論終結，審判長宣布本案定三月十日午後三時仍在勵志社大禮堂宣判，七時二十分退庭，被告還押。

公教人員實物配售 物資準備齊全

二級機關限今日送齊名冊

【本報訊】公教人員日用必需品配售，社會局將於明日午後邀請各供應機關會商物資之運送及配發日期，合各項物資已經準備齊全，唯各機關須先呈報人數，以便統計，按照登記各承辦商店以定量物資，並由局方發給各人員以「購買證」。一級機關上月底止將名冊送行政院，二級機關最遲亦須於今日將名冊送齊。如各機關自行延遲，則配售或將不能如期辦理。

浴缸失竊 小偷捕捉

【本報訊】堂子巷一號某軍長公館，前曾失竊浴缸兩只，現經三牌樓警察所偵查，已將竊犯獅子橋合記營造廠工人小劉，將槍金，劉裕華等三人捕獲，浴缸一只已押於寶塔街七十八號楊紅光處，得款廿萬元，瓜分花用，另一只浴缸當時因不便拖走即棄于鐵道旁水塘中，乃於日前往打撈時，始爲警發覺被捕，警所現已將贓物，收買者一併解送法院訊辦。

婦人扒錢 廟上失風

【本報訊】夫子廟大光明戲院，昨日有婦人偷竊看客錢袋，被執送警局訊辦。該婦爲芮狀氏，三十八歲，住銀朝裝二十四號。夫業手藝，昨日下午，狀氏抱三歲小兒，流連於夫子廟各商場戲院，至大光明，時正放映秋水伊人，觀衆擁擠，購票處摩肩接踵至無隙地；狀氏見有機可乘，遂混入其間，

秦淮河上滿江紅 一葉畫舫付祝融

損失四百餘萬焚斃一女孩

【本報訊】夫子廟秦淮河上，昨日有船娘烹飪失慎，釀成火災，且焚斃女孩一名。緣有張例林者，在永安商場將座爲業，並擁有警察執照第二十六號中型花船一隻，日日常由其妻張溫氏招攬乘客，泛舟柔波，所入補貼家用。昨日中午十二時卅分，張剛沐方在碼頭當差，溫氏在船烹飪，因一時失慎，灶內柴火燒着船篷篾片，船內俱係竹片木斗之屬，極易燃燒。致一時小花園橋下火光燭天，人聲鼎沸，兇器街巷。就當時情形，原可搶救秦淮之火，即予施救，唯因火勢甚速，延燒其旁花船欄杆，放附近各船，或則擊浮害，盡毀遺，或則

幽會案丑角 張濱今宣判

（本市訊）周呂鐵中南會案中，牽涉之前首都院看守所長張濱貪污案，於上月二十五日辯論終結後，高院將於今（四）日下午二時宣判，屆時，仍將由水籌官辯允為庭長，出庭宣讀判詞。（民本社）

于鴻縣王八營中，被送警局訊辦，其三歲幼兒，亦隨其母嘗盡苦風味去矣。

春在玄武湖

本報記者 閻慶甲

近來天氣一天一天地暖和起來，前幾天簡直暖得不再需要穿大衣；對於氣候最爲敏感的太太小姐們，也都脫卸冬衣，換上嬌豔時髦的春裝。一九四七年的春天已經來臨了。

面對着這明媚的春光，人們都似乎感覺着無限的興奮和愉快。因此大家都想出外遊玩，來欣賞這清麗的春景，陶醉於大自然的懷抱中。據幾天城內外各名勝區的遊人日益衆多，就是這個緣故。

在南京的名勝區中，似乎以玄武湖的風景最爲優美；因此前幾天那裏也逐漸熱鬧起來。昨天是禮拜天，雖然天氣突變，涼風陣陣，彷彿又回到深秋的季節，但人們的遊興並不稍減；三三兩兩，結伴遊湖的，依然絡繹不絕。草地上，碼頭旁，湖心裏，到處都飄揚着清脆悅耳富有春意的笑聲；往來的遊人們，踱着安閒的步伐，低聲哼着靡曼蒂克的歌曲，笑容可掬的面孔在表示着他們內心中的歡欣與鼓舞。

玄武湖富於靜態美，柔和，清新，安謐。不得像一面鏡子的湖水，在微風徐來時，泛起一陣陣盪漾的微波。青綠色的水，蔚藍色的天，加上湖心內大小遊艇縱橫參差，水禽們在翻波逐浪，浮沉作戲，遠處山光樹影，相映成趣，這是一幅多麼美麗的畫面，更是一切多麼富於詩的情景啊！

至於岸上，芳草如茵，柳枝低垂，草木都欣欣然有生意。經過和嚴冬酷寒的一番掙扎，它們都已得到了解放，也像人們一樣地歡欣鼓舞，來迎接這可愛的春天。

春天是可愛的季節，人們在春天也似乎特別顯得可愛。春天的人大多數是春光滿面，不再像冬天那樣嚴頭縮頸，愁眉苦臉。

來遊湖青春的以青年人爲多；他們有的是夫婦，有的是朋友！也有的是情侶。比較上說，還是學生居多數。年輕的人喜歡春天，春天也似乎同樣地喜愛青年人。人在春天顯得年輕，青年人則更爲活潑，更有生氣。

他們有的在拍照，有的在遊戲，有的在野餐，有的在喝茶，有的在划船；也有很多人在散步閒遊，遠眺近矚。地上，湖畔，艇中，到處都可以看到一對對的青年男女，喁喁低話，談情說愛，似水柔情，無窮甜蜜。

在茶亭中，幾個知心合意的密友，圍坐着一張小方桌，飲着清香可口的茶，吃着花生瓜子一類的食品，接受着那溫煦的陽光的愛撫，迎面拂來一陣陣清新涼爽而不覺得十分寒冷的微風，欣賞着這大好河山，優雅情致，同時談天說地，論長道短，又是如何的有趣，如何的風雅？

划船是更爲有味的事。一葉扁舟，在湖心中漫無目的地蕩來游去，在橋下像穿梭一般地穿來穿去，悠哉遊哉！遊哉悠哉！船兒在盪漾，盪漾，無窮的盪漾，心情也隨而流動，歡樂激盪。顯上見如洗晴空，周圍是無盡波流；在那種超然的境界中，你一定會感到一塵不染，四大皆空！若不是尚可以看到許多其他的遊艇，和岸上的人影點點，你也許會疑爲誤入迷津，置身桃源之中。假如同舟還有一位情投意合的異性，彼此淺歌低語，品情嘆愛的話，那你真要一嘗「只羨鴛鴦不羨仙」，情願終生終世，沉醉其中。

春天帶給人們以溫暖，也帶給人們以希望。這個季節人人們對於一切，似乎都是樂觀的態度，愉快，熱情，前進，奮鬥不知憂慮，不知愁苦。幸福！幸福！

春天本來美麗，而玄武湖的春景尤其美麗，因此在享受着那種良辰美景的人，莫不流連忘返，不忍離去。

啊！玄湖！玄武湖在春天，春天在玄武湖！

哈囉！公共電話裝好 每次法幣五百

【本報訊】據南京電信局發言人談稱：爲便利市民通話起見，特增裝公用電話，專司公用電話之接續，今後本市每一主要通衢均將分別裝置話機，由附近商店或住宅承辦，每次取費五百元，此項公用電話係採用共電人工接線式，如自動電話與公用電話通話，另有中繼線十綫爲之聯絡，使用極便，即自動電話欲叫公用電話用戶，請自撥二四一三一號，俟接線員出應即將所要號碼告知接線員，代爲接續，如公用電話叫接公用電話或自動電話，可將聽筒取下告知接線員所要號碼，即可爲接通，使用方法可參閱該局刊登之啓事，該項公用電話號碼概以九字起頭，仍爲五位制（九〇〇〇九），以示與自動電話有別，現已裝就，定於三月五日零時起正式開始通話，此後本京市民，將不致有無處打電話之苦矣。

手忙腳亂，莫知所措，而四周旁觀者雖衆，出力者少，致坐視一葉畫舫，全部焚燬，登岸，張溫氏于起火時，即倉皇登岸，怎恐之餘，忘卻四齡幼女張金弟尚在船內，及自憶及時，船上煙火瀰漫，無法入內營救，致使幼女活活燒成焦炭。南區警局聞報時太晚，即派員前往施救，然已爲時太晚，僅掏得火頭焚爛林偷局訊辦。至下午四時，燒餘之船底殘骸尚橫泊岸邊，女屍一具亦棄置地上，事後估計全部損失達四百餘萬元。

凶死！！ 一日有二人 死法各不同

（本市訊）太平門警察所巡邏警於昨（三）日下午二時，路經太平門內九華山後面山洞旁側，突發現一軍人尸首倒臥血泊，近前察看，該尸身着黃布軍服，戴上尉領章，佩有軍調部結束辦事處軍官大隊一中隊上尉分隊長名王淑洲符號一枚，頭後被毀一洞，倘在流血，但距死時不久，但是否被人暗殺抑自殺，正由警局嚴密偵查中。（遠東社）

（本市訊）際此亂世之秋，人民生命不值錢，前夜有盜化門外鄉民潘小福，三十九歲，出外看守菜園，經過京滬鐵路畔，被由滬開來快車轢斃，又：太平門外九華山洞，昨晨發現無名男屍一具，業由該管警局報請地院蒞驗。（民本社）

津浦路「吃紅」賊 圖竊貨被拘獲

【本報訊】江蘇孫榮，年二十九歲，本京人，孟廣順，年廿二歲，江浦縣人，均寄居浦口六股道朋友處，專在浦口津浦車站竊取旅客財物，上年八月經浦口鐵路警段捕獲，解送首都地檢處法辦，經監執行，至本年二月十九日出獄後，仍操舊業，於同月二十七日晚四時許，在浦口外六股道翻越運輸公司至貨車行竊（該處停有整列貨車，）被浦口鐵路警務段第一分所值勤警士李文朋發見，當即喝住，並偕同警士協住擒獲，搜出六寸長尖頭剪鐵利刃一柄，及布袋兩個，（竊行術語謂吃紅的，如物主力薄，時可以傷害）。押解往第一分所，由所長鄧超經訊問，後轉解警務段經段長朱子壽嚴揭司法主任等親自訊，現附已解送警務組，轉呈法辦矣。

汽車站牌 不翼而飛

【本報訊】江南汽車公司爲使晚間乘客明瞭最後一班之末班車已否駛過，庶免乘客徒候，特於日前刊登啓事，並即日於大小各站懸掛末班之木牌，各站懸掛未班已過之木牌，詎料意於懸掛之後，未有可取，悉被竊去，緣茲不

戲院電影院 票子要漲價

聞社會局已核准

（本市訊）本市各影院及各戲院，前曾遞呈漲價，經市社會局主管科表示絕對不准漲價，然各劇院方面多方奔走，務期實現，昨日下午四時，市社會局已召集各戲院商人集行會議，對商提高票價問題，並當場分別作初步之決定，具體結果，尚未宣佈，今明可望發表（民本社）

我們不贊成！

京市與江寧縣 劃界獲致協議

【本報訊】本市湯山區與江寧縣界至今未能確定，市府會於日前派員徐雷爲第三科科長王謐祥，與江寧縣地政科長許逸堯，彼方參議長爲修鍾協議：㈠江寧縣府及所在地段劃入市區，除市府及兵學校射擊場及公路以北省府同意報內政部後即劃立界樁。㈡湯山以東三擬歸之走馬地帶，七兩區之安、賀，江寧寧六、第七區（住今該走馬地帶之北）依內政部規定，縣治入市區，改劃爲走馬地帶，將劃入市區。

市長代市民 慰謝艾拉培

艾氏於淪陷時 曾救濟京難民

【本報訊】熱心之德僑艾拉培氏前於南京淪陷時，對難民施以救濟，歸國後即不明其下落，沈市長前請有關當局探詢艾老近況及地址，據前林傳來消息，艾氏因其因投助我僑胞，宣揚日人暴行，爲希特勒搞入集中營，納粹投降後始獲自由，衣食窮困，現仍服務於德國柏林西門子工廠（屬英軍佔領區），沈市長將代表市民感謝，聯絡食品，由瑞士寄去柏林贈予艾氏，並徵詢其意見，邀請艾氏來華休養。

新中華日報 改出袖珍版

【本報訊】本市新中華日報，爲革新版面，充實內容，緊縮篇幅，便利讀者，負擔起見，自今日起改出八開兩小張，力求精化，閱讀便利，內容包括專論，專訪，新聞，社論，內幕新聞，資料，戰局分析，新聞觀察，學生生活，小說，社會特寫，電影歌壇等項，在新聞界雖一新紀元云。

「兒童節」 市府籌備紀念

（本市訊）四月四日兒童節即屆，本市各有關機關，正積極籌劃中，據市府社會局長兼書記者大會由沈市長負總籌備主任之責，重要節目爲㈠兒童各種康樂活動，比賽，㈡兒童福利，保護及衛生設施，㈢有關兒童之一切問題之研討會等。屆時並將分地舉行，以便各兒童均有參加機會云。（大華社）

偷漏屠宰稅 罰款廿五萬

一屠作食小失大

【本報訊】太平路科悲和不甜，有醬園興屠宰作，因違章偷漏屠宰稅，遭中區稽局發覺，當遞報。按屠宰稅法第十條罰以五倍，計法幣廿五萬二千元。該店不想遭到如此重款，乃爾寬恩，陳述種種理由，希圖得免，遷延匝一月有餘，稽局復述，日昨始由該店眼以設光榮出面，繳清了事。爲除應付稅費，多二十餘萬，較諸食小失大，可爲意圖偷稅者戒。

戴氏遺失登記收據聲明作廢啓事

本人戴九能有座落本市第三區第三六九九（二）段仁厚里十號地本人所有座落本市第三區第三六九九（二）段仁厚里十號地中至南計五分八厘七毫五絲茲因原上宇第近六八九號土地次被遺失除申請南京市地政局另具鄰保商保證明外合再登報聲明作廢如有拾獲該證之日起十日內向地政局提出證件及理由爲要

遺失聲明

茲遺失國防部第一〇三號證章一枚特此聲明作廢 國防部楊劍秋啓

遺失圖章聲明

裕含煤礦公司業雨青向實業部領取執照時遺失所有之圖章均經聲明作廢並另刻新章呈報備案 裕含煤礦公司管理處啓

遺失聲明

茲遺失前軍令部參謀人員訓練班第一八八號登記證一枚除呈請補發外特此聲明作廢 字第 寇勛

遺失執照及圖聲明

裕含煤礦公司業雨青向實業部領取執照採字第四八六號及採字第四八七號兩張並礦區實測地形圖一份均經遺失特登報聲明作廢另呈請經濟部補發執照及原圖 裕含煤礦公司管理處啓 地址沉府巷後六十五號

遺失聲明

茲遺失海軍總司令部〇〇六〇號銅質證章一枚除呈請補發外特此聲明作廢 羅運鴻啓

遺失聲明

本人因不慎遺失乘馬證聯隊符號一枚除呈請補發外特此登報聲明作廢 孔繁根啓

遺失啓事

茲遺失國民身份證一紙（號碼已忘）住浦口鄉第八區小河西大壩頭上六保七甲一戶除申請補發外特此登報聲明作廢 惠廣銀啓

遺失聲明

茲遺失三十六年度佩用繫字第一三四四號符號二枚除呈請補發外特此登報聲明 王棠侯得杰

遺失聲明

茲遺失國防部第二廳三十六年度訊字第零零四四號證章一枚除呈請補發外特此聲明作廢 劉明啓

某君：

高中畢業擔任銀行會計或家庭教師如有意者請至夫子廟興隆巷四號張君接洽

張殷侯遺失所有權狀啓事

本人有座落本市第一區第二八一四段丁字營七十一號之三一號地產一方，東至方楊二姓，南至丁字營北至丁字營，西至……（省略）計二畝七分〇四毫七絲茲因遺失除申請南京市地政局另具鄰保商保證明外合再登報聲明作廢如有拾獲該證之日起十日內向地政局提出證件及理由爲要

丘抒情教授新時代標準舞

地址：中央飯店二六七號

「藝術界福音」

本廠承製各式寫真，油畫，照相，彩色放大，人像，各式鏡框，藝術等，無任歡迎

張波羅工藝廠啓

廠址南京西華門四條巷南首文昌宮八號

XLAY 首都廣播電台

週率八五〇千週 電話二三五三三

即日起每日上午十點三十分起由

友藝滬劇團播送

標準滬劇

歡迎點唱

沈廷焜醫師 由渝返京

美國最新療法精治花柳性病特效免費貧病診驗

最新油劑 西發尼林 優點

（一）橫痃下疳止痛內消

（二）急慢淋濁全愈迅速

（三）油劑一次注射效速費省

（四）梵尼西林十萬單位一日分四次注射往返受累耗費亦大

全日應診白下路二三四號（勝利餐廳西首交通銀行斜對門）

宿舍距離遠 請辦交通車

職員向部長的申訴

部長大人：

在物價這樣高漲的環境裏，你是不是想到過一般低級職員像我們的生活呢，光拿住在部裏的宿舍，是無所謂的，在資格老有階級高低薪金得多一點的先生們，帶着太太小姐少爺們住在距部很近的眷屬宿舍裏，生活雖然苦還算說得過去，但是一些新資格的低級職員們，住在相隔三四里甚至七八里的地方（租是因爲偏僻一點的地方房租要少一點的）每天到工退工實在是太不方便了，市府的公共汽車也實在是辦理得太令人嘆息了，不能遲到又不能早退，到遲了早退了都是挨官腔便是受懲戒處分，但是事實上的確是這樣早來部站在站上等車，常常氣得不好不但擠不上車去，要是遇去三四輛連站都不停及至趕上了車到部裏來便遲到了，晚上回去，若也遇着來部時同樣的情形，家裏飯菜都得冰冷，小孩子們餓得哭叫叫，大人們等得愁眉苦臉好得冬天過去了，要是風雪交下或晨風晚露中，則是在站上等車實有說不盡的痛苦，並且每天往返兩次至少需費一千二百元，據說最近部價一千二百元，請你想一想一位僅得二十幾萬元薪俸的人除了一家糊口的日常生活外，還得應付房租水電及車費等支出，如何辦得到呵；部裏的交通車從去年做到今年算是做起了，但是什麼時候可以開呢，部長大人慈悲一點吧，趕快開駛交通車，不但可以減少屬僚們許多苦痛負擔和一些冤枉的罰，而且可以無形中增加若干工作效率，還盼覆夫不能上達的下情只好在這裏向你申訴。

司法行政部一職員上

求才

工友·業務員 學警·推銷員

△選聘者：敝社以刊伊始，需人孔急，茲願爲貴報代徵下列各工爲感

㈠業務員二名，年卅歲以下中學程度者爲合格。㈡推銷員二名，高小程度者爲合格。㈢工友一名，條件同右者爲合格。

應徵右列各工者，請親來本京太平路文昌巷大橋付卅二號附九號葉君面談一切。

△茲有某警察機關招考學警一五〇名，凡年在十八

待聘

某君湘人，現年卅六歲，大學畢業，曾任中學職教員多年，研究院研究員，報館主筆，現因困居南京，擬覓一職業，不計地位與待遇，如有需要小學至高中之家庭教師，報館編輯或小學教員，私人秘書或中小學教員者，請函本報社會服務處洽商。

職以上廿八歲以下，體格健強身長一七〇公分以上，高小畢業以上程度者，如願投考者即日起可持畢業證書，逕往太平路太平巷中區警察局旁門卅二號報名，錄取後施以訓練六個月，期滿以警士待遇，月支餉津十四萬六千元，另食米五市斗。

雖經受訓 不能免考

選舉者報館財政部，將舉行稅務人員特種考試，茲詢問二則，敬懇予解答：㈠本人於三十二年南京大學畢業，後，即參加江西區直接稅稅務人員講習班受訓，經本直接稅署列爲考訓第十二期，歷在江西區各稅

寄物

有本人昨自屯溪來京求學，在途五日，經績溪，河灘溪，翁水河，湘湖等地，內有身份證、國民身份證及其他證明書，在公路遺失，如有拾得者請歸還敝人不勝感激。

讀者吳寄山啓 二月二十八日

地址：本市保泰街青年會中學高三下

大剛報社會服務部：

……相應函請貴報，並予以更正，以昭公允，此致大剛報社 科巷警察所啓

來函照登

貴報本（三）月一日所載關於內政部之事有誤一節，經查該省局……

務分局，任課長秘書等職三年有餘；去年九月間，因機構縮小，始離職改行。嗣後如欲再在稅界服務可否免考，並呈請委派工作！㈡考試科目有那幾種？以上二則如蒙賜予解答，請在貴報列登一角爲盼！此致

大剛報社會服務部 讀者張錫亮

答：㈠不能免考。㈡考大學經濟系，所學之學程。

待遇不調整 工友要罷工

編輯先生：

上週黃金飛漲，各種的物價都隨着升騰了，我們的待遇，在這樣昂貴物價之下，我們的待遇的水準線上，中央機關一點窮苦的工友們，都不能夠站在物價漲的生活，像這樣漲的物價，是長久度下去，實在使一般青年的工友們，都不能生活了，雖然黃金被政府管制降落價格，可是物價仍然的高貴，普通的蔬菜卻不多每市斤要賣一千元之譜，一隻窮苦工友不幸的，都是在辛苦運天，致府每月發給工餉十萬零二千元，扣除伙食費外，僅餘九六萬元，每月除吃飯的日用品外，還得負擔家中的生活呢，而不足買一件衣服，一切需要的家中父母妻子，早晚的，我們都是國家所有的公僕，上了年紀，還得負擔家中的房租等，窮苦的工友們，難道所生存的人，國家的法律也沒有這一條嗎！相信國家民族定能爲維持工友的生活，說起來大家都能幫助工友嗎？我們工友何嘗不想着，想來我們工友們也都是的嗎？能夠打起精神，請中央機關給我們工友加薪。

興的軌道，爲什麼先生們底薪來一個加成數，只有工友們爲底薪，還不夠寄一封平信之譜，最多是四五十元一點，先生是國家的一份子，工友難道不是國家的一份子呀？我們相信，在一條線上，站在一條線上，爲什麼先生們的底薪要翻過加成數呢？工友們拿的工資只比上職員們的生活費六成，合共大家想來大工廠及各業工會，大家一起工人們待遇比例，我們工友也可以設法把底薪翻一下，請求賢明的政府給工友，請中央機關一點窮苦的工友加以調整。

中央機關一羣窮苦工友敬上

本報醫藥顧問 李興醫師主答

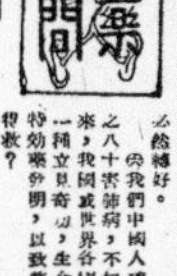

咯血

編者先生：我是一個中學生，內家庭環境所迫，頗能自覺自勉，每晚讀書至夜深，而營養不良，睡眠不足，致害咯血，經醫師檢查結果，已是出期肺病，故有數點請教：

㈠常見貴報醫師指示：肺病宜服魚肝油精、雞蛋、牛肉、牛奶、青菜、水菓等，但在環境不許可時，僅食一種，雞蛋魚肝油，是否有益呢？㈡服魚肝油精時，是否需要忌食酸菜、蘿蔔、糖食，或其他飲品？㈢有說每日吃三次，能治肺病不知是確否適宜？㈣鄙人現無力升學，擬覓一種輕工作，但醫師說，不宜過多勞動，上項工作是否適宜？㈤有無嗜好，且未結婚，並隨時保重，肺病可否會好？

答：㈠每日食雞蛋兩三枚亦爲補品。㈡不忌。㈢大睡不確。㈣如精神許可輕鬆工作可以擔任。㈤可能醫好。㈥特效藥在求中。

讀者柏生謹上 二月十二晚

蛔虫

編者先生：敝人小兒年十一歲，於其幼時常於大便中發現蛔虫甚多，現時面黃肌瘦不時肚痛，仍常便蛔虫，是否會病之蟲氣病，請示治療藥方，爲禱即覆此安

答：除蛔虫外須檢查有無鈎虫。

肉條

編輯先生：讀者是一個三十餘歲的婦女，在前年的時候因爲夫婦間的爭吵，生了一點悶氣，在左邊肚子的下面生出一個很粗的肉條，有二寸餘長，非常之痛，在醫院住了許多日子，未見絲毫好轉，只得修炎，過不久完全好了，但在最近，並沒有生悶氣，不知怎樣，病又重復，不久便愈，這樣的病常在身上非常不便，且對身體之健康有很大的障礙。不知此病如何治療，恭請大醫師裁答爲盼。

答：此病可能爲病氣須先經醫檢查。如確係病氣須割治始能除根。

李瑞英敬上

哮喘

按照病者之年齡及身體情形，定爲哮喘。

答：解除哮喘病，請醫師檢查治療，恐非服藥所能根絕，僅能暫時減輕痛苦。

丁白崙拜上二月十一日

問來函諮詢肉貴報醫藥顧問請教下列各點：㈠此病之原因如何？有無特效藥品，或治療方法使其根除？㈡此病對生育方面有無妨害？是否爲遺傳性疾病？㈢患此病者究以結婚爲宜抑不結婚爲宜？如蒙指示，至感貴刊，以篇專此敬請撰安

答：㈠此病原因複雜須仔細診查。有特效藥但除根不易。㈡此病對生育無妨害。㈢結婚對於此病無益亦無害。

必然轉好。㈠我們中國人總說百分之八十害肺病，不知我國近來有一種立見奇效，生命之應的特效藥發明，以致整個人類得救？

秋亦爲補。㈡大概不確。㈢如精神許可輕鬆工作可以擔任。㈣可能醫好。

仍不能根絕，每遇陰寒之日，即覺哮喘，利害，敝友自幼患此病近十年，歷經中西醫治療

友人之妹患哮喘病近十年，歷經中西醫治療，仍不能根絕，每遇陰寒之日，即覺哮喘利害，敝友自稱先生：

本市新聞

谷壽夫案辯論終結 定於本月十日宣判

昨開最後一庭屠夫猶作狡辯

（本市訊）谷壽夫案昨（三）日午後二時，在勵志社大禮堂開最後一次辯論庭，聽衆不如前數次擁擠，審判長一行升座後，谷犯首對前一庭末及答辯者，重複加以申訴，謂其進駐中華門時，附近居民逃避一空，而今竟開有在花神廟集體屠殺七千人一事，故不勝駭異，凡此事實，均係捏造，請庭上能將被告方面各證人如一一四師團長末中戈賀至等全數傳到，再加審訊，俾使全案得以大白，嗣由翻譯官翻譯上次開庭時檢察官所舉各節，該犯照例否認仍不外列舉其固定之理由，三翻四復，絮絮不休，最後經審判長申斥，如再一語重複數十遍，將禁止其發言，至此由檢察官再起立，加以駁斥，檢察官謂日一向主中日親善者，何故參加對華侵略戰爭，縱使軍人服從命令，然命令不正當，被告亦須負責，被告既謂，所部紀律嚴明，然當時並無命令或報告可査今日還在，被告複謂，作戰期間人民逃避一空，按實際情形當時南京交通與外界隔絕，人民逃無可逃，多遭其害，而南京大屠殺是一整個行爲，被告身爲主將，當然應負共犯責任，被告造謂起訴書所言不確，其中證據多係捏造，然本庭所調各機關之卷宗均有案可稽，身歷其境，親眼目睹者一千多人暨外籍人士均到庭指陳作證日人自攝電影照片尤可作證，可見罪證確鑿，僅被告畏罪情虛，以脫規避而已，觀乎今日報告言辭間侮辱法庭與檢察官各節，可以想起當時被告大權在握時囂張跋扈之情況，綜上理由，依法律應處以極刑，語畢掌聲雷動，合隴側俯諦聽，諦繼谷犯再度申辯後，由辯護人張仁德律師起立爲加以辯解，謂請庭上秉公裁判，檢察官復又加以辯駁，谷犯最後答辯時因燈光不明，所擬底稿，看不甚清，遂移至台右電燈下，繼續辯論達半小時之久，辯論終結，審判長宣布本案定三月十日午後三時仍在勵志社大禮堂宣判，七時二十分退庭，被告還押。

1947.3.4《中報》 五次公審結束谷辯壽夫十日宣判

政府決提早改組
三中全會開幕前可完成
雷震張君勱等晉京洽商

張羣否認主持改組

何應欽致詞勗勉
中訓團留美同學聯誼會
應多學習研究實際問題

白部長今飛歸綏
昨抵張垣官兵熱烈歡迎
谷正綱自平專機返首都

我糧食情勢
美農業部預告

德籍善士艾拉培
南京淪陷時拯救我難胞
沈市長擬邀其來華養息

我在日二萬僑民
大部生活極艱苦

調整飛機票價
交部擬定辦法
短程加倍遠程一倍半

谷壽夫十日宣判
五次公審結束辯論
聞庭諭後神色慌張沮喪

主席仁厚待日
日將永遠感激

西沙羣島事件
我決不讓步

皖行政會議建議
修京贛淮南兩路
省府遷返安慶案內部電覆総談

蘇省退伍軍官
接辦協步紙廠

居正夏勤抵津

溫台沿海大雪

無獨有偶
北平杭州兩地
破獲僞鈔機關

飛機上空隙處搜出了祕密鈔票

蘇州又一幽米案
移送地檢處訊辦

皖南發現股匪
浙省嚴防流竄

浙六區專署結束

重建北平地震台

要聞簡報

嵩定馬陸鎮大火

社論　英法同盟條約的簽訂

在今天下午二時（格林威治標準時間）英法同盟條約，將在具有歷史意味的鄧扣克地簽立。此一條約的簽立，正在莫斯科外長會議召開的前夕。出席莫斯科會議的法國代表團，爲了此一條約的簽訂，而延展了他們的莫斯科之行。鄧扣克在世界第二次大戰中，對英法兩國均具深長的意義，而戰後英法同盟條約的簽訂卻就在這個歷史的名城，是此條約的簽訂，對於英法兩國人民必起着一種深刻的交感作用。據報載稱，此一條約的有效期爲五十年，其中重要的規定爲：㈠如德國採行一種侵略政策，或一切足以危害兩國安全的措施，英法決定彼此間採取協同政策以謀抵制；㈡如英法一方與德作戰，不論爲防制德國的侵略，抑或爲履行聯合國安全理事會的決議，另一方必須予以軍事上的協助；㈢如果將來德國不履行其義務，兩國對於德國的建設，必須取得協議；㈣英法兩國對於彼此間有關之經濟問題，應彼此協議而決定行動。據此四點，可知此次英法同盟的簽訂，其目的實在防制德國的再起；對於此一同盟條約的簽訂我們謹於此中述我們的觀感如次：

我們首須指出的就是若干人士以爲此次英法同盟的簽訂，其目的在以結成一種西歐同盟以對蘇。觀乎英法同盟的主要條款，是其目的，與其說是在對蘇實毋寧說是在對德。法德地壤相接，而法國對德作戰在最近三十年來已有兩次；對於它的東鄰，法國始終存着一種畏懼的心理，如今德國之降，鑒於第一次世界大戰的經驗，第四法國面對於萊茵河東岸的鄰邦，始終存着戒心；爲了要防制是項慘痛經驗的重演，法國的不再遭受德國的侵略，故而有此次英法同盟的簽訂。此其目的與其說在防制蘇聯勢力的再擴張，實毋寧說是防制德國的再起。所以對於此一同盟條約的簽訂，這決不是一種反蘇西歐集團的結合。

法國之對於德國本來是兄弟之邦；在中古查理曼大帝時代本來法德一家，無分彼此。其後查理曼大帝崩，德法兩國的歷史於是各奔前程；這其間兩國民族間之情感卻愈趨惡劣。到了今天，法國對德的政策，還是在防制了統一而強有力的德國的再生。今日法國對德的政策，這是主張魯爾區與德國的分離，薩爾區與法國的歸併，萊茵河區域的國際化及德國的聯邦化與適當賠款的要求。凡此種種，均在使一個強盛統一的德國之再出現爲不可能。英法同盟條約的簽訂，就在防制此一強盛統一德國的再出現。法國之採取此一對德政策以及英國之與法國因此而成立同盟是否爲明智得計，我們不欲多論；不過國際條約，特別是同盟條約的簽訂，無疑地，對於簽約國雙方是有利的。否則，此項條約就沒有簽訂的必要。這是在這種相互有利的條件下，我們看見有英法同盟條約的締結。

關於德國的將來，無疑地實是此後歐洲乃至整個世界和平的所繫。此次英法同盟條約的簽訂既以德國爲對象；是其意義，我們必須在一個更大的角度下，始能有充分的認識。第一，英法同盟的簽訂，與英蘇同盟及法蘇同盟是相輔的。英蘇法蘇之間本已有同盟關係的存在，而英法爲傳統的盟友，卻在此次戰後沒有同盟關係的存在，終究是一件遺憾的事。英法締盟雖倡於兩年以前，當時英法的關係爲了敘利亞近東問題頗現緊張。此次同盟的簽訂，補足了缺落的一環，實爲衆所期望的事。第二，如今英法蘇三強之間既有同盟關係的存在，而此項同盟的目的又在對德，我們深信必更進一步而有導使英法美蘇對德協定成立的可能。美國雖則不是一個歐洲的國家，但美國卻爲了歐洲的局勢而參加了兩次世界大戰；對於德國的局勢，美國自不便旁觀。因此，在莫斯科會議召開的前夕，而將英法同盟成爲一宗既成事實，在某一意義下，實是以促進英法美蘇對於歐洲局勢的成立協定。在戰時艱難困苦情形下的合作，到了敵人崩潰後的今日，應該更應有更進一步的合作纔能凝固戰時的盟誼。

在這個意義下，我們感覺到遺憾的是對於日本戰時的盟邦還沒有進一步合作以凝固戰時盟誼的跡象；且其中或不免有若干盟邦甚至在扶植戰後新興日本的抬頭。歐洲的多邊同盟，其目的既在對德，爲什麼在亞洲，我們在戰時的盟邦，不能有像歐洲那樣的戰後發展？在歐洲，我們應該防制戰後德國的再起；難道我們不應在亞洲防制戰後日本的再起？在歐洲，我們看見有兩國間的締盟進而有四強協定的可能；在亞洲，我們不亦應該援歐陸的成例，成立同盟，進而有多邊的協定，以防制戰後日本的再起，我們是一個亞洲的國家，對於戰後日本的再起，自然關切尤深。在中英，中美，中蘇之間，我們似應該都分別訂立同盟；進而有中蘇英美之間的多邊協定。二十世紀既有太平洋世紀之稱，是太平洋和平的維繫，關係世界前途的安危，其意義尤爲重大，在聯合國機構下，本可有區域的協定，與聯合國機構的精神，本不抵觸。我們願由於英法同盟的簽訂及歐洲局勢的推移；我們的外交當局對於亞洲的局勢，特別是對於戰後的日本，也能採取同樣的主動。

可是我們於此有不能不一言的，就是條約的簽訂，其最重的一部，還是在此後對於條約義務的如何履行。第一次世界大戰後，緊接着又有一個極盛的條約簽訂時期。然而當時所訂的條約，其能有忠實履行條約義務者又幾希：此次英法同盟條約的簽訂，是否能有預期的結果，還得看將來它的條約義務是否能忠實履行。此次英法同盟條約的簽訂，在法國國會雖得到熱烈的支持，但巴黎的一般觀察家卻還感覺共黨對於此一條約簽訂的反對。對於德國及西歐是否此後英法能有協同的步調，還得看此後此一條約所規定的義務的是否將忠實履行。但無論如何，有條約總比沒有條約好多。這是在此一意義下，我們對於英法同盟條約的簽訂，表示欣幸。

五次公審結束辯論

谷壽夫十日宣判

聞庭諭後神色慌張沮喪

〔本報南京三日電〕南京大屠殺案，三日下午二時開始第五次公審，繼續辯論。谷壽夫首先辯駁，語多重複，全部狡賴，辯詞冗長，歷達一小時又三刻之久，其主要意見仍爲下列數點：㈠中華門附近正當戰事，居民均已逃避遠去，在戰爭觀點論，所謂屠殺，任何人所不能承認，㈡谷部係駐紮城或學校內，㈢谷犯僅於十七日十八日十九日出外巡視，並未見任何事件，如有，即在谷犯離去後，再集體屠殺地點不詳，完全捏造事實，㈣大部分事件均在一一四師團駐地以內，並提出要求調有關人員如柳川等出爲證人。語畢，由翻譯官繙譯上次未完之論告。旋由檢察官加以駁斥，律師張仁德則予以辯護，庭長再宣稱：谷犯有否加罪事預謀罪等，谷犯即作最後申辯，略爲四點：㈠來華作戰乃職務上不能違抗者，㈡中島部隊與谷犯部隊乃絕不相同者，不可能共同做出此等事，㈢中華門有計劃之屠殺，不能承認，㈣各事均爲其他部隊所爲。谷犯最後以申辯書送庭上時，庭長即宣佈定十日下午二時宣判，谷犯聞言後，神色慌張，急呼宣判如此快，旋再提要求，請調有關人員柳川等出庭作證，確確實實調查清楚。時已七時半，宣佈退庭。谷犯於審判五小時後回押，其一貫橫蠻傲然之神態，今已不得不沮喪於色，像谷犯罪深惡極，決不能免一死。

1947.3.11《中報》 谷壽夫判决書（未完）

改組政府商談進展
民青兩黨不參加技術部門
蔣勻田飛港雷震改今返京

（本報南京十日電）改組政府之商談，現已進入事務階段……

邵力子返京

兩國民航協定中規定
中英將闢五航線
通倫敦星島婆羅洲香港

蔣廷黻
今秋赴美講學
否認將使美說

重訂涉外法律
立院爲參考外國立法
派吳尚鷹等出國考察

中央黨部秘書長吳鐵城，九日在鎮江，遊金山寺。（上）吳氏及鎮江王縣長在金山寺之題字（下）吳氏等同遊者留影。吳氏×、夫人、△縣長。（中國社攝）

國防部嚴禁軍人通婜外女

陳賀平覆非照會
申明我對非態度
從未蓄意控制任何隣邦

法國航空公司擬闢滬越航綫

內政部編纂人口統計表

杞人之憂
美學者慮我人口增加
卅年後勢必擴張領土

南京大屠殺主犯
谷壽夫判處死刑
判決書宣讀後當庭送達

判決書要點

判死刑軍法犯得酌情減刑

被通緝舊律師投案復業辦法

花園口開始合龍
引河同時放水水流已過柳園口

縣府金理軍法四月底前結束

工地上空發現怪機

鎮丹常揚四縣舉行清剿會議

錫澄路匪徒刦車

諸暨紹興公路一月內可築成

浙省春季蠶種中蠶公司配發

浙將修造漁船總數達五千艘

要聞簡報

〔社論〕上海市政府組織規程的檢討

上海市政府組織規程，自經行政院通過，並經各報披露以後，因爲組織大加緊縮，市府所屬人員三千三百餘人，將減至一千九百餘人，影響太大，頗引起世人注意。其實員額的多寡還不過本問題的一面，其另一面，還有各局職權的調整一點，更値得注目。茲將現行制度與新制度中所載各局的職掌，逐一比較，紀其增減與變更的項目如左，以供探討。

第一，現制所無，而爲新制所增入者，如下：

民政局（原爲民政處）加入㊀關於市區域劃定事項，㊁關於禮俗宗敎事項（原屬社會局）㊂關於禁烟禁毒事項。（向無明文規定）

財政局加入㊀關於公營事業之經營管理事項，㊁關於捐稅稽征之協助事項。

教育局加入音樂，戲劇，電影，播音，及其他美化教育，（大部分原屬社會局所管）

社會局加入關於新生活運動事項，此事原屬該局主管，但無明文規定。

地政局加入關於公有土地之處理事項，亦原屬該局所主管，但無明文規定者。

衛生局加入㊀關於衛生教育及衛生人員訓練事項，㊁關於生命統計事項，㊂關於細菌檢驗及藥物化學之檢驗，分析事項，㊃關於市立醫院，傳染病院，及衛生所等機關之監督事項。

工務局加入㊀關於船舶及飛機之管理事項，㊁關於農林工礦漁牧事項。（原屬社會局）

警察局加入㊀關於[illegible]事項，㊁關於協助兵役及戶政事項。

第二，新制所無，而現制分別列舉者，如下：

財政局删去㊀關於市銀行之監督指揮事項，

教育局删去㊀關於職業教育事項，㊁關於國民體育及衛生教育事項。

社會局删去㊀關於本市經濟之調查統計事項。㊁關於農工商行政事項，㊂關於造林，墾牧，漁獵，之保護及取締事項，㊃關於書報影劇之管理事項，㊄關於宗敎之監督指揮，及風俗改良事項。

地政局删去㊀關於地產經紀人之監督事項，㊁關於公地改良，荒地墾植，及農林牧場之管理推廣事項。

衛生局删去㊀關於飲食物之檢驗，管理，及[illegible]械，血清，疫苗之供應事項，㊁關於垃圾糞便之處理事項。

工務局删去㊀關於都市計劃之調查設計，㊁關於技師廠商登記執照之核發，查勘，取締事項，㊂關於工程規範之厘訂及材料之檢驗事項。

公用局删去㊀關於水陸空交通之監督指導事項，但增列車輛交通檢驗一條，或已包括在內，㊁關於碼頭倉庫之規劃及管理事項，㊂關於水陸空交通駕駛人員暨水，電，煤氣技工廠商之登記，給照，考驗，及取締事項，㊃關於路燈，標準鐘，及市有廣播電台之建設及管理事項，㊄關於公用事業之器材勘驗，服務標準，及費價標準之厘訂執行事項。

警察局删去㊀關於警區之設置及變更事項，㊁關於調查特種戶口及外事警察事項，㊂關於刑事案件之偵查事項。

就形式論，以衛生局之變更爲最多。牠的職掌條文，非但與現制諸多出入，亦與最近核定的南京市組織完全不同。牠不像其他各局，大體上多抄襲南京市組織規程之成規。以實質論，則以社會局之緊縮爲最鮮明。例如農林工礦漁牧劃歸工務局，宗敎禮俗劃歸民政處，影劇劃歸教育局，其農工商行政，工廠檢查事項，書報管理事項，這三項，究竟劃歸何處，竟找不到下文。又新生活運動，旨在移風易俗，明係禮俗事項，却不併入民政處，而特地爲該局增列一條，也很不易索解。有人說：現在實行民主，以後一切書報，大約不予管理，這自然也言之成理。不過工廠檢查和一切農工商行政，是否亦照此例，一概予以放任？不能令人無疑。上海市政府最初成立時，原有農工商局，後與公益局合併乃改稱社會局，此爲中國有社會局之始，而本市又是吾國唯一的工商大埠，我們不信，這項行政，以後可以一概放棄。又有人說：現在各部在滬，大都設有各式辦事處，或許將收歸中央自辦，無須地方管理，這也是一種說法。而且在本市財政極度困難，正苦無法裁員減政之際，或亦具有相當的理由。不過按照此例，可以收歸中央自辦的，又何止農工商行政這一種？而且適用此例的，又何止上海一市？

垃圾糞便的處理，在衛生局是一種極繁重的工作，且是一筆大宗的收入和支出，官辦商辦，直到最近，方由參議會通過了原則。新制內也把牠完全删除，不知是何用意。我們不相信，這事也可解釋爲將由中央衛生署收回自辦。至農林工礦漁獵一類，一概劃入工務局辦理，是否有點老韓同傳，過於牽强，實在也不易了解。衛生教育，已歸入衛生局，這還說得過去。但職業教育，是否可以完全省略，却還値得研究。最不可解的，是國民義務勞動這一項，中央儘管三令五申，督促舉辦，在新制內竟沒有提起，究竟應該由那一局負責？房屋租賃糾紛，風起雲湧，自從租賃處理委員會結束後，有許多當事人跑來跑去，找不到一個主管機關，新制內同樣沒有提到，似乎也是一個缺點。

依照嚴格的法律手續，這項組織規程，還須送經立法院審議。以上這些問題，希望在立法的過程中，能獲得適當的補救。

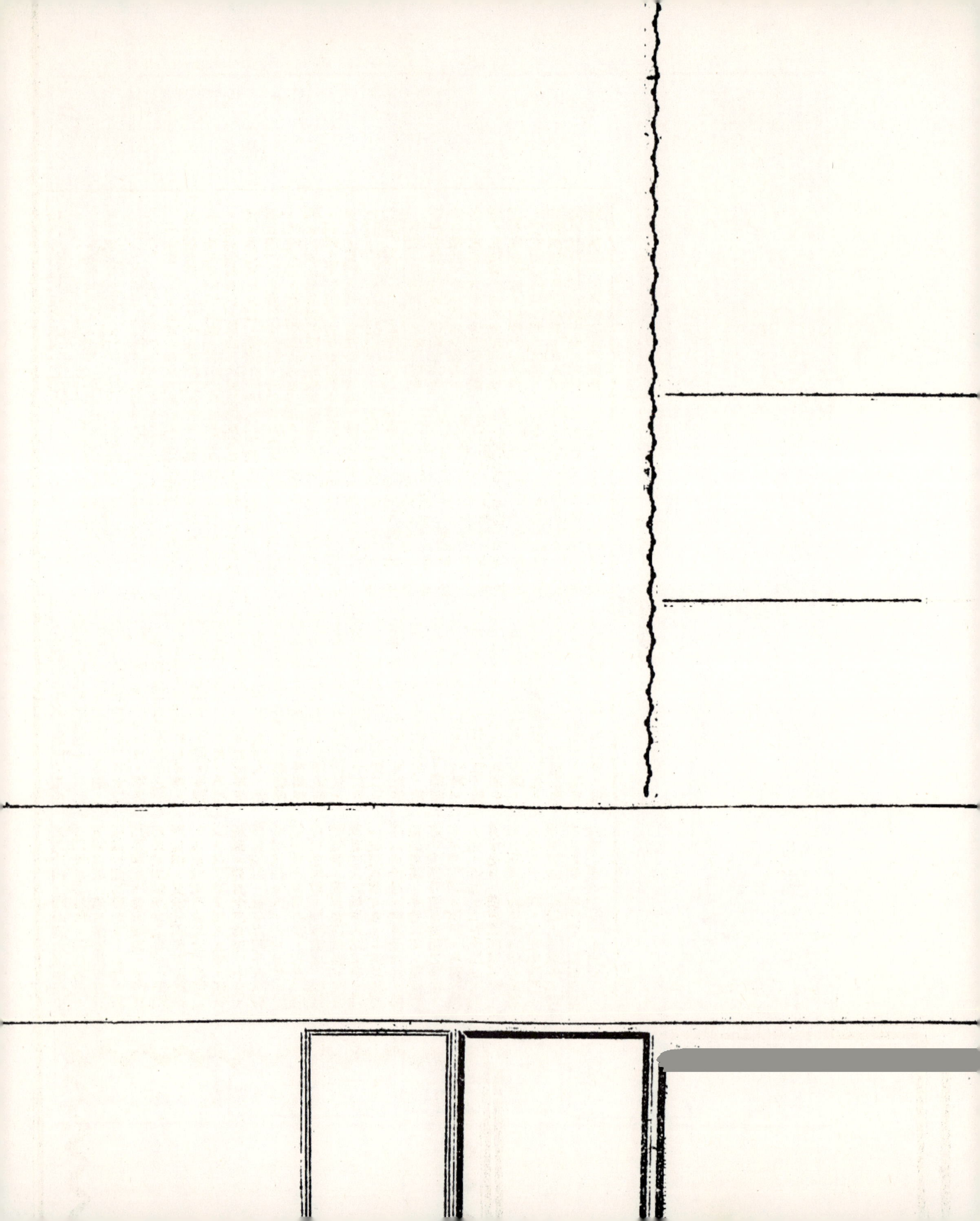

南京大屠殺主犯
谷壽夫判處死刑
判決書宣讀後當庭送達

〔本報南京十日電〕南京大屠殺案主犯谷壽夫，十日下午三時在京勵志社臨時公開審庭被宣判死刑。石庭長於三時開刑庭，旋即提谷犯到庭，谷仍著往日服裝，自始至終神情鎮定，毫無慌張神色。首由石庭長訊問姓名籍貫年齡後，即讀判決書，並說明罪名日期，谷聞「死刑」二字後，亦不變色。判決書宣讀時間長達四十分鐘，谷犯於最後請求發給日文判決書，本充所請，判決書即作本日送達，並宣布依法谷犯於十日內可向我統帥提出抗辯，經批准後發回更審，否則依法執行。茲錄主文如次：「谷壽夫在作戰期間，共同縱兵，屠殺俘虜及非戰鬥人員，並強姦，搶劫，破壞財產，處死刑。」

判決書要點

事實：谷壽夫係日本軍閥中慓悍善戰之將領。民國廿六年中日戰起，先任第六師團長，是年末率部來華，參預侵略戰爭，先轉戰於河北永定河及保定石家莊等處。同年十一月杪，我京滬沿線戰事頻告失利，移戰該地，扼守南京，日本軍閥以我首都爲抗戰中心，乃糾集其精銳，而兇殘之第六師團谷壽夫部隊，第十六師團中島部隊，第十八師團牛島部隊，第一一四師團末松部隊等，在松井石根大將指揮之下，合力會攻，并以遭遇我軍堅強抵抗，忍恨之餘，乃於陷城後，作有計劃之屠殺，以示報復。由谷壽夫所率之第六師團任前鋒，於廿六年十二月十二日（即農曆十一月十日）傍晚，攻陷中華門，先頭部隊用繩梯攀城而入，即開始屠殺，翌晨復率大軍城逞，與中島牛島末松等部隊，分竄京市各區，展開大規模屠殺，繼以焚燒搶掠。

殺・戮

屠殺最慘烈之時期，厥爲廿六年十二月十二日至同月廿一日，亦即在谷壽夫部隊駐京之期間內。計於中華門外花神廟、寶塔橋、石觀音、下關、草鞋峽等處，我被俘軍民被日軍用機槍集體射殺，並焚屍滅跡者，有單耀亭等十九萬餘人。此外零星屠殺，其屍體經慈善機關收埋者十五萬餘具。被害總數達三十萬人以上，屍橫遍地，慘絕人寰，其殘酷之情狀，尤非筆墨所能形容。如十二月十五日下午一時，我軍警二千餘名，爲日軍俘獲後，解赴漢中門外，用機槍密集掃射，飲彈齊殞，其負傷未死者，悉遭活焚。同月十六日下午六時，麇集華僑招待所之難民五千餘人，被日兵押往中山碼頭浦中，倘能掙扎者均遭亂刀戮斃，并將全部屍骸以煤油焚化。又如十二月十二日，鄉婦丁徐氏，在中華門外下碼頭，遭日軍梟首毀屍。同月十三日，鄉民姚小山，因谷壽夫部隊在中華門堆草巷放火，前往施救，竟被砍死。同日鄉婦陳敬蘭及尼姑真行、燈高、燈元等，亦於中華門外廟庵內悉遭屠戮。十四日市民姚加隆攜眷避難於中華門斬龍橋，又遭日軍將其妻姦殺，八歲幼兒、三歲幼女因在旁哀泣，被用槍尖挑入火中，活焚而斃。同月十三日至十七日，時值嚴寒，駐中華門外日軍勒令擄民卅餘人，入水撈魚，從則凍斃，違則遭殺，并將一老叟邵[illegible]精，以槍瞄準，作打靶練習，終至腦斷跌斃。又日軍官二人，以殺人爲競賽，共一殺達百零五人，一則以殺百零六人獲勝。同月十九日，鄉婦謝善眞，年逾六旬，被日軍在中華門外東岳廟用刀劈殺，并以竹竿插入陰戶，均屬慘無人道。計自十二月十二日至同月十七日，我首都無辜軍民，被日軍殘殺而有案可稽者，達八百八十六起。其在中華門一帶被害者，除以上列舉外，尚有王福和、柯大才、陳翁氏等三百七十八案。（未完）

1947.3.17《南京新民報晚刊》 谷壽夫死期已近本週内即可執行

自來水勢將難來
市民快儲水
機件損壞修理困難

棉紗平靜　五洋冷落

拾柴女觸電死

復航第二日　乘客較多矣

商情表

飾銀(出)	飾銀(進)	美票(出)	美票(進)	上熟	中熟	次熟	糯米	龍頭細布	萬壽細布	萬壽元斜	吉樂元布	高士林	雙安	君子	洛神藍	雙牛	雙貓
[illegible]	[illegible]	[illegible]	[illegible]	[illegible]	[illegible]	[illegible]	[illegible]	[illegible]	[illegible]	[illegible]	[illegible]	[illegible]	[illegible]	[illegible]	[illegible]	[illegible]	[illegible]

反對國際干涉　學生明日遊行
今下午商討遊行辦法

首都鐵路公司　市府積極籌組

盜賣接收物資案　全案解聯勤部辦理

南京事

本週內即可執行　谷壽夫死期已近　判決書明日送核

一錢嗎啡　五十萬元

大江來去

憲兵偵察隊　計破販毒案

洗澡堂中無分貴賤　脫下衣衫一樣光幹

本報特寫

大胆戴廣才　詐騙六千萬　地院已予起訴

來函照登

危險

【本報訊】下關江邊一帶……（達）

本週內即可執行

谷壽夫死期已近

判決書明日送核

【本報訊】南京大屠殺主犯谷壽夫之萬言申辯書，十四日已送達軍事法庭，庭方現正積極整理證件中，將全部編號，連同審判記錄及判決書呈請最高當局核批，明日即可送呈，兩三日內批下，一俟批示，即可執行槍決。衆料谷犯命運於本週內可以決定。

1947.4.27《申報》 谷壽夫執行槍決

九載血債而今獲償 谷壽夫執行槍決

雨花台畔萬餘觀衆歡呼

（本報南京廿六日電）南京大屠殺案主犯谷壽夫，於廿六日上午十一時五十分，在京執行死刑，一槍畢命。國府主席核准令，於廿五日發達國防部軍事法庭，廿六日上午九時三刻，檢察官陳光虞，赴監犯拘留所提出谷犯，作最後一次審訊，同時宣佈其判決死刑。谷犯神態如昔，面色如昔，衣黃色軍便服，足穿黑絨布鞋，未戴帽，步伐略現踉蹌，陳檢察官詢問其年齡，籍貫後，即以其遺信三封，交谷犯閱讀。時谷犯猶不知其死之將至，忽忽一閱，即收入衣袋，及至檢察官詢其是否有遺囑時，始稍了然，就庭上書寫遺書，分致其妻、子、及孫，歷時頗久，約一刻鐘，陳檢察官朗讀宣讀主席代電，（附後）後稱：「對你的案件審訊判決均很正確，公平，因你不僅在中華門一帶縱部屠殺，且曾親自屠殺，此點你自己還甚明瞭，其餘如在京大屠殺及殺人比賽等，均在日本報紙上大量刊載，供證確鑿，故今日之執行，實甚公正。」谷犯聞言，稍作最後狡辯，謂：「我除去承認大屠殺外，並未到過城內，至此刻還止，仍給庭上明瞭全案真相，再作決定，否則將來會後悔的。」檢察官稱：「本人除執行以外，無任何權限；你對家屬及身後有何囑咐？」谷犯語調急促，以日語地，逐稱：「對於此案，被告是無關的，被告現在相信將來一定會弄明白的。此種裁判，在未來的中日關係上，恐留不生影響才好。並盼今後審判，對被告之授人應注意。」最後，谷犯要求寫遺囑與其妻子，其時谷犯已略顯慌張，兩光閃爍。拘留所看管理員特給與一支鋼筆，谷邊寫邊吸，至十時三刻畢，即將其遺物取來，分給看守。然後現各物時，極為細心，對所遺一表，認為不見，仍在簽收。十一時十分，驗明正身，宣告退庭，將谷犯押上刑車，由其檢察官等均親赴刑場。大小汽車多輛，自監犯拘留所出發，沿途市民爭看槍決谷犯，均紛紛奔赴，隨車前往，本至中華門，已人山人海，比至雨花台，則滿山滿谷，一片呼聲，谷九載血債，今始得伸也。十一時三刻，車抵刑場，谷犯被押下車，徐步履不正外，餘無變態。五十分正行刑，由陳檢察官發令，洪二提執行，一槍自後腦入，自口腔出，牙齒噴出，谷犯飲彈，立即仰天倒下，無聲而斃。是時四圍萬餘觀衆，歡聲雷動，此昔日執行殺人之魔王，今亦得伏法於雨花台畔，實爲南京百萬市民之無上快慰也。

主席代電核准執行

軍事法庭發佈罪狀

谷犯遺書致妻梅子

潘陽漢口兩地 三日戰犯處死

卅九名罪嫌不足開釋

九江市內拘獲共黨放火班長

中央銀行以外各銀行均應加入公會或商會

中央信託局條例

立院三三三次例會通過

各地通訊

中委柏文蔚逝世

明日在萬國殯儀館大殮

社論 抑平米價的對策

美援華聯合會 助我培植人才

中英民航談判 路綫問題談不攏

要聞簡報

南京共同縱兵屠殺俘虜及非戰鬥人員，並強姦搶劫，破壞財產，罪證確鑿，業經本庭於本年三月十日，依照海牙陸戰規例第四條第二項，第二十三條第三款，第七款，第廿八條，第四十六條，第四十七條，戰時俘虜待遇公約第二條，第三條，戰爭罪犯審判條例第一條，第二條第二款，第三條第一款，第四款，第廿四款，第廿七款，第十一條，判處死刑，並呈報參謀總長陳，轉奉國民政府主席蔣，本年四月廿五日代電核准執行各在案，遵於本月廿六日上午十時，由本庭檢察官將該犯谷壽夫一名提案，驗明正身，押赴雨花台刑場，依法執行死刑。計開戰犯谷壽夫一名，男，年六十六歲，日本人，住東京

九載血債而今獲償
谷壽夫執行槍決
雨花台畔萬餘觀衆歡呼

〔本報南京廿六日電〕南京大屠殺案主犯谷壽夫，於廿六日上午十一時五十分，在京執行死刑，一槍畢命。國府主席核准令，於廿五日發達國防部軍事法庭，廿六日上午九時三刻，檢察官陳光虞，就戰犯拘留所提出谷犯，作最後一次審訊，同時宣佈其判決死刑。谷犯押抵法庭時，面色如昔，衣黃色軍便服，足穿黑絨棉鞋，未戴帽，步伐略現踉蹌。循例詢問其年齡，籍貫後，即以其遺信三封，交谷犯閱讀。時谷犯猶不知其死之將至，忽忽一閱，即收入衣袋。及至檢察官詢其是否需寫回信，始稍了然，就庭上持鉛筆作書，分致其妻，子，及孫，隨時嘆息，約一刻鐘，旋檢察官即席宣讀主席代電，（附後）續稱：「對你的案件審訊判決均很正確，公平，因你不僅在中華門一帶縱部屠殺，且曾至城內各處屠殺，此點你自己必甚明瞭，其餘如在京大屠殺及殺人比賽等，均在日本報紙上大肆刊載，毋庸諱言，故今日之執行，實甚公正。」谷犯聞言，始作最後狡辯，謂：「我除去參加入城式外，並未至城內，至此刻為止，仍盼庭上能將全案弄明白後，再作決定，否則將來會後悔的。」檢察官稱：「本人除執行外，無任何權限；你對家屬及身後有何囑咐？」谷犯語調急促，以日語強辯：「對於此案，被告是無關的，被告現在相信將來一定會弄明白的。此種裁判，在未來的中日關係上，盼能不生影響才好，並盼今後審判，對被告之證人能注意。」最後，谷犯要求寫遺書與其妻子，其時谷犯已[illegible]，淚光閃爍。拘留所監管理員特給烟一支與吸，谷邊寫邊吸，至十時三刻畢，即將其遺物取來，分訴轉交。渠整理各物時，極為細心，對所遺一表，遍覓不見，似仍留餘戀。十一時十分，整理完畢，宣告退庭，將谷犯押上刑車，庭長檢察官等均親赴刑場，大小汽車多輛，自戰犯拘留所出發，沿途市民鑒悉槍決谷犯，均爭睹為快，隨車前往，未至中華門，已人群夾道，比至雨花台，則滿山滿谷，一片呼聲，蓋九載血債，今始得伸也。十一時三刻，車抵刑場，谷犯被押下車，除步履不正外，餘無變態。五十分正行刑，由陳檢察官發令，洪二根執行，一槍自後腦入，自口腔出，牙床噴出，谷犯飲彈，立即仰天倒下，無聲而斃。是時四圍萬餘觀衆，歡聲雷動，此昔日橫行紫金山之殺人魔王，今竟得伏法於雨花台畔，實為南京百萬市民之無上快慰也。

主席代電 核准執行

茲錄主席代電原文如下：「轉石庭長案呈：該庭本年三月十九日呈覆所件均悉。查被告谷壽夫，在作戰期間，共同縱兵屠殺，俘虜及非戰鬥人員，並強姦搶劫，破壞財產，既據訊證明確，原判依法從一重處以死刑，尚無不當，應於照准。至被告聲請復審之理由，核與陸海空軍審判法第四十五條之規定不合，應予駁回，希即遵照執行，並將執行日期具報備案，判存卷發還。中正。」

國防部軍……都小野區富士見町五十三號，日本陸軍中將師團長。

谷犯遺書 致妻梅子

谷壽夫致其妻梅子遺書譯文如下：「昭和二十三年四月二十六日，我的死刑執行了！在未知執行以前，我曾給你另外一封信，和這封遺書，一併作為永別的紀念罷。未能偕老的梅子，你盡到了內助的責任，這與我要深深感謝你，在中國方面錯誤的判定下，現在我被執行死刑了，實在是遺憾的。我是否犯了國際的罪行，確信有一天會給大白的；但是我一個人沒有關係，我終於死於雨花……化異域，但魂終仍返君前。現在是四月二十六日的正午，我向你致訣後，便將永別，願各位都能幸福，現在我還能站着向各位敘別，但沒有一會兒，我便要長倒下去，這是不幸的，但也是命運。我是一個男人，為國而死，是值得滿足的，走完了人生的旅途了，我最後的形狀，高橋中將和就笠原參謀都親見，他們可以告訴你，什麼事都是命運，六十六歲成了我生命最後的一年，一直到死，我都認為沒有錯，努力到最後的最後，但終被槍斃了，實在遺憾。最親愛的梅子，永遠的再會罷，請將我的遺髮火葬後

1947.4.27《新江蘇報》 谷壽夫昨執行槍决

泰安戰況漸趨沉寂
河北國軍收復定縣

（徐州二十六日電）向蒙陰銳進之國軍，二十四日攻佔青駝寺，昨午續克垛莊及其西北要隘暗界牌黃崖山之線，共軍西之國軍，同日以銳鋼之勢，北向蒙陰推進，又進駐石屋山與陽洞汶馬泉一帶地區。

（徐州二十六日電）由臨沂沿臺濰公路北進國軍，二十五日將葛溝湯頭等處之共軍肅清。

（徐州二十六日電）由費縣向蒙陰推進國軍，二十六日攻克距蒙陰東南不及五十華里之界牌，及其附近之燕子山，猪棚嶺，孟良崮，燕子山，杏山，黃崖山等據點，並於燕子山將共軍第二十二師主力殲滅，由泗水攻入蒙陰國軍，已向師痛擊泰安外圍共軍側背。

（濟南二十六日電）泰安戰局重心移至泰山中，共軍以泰安為中心，紛紛將主力向泰安四面集結，完成包圍之勢，與國軍展開烈戰，尤以泰安東摩天嶺及以南蒿里山西萬地爭奪戰最為慘烈，二十五日夜共軍續動總攻，逼臨城郊，惟泰安國軍士氣旺盛，仍在浴血苦戰中。

（濟南二十六日電）共軍第十縱隊，自二十二日起向泰安附近各據點猛犯，經三日戰爭均被國軍擊退，計斃傷共軍六千餘，向國軍投誠者百餘人，迄昨夜共軍復集其殘餘，圖作最後之掙扎，再度猛犯，經國軍強烈阻擊，迄今晨戰況已漸沉寂。

（保定二十六日電）石家莊國軍於二十二日開始出擊，二十三日連續向西北搜索，當日進駐南北高者大河村東馬村南新城之綫，並繼續前進中，圖攻元氏之共軍，經國軍有力痛擊，受創回竄，國軍跟蹤向北追擊，於二十三日收復元氏車站，（元氏北）向東出擊之國軍，當日下午刻佔領鐵屯後，繼進駐慇鎮，並繼續向東掃蕩。

（保定二十六日電）越滿城店南下國軍，二十六日午迫定縣城郊，探悉：由左翼迂迴……之國軍，二十六日下午五時，已攻入定縣縣城。

（保定二十六日電）向高陽推進國軍，二十五日午迫近高陽，西北余側劉村一帶，當將該地收復，共軍獨七旅一部，經國軍掃蕩後，已向東竄去。

（鄭州二十六日電）共軍劉伯誠部第一旅，第三旅，第六旅，第七旅及太行軍區之「四九」「五〇」「五一」三團，集其全力，猛犯湯陰，迄今已逾旬日，仍為所獲，二十四日夜更以最大之代價猛攻，國軍嚴陣以待，激戰徹夜，至昨日仍在國軍固守中。

（鄭州二十六日電）湯陰被圍兩旬，刻已轉危為安，共軍太行軍區部隊已受擊後退，共第三六兩縱隊之傷亡亦極重大，二十六日晨零時至二時，共軍以迫擊炮百餘發掩護，襲城，結果被擊退。

暢談被捕經過
獲釋美武官接見記者
曾受中共軍事法庭審訊　強迫供認偵察共軍前線

（南京二十六日電）於本年三月一日在長春附近被共軍拘捕之美大使館助理武官丙克少校及柯林斯上尉，已於二十四日午後獲釋，旋即臨同奉派往長春迎接彼等之美大使館陸軍武官蘇爾准將飛返南京，向大使館當局報告彼等受霸押五十五日之經過，並於二十六日下午在美大使館接見新聞記者，據蘇爾准將語記者稱：丙克少校及柯林斯上尉，事先已獲得中國政府軍事方面之允許，然後往前綫觀察軍隊之活動情況者，當時共軍已迫近長春，且有一部份軍人眷屬已開始撤退，在霸押期間，該兩美國軍官曾分別被送至中共軍事法庭審訊四次，其中三次曾以恐嚇手段強迫供認（偵察共軍前線），並否認此兩美國軍官在外交上所應具有之權利，四月九日中共東北政治首要李立三，曾接見丙克少校，三月六日柯林斯上尉即已向中共君守人函遞信請求轉知美大使館，惟該函件迄無下落，於屢次審訊中，此兩美軍官均被呼為「間諜者」，並被剝奪法律上被告人之答辯權利，設許美國對華政策之講演，然中共始終未肯在間有關軍事之情報，四月九日李立三通知丙克少校及柯林斯上尉謂：朱德已答應蘇爾准將，彼等將可獲釋，同時自當日起生活之待遇亦較佳，但於四月十八日中共方面仍稱彼等為「戰俘」，丙氏少校在回述一九小時，且審問者常作攻於三月一日被拘押之情形……

馬歇爾返抵華府
將成立外交政策計劃局
凱南負責計劃對華政策

（華盛頓二十五日合衆電）據官方稱：馬歇爾自莫斯科歸國後，將成立最高外交政策計劃局，以擬訂美國長期外交政策，外交專家除在馬歇爾領導下擬訂美國長期外交政策外，並將配合長期外交政策，作適當之日常決定、從事外交部工作二十二年歷史之凱南，將負責計劃美國對華新外交政策。

銀行法全文（續）

第三十三條，銀行對其負責人所為抵押或質之放款，或對於與其負責人有利害關係之公司合夥或個人所為之放款，其利率與條件不得優於其他貸款人。

第三十四條，違反第三十一條或第三十二條之規定，得科銀行各負責人一萬元以下罰鍰。

第三十五條，銀行不得於規定利息外，以津貼贈與或其他給予方法吸引存款，但信託款項訂有契約分給紅利者，不在此限，違反前項規定，得科銀行各負責人一萬元以下罰鍰。

第三十六條，銀行負責人及其他職員不得以自己名義向存戶貸款人或委託人收受佣金酬金，或其他不當得利，違反前項規定者，得科一年以下有期徒刑拘役，或二萬元以下罰金。

第三十七條，銀行放款以不動產……得超過其抵押物或質物時價百分之七十，對於為抵押物或質物已設定其他債權者，應合併計算，仍不得超過其時價百分之七十。

第三十八條，銀行每屆營業年度終了，應將營業報告書，資產負債表，財產目錄，損益表，盈餘分配之決議或議案，於股東同意或股東會承認後十五日內，呈報中央主管官署查核，違反前項所定呈報期限，得科銀行各負責人五千元以下罰鍰，其呈報表冊有故意為不實之記載者，得科銀行各負責人一年以下有期徒刑，拘役，或二萬元以上罰金，其情節重大者，並得撤銷其營業執照。

第三十九條，銀行分派每一營業年度之盈餘時，應先提十分之二為公積金，但公積金已達其資本總額時，不在此限……

……

第四十六條，銀行違反法令應撤銷……何規定，得科銀行各負責人一萬元以下罰鍰，其情節重大者並得勒令撤換其負責人。

第二章　商業銀行

……條，凡收受普通存款，與匯兌及票據承兌或貼現者，為商業銀行。

……在本法公布施行前已經經營前項業務之銀行，經……不稱商業銀行者，視同商業銀行。

第……條，商業銀行所收普通存款……

第五十……條，商業銀行經營下列業務，一，收受普通活期定期存款，二，辦理各種放款或貼現，三，票據承兌，四，辦理國內匯兌，五，經中央銀行特許辦理國外匯兌，六，代理收付款項，七，買賣公債庫券及公司債，八，辦理與其業務有關之倉庫或保管業務，九，投資於生產公用或交通事業，十，代募公債公司債及公司股份，十一，經中央銀行特許收受外國貨幣或買賣生金銀。

第五十一條，商業銀行之信用放款，不得超過其所收存款總額百分之二十。

第五十二條，商業銀行得為以不動產為抵押之放款，但此項放款不得超過其所收存款總額百分之十五。

第五十三條，商業銀行購入生產公用或交通事業公司之有限責任股票，其股票總額不得超過其存款總額百分之二十，每一公司不得超過其存款總額百分之二。

第五十四條，商業銀行……

第五十五條，商業銀行違反前條任何規定，得科銀行各負責人一萬元以下罰鍰，其情節重大者並得勒令撤換其負責人。

第四章　實業銀行

第五十六條，凡對農工礦或其他生產公用交通事業經營銀行業務者為實業銀行。在本法公布施行前，已經核准營業登記之銀行，其業務合於前項規定而不稱實業銀行者，視同實業銀行。

第五十七條，實業銀行所收普通存款應照下列比率繳存保證準備金於中央主管官署所指定之銀行，一，活期存款百分之八至十二，二，定期存款百分之五至八，前項保證準備金經中央主管官署依第十九條規定，分區審核，得以公債庫券及國家銀行所認可之農工礦業或其他生產公用交通事業公司債抵充。

第五十八條，實業銀行所收普通存款……

南京大屠殺案主犯
谷壽夫昨執行槍決
刑前猶作強辯至死不悟　雨花台畔惡魔一槍畢命

（本報消息）南京大屠殺案主犯谷壽夫，經國防部審判戰犯軍事法庭判處死刑後，昨午奉蔣主席防呂字第八三七五號卯有代電准核原判執行，今晨即假小營軍法庭審訊，……張殿樹升庭，石美瑜庭長暨軍法官……陳光虞檢察官暨書記官……，當即將谷犯提出……訊結果判處死刑，……被告之姓名，年齡，籍貫及經歷後，……讀完畢，即問「對於遺囑有何話說？」谷答：「希望讓我寫……！」……時喉嚨哽咽，經檢察官允諾，谷即執短鉛筆在十行紙上，……呈交庭上。

檢察官宣讀代電

此時檢察官對被告宣稱「此案自經本庭判決後，送請覆判，被告亦曾作如是之申請，今奉上峯核定執行，」並宣讀代電全文，谷犯俯首聆聽，檢察官謂，「關於本案之審判，被告都很正確明白，……被告更明白，南京陷落，被告在城內，不僅曾到中華門，南京屠殺無辜，……有記載，所以此案之執行，可謂合理又合法」谷答：「……被告除參加入城式及參拜中山陵外，未到他處……南京屠殺一點，明瞭不確……之全部事實，然後再作裁定，否則是要後悔的……，此項事實全說，總有能明白的一天」！檢察官謂：「被告此項要求，不在檢察官職權之內，無法處理，現在只問被告在執行後，對身後及家屬有無話說」？此時谷犯搖搖頭，……「南京大屠殺案有根據，此案內容無事實，……一定有明白的一天，今後……一定知道我谷壽夫是無罪的……審判時，……希望能……，原被告雙方之人證物證……作一公正公平合理之裁判……求：「……再度追問……」

押赴刑場　換皮鞋

十一時五十分，法官問他還有什麼話說，他又要求到拘留所中去整理遺物，檢察官對他的要求予以允准，……上來，由……務兵把他的東西分錄後，……放在被告欄旁……放了很多的舊衣衫，他押解來……所穿的那件黃大……

發謬論　刺刺不休

站在臨時法庭被告欄中的谷犯，今日雖已死在臨頭，仍是……的述說他之處死好像在……絮絮……謬論，對於他的冤屈……抱着極大……檢察官……時間已遲了很久，便又詢問他對於他的家屬有什麼遺言，才把他的謬論打斷，這時他……忽又要求法官能給他些時間，……上撰寫他的遺書。在得到檢察官的許可後，臨時搬來兩張木椅，……背從袋中取出個鉛筆頭來寫遺書。

寫遺書　熱淚盈眶

一封遺書寫了二十分鐘之久，十行紙寫了三篇之多，起首的一句是：「……東京都中野區富士見町五十三號谷裕子樣」，據說是寫給他老婆的，內中述明他已在四月二十六日執行死刑，和家人永告訣別，……在雨花台「最後來公終了」，共餘的都是安排身後的私事了，在文詞句中還……鄉入了一身羅異域，……

一粒彈　償還血債

十一時三十五分已抵刑場，山頭上傳來一片掌聲，臨死不悟的惡魔，也保持不住他的鎮定，……

新聞週報

—第三期—
今日出版

鎮江水電事業整理委員會　緊急通告

天氣漸趨炎熱……危險……

……

四强非正式會商
聯大程序問題
傅滙羅將正式參加大會

（紐約廿五日專電）四强代表包括我國代表郭泰祺在內，今下午會就廿一日聯合國大會之程序一問題，與秘書長賴伊作非正式會商，記者自可靠方面探悉：（一）在討論時，並未探求蘇聯對於阿剌伯……

……國家所提，立即開始全盤討論巴力斯坦獨立問題一項建設……所持態度。（二）五强會非正式同意已西前外長阿哈為本屆大會主席，五强得以大會副主席之資格，……

中美清算會議
將在華府舉行

（南京二十六日電）美聯社於四月二十二日發表美國政府在抗戰前後貸借中國鉅款新聞一則，據稱：貸款總額合美金三，四〇〇，九〇〇，〇〇〇元，中央社記者就此事訪問財政部負責人，據稱：上列數字殊非確實，我國在租借及反租借案皆借款……

發表外長會議觀感
認為四强團結更為堅强

（莫斯科二十五日合衆電）貝文今在記者招待會中稱：「此將今晚離莫斯科，深感「四强之團結，實較多時增强」，……

非政府決參加
世界運動會
並撥十萬元訓練選手

（馬尼剌廿六日專電）非政府已決定參加明年在倫敦舉行之世界運動會，……

共軍竄過區域
小紀損失慘重

（本報揚州二十六日電）……

平漢鐵路
擬具恢復計劃

（漢口二十六日電）平漢路局長……

彭部長定期
招待各界

（南京二十六日電）中宣部長彭學沛……

法軍與越盟軍
發生激戰

（河內廿五日電）……

簡電

（南京二十六日電）……

南京大屠殺案主犯

谷壽夫昨執行槍決

刑前猶作強辯至死不悟

雨花台畔惡魔一槍畢命

〔本報消息〕南京大屠殺案主犯谷壽夫，經國防部審判戰犯軍事法庭迭次審訊結果判處死刑後，昨午奉蔣主席防呂甚字第八三七五號卯有代電維持原判核准執行，今晨即假小營戰犯拘留所開庭提訊，石美瑜庭長暨軍法官多人均蒞臨監視，陳光虞檢察官暨書記官張殿桐升庭坐定，當即將谷犯提出，時谷犯着黃色日軍制服，脚穿黑絲絨棉鞋，光頭，立於被告欄內，神色尚稱鎮定，檢察官循例問畢被告之姓名，年齡，籍貫及經歷後，將谷犯最近寄來之家信數封誠下，俟被告閱讀完畢，即問「對於這幾封家信要寫回信否」？谷答：「希望能够讓我寫」！說時喉嚨哽咽，經檢察官允諾，谷即執短鉛筆在十行紙上，忽忽書寫，寫畢將覆信呈交庭上。

1947.5.25《救國日報》 田中已移解來京

日新憲法下新閣首揆　片山哲舉行親任式

麥帥發表聲明：勉以「確立遠東精神堡壘」

〔中央社東京二十四日專電〕日本社會民主黨主席片山哲，今日下午四時在皇宮接日皇正式任命為新憲法下之首任首相，稍後片山即拜訪麥克阿瑟元帥，參加親任式者，有前首相吉田茂，衆院議長松岡駒吉，及參院議長松平恒雄，片山並曾訪晤各黨領袖，殆係「商談」聯合內閣之組織問題，社會民主黨今日會議時，曾決定將全部組閣問題，交付片山及幹事長西尾末廣處理之，另一方面盛傳民主黨，將放棄堅持組織四黨聯合政府，且即或自由黨不參加，民主黨亦將參加聯合政府，時事新聞社稱，民主黨總裁蘆田均之意見，對「老朽派頭目」幣原喜重郎之不妥協態度，表示不滿，該新聞社并稱，自由黨內部亦發生微妙變化，現已漸有若干人士贊成參加聯合政府，然今晨讀賣新聞社會報道稱，自由黨幹事長大野伴睦聲稱，「自由黨已發後決定不參加聯合內閣。」

〔中央社東京二十四日專電〕麥克阿瑟元帥今日宣稱，片山哲當選日本新憲法下之第一任首相，吾人寄予一希望，即在遠東確能建立一對抗反民主主義之堅定之精神堡壘，是今日中菲日三國，均在擁有基督信念之領袖領導之下，麥帥謂，片山哲終身信奉基督教，片山之膺選，係表明日本內政之採取「中庸路線」，並擊破外間流傳之最近選舉，係增強反動派之力量，使其得到民主份子之切實宣傳，麥帥之聲明，日本全國各報及電台均作顯著報導，預料該聲明對於目下之政治，即將發生極大之影響，聲明之和諧口吻，或將減少片山哲組閣工作之困難，因其為一由其領導之聯合內閣問題，麥帥之聲明，並使片山哲快慰，據謂「余認為倘其他黨派之領袖，詳讀麥帥之聲明，或可減少余組閣之困難，余自始即立意組織一對於世界和平有貢獻，及增進日本人民福利之政府，余從未冀望以不合理手段，取得首相之職位」，片山哲正計劃，一俟日皇正式任命其為首相後，即往晉謁麥帥，時間或在二十四日下午（東京時間）。

原子能管制問題　美俄立場難期妥協

〔中央社紐約二十三日專電〕出席聯合國美國代表之一林賽，本日於克利夫蘭舉行之美國原子能情報會議中，發言稱：美國奈然拒絕蘇聯代表葛羅米柯十九日夜所提出之主張，即先簽署接受蘇聯建議，作為國際管制原子能之基礎，渠致力斥蘇聯反對由聯合國原子能發展管理局之國際檢查制度之理由，渠并駁復蘇聯所爭論之應在成立任何管制機構之前，立即締訂國際協定，禁止使用一切原子武器一說，林氏提起蘇聯指責美國對原子能管制問題立場頑強固執，此項指責，係在彼及美國安全之事項方面，渠稱吾人不能且決不妥協，在其中毫無妥協餘地，管制制度，非有效即無效，林氏對美蘇對原子能管制問題之異點，列為三條：㊀關於國際管制機構之職務去，㊁關於實施檢查計劃者，㊂關於實施管制辦法各種之先後問題，渠將此等異議，逐點加以分析，使聽衆感及此等異議，目前實無解決可能，渠論及原子能之未來用途時，對當今關於原子能不時可能用途之異說，不予置信，渠稱：此等異說為「幻想」，且謂以原子能大量補助世界今日之水電等源一端，須閱三十年或五十年以後之事。

俄雜誌攻擊　麥帥佔領政策

〔中央社莫斯科二十三日專電〕新時代雜誌，頃發表評論國際情勢之文字，內稱：民主輿論，對麥克阿瑟最近所稱日本之民主亦已建立一節，實屬懷疑，蓋以日本反動分子，由美國當局支持，且握有全國之要職，此因屬衆人皆知也，四月間日本議會之選舉，唯有加強反動派之地位，文中末稱：美國之政策，在滿足美國擴張主義者之企圖，而建立前哨基地。

菲共黨企圖武力叛亂

中共黨員三人在菲被捕

〔中央社馬尼剌二十四日專電〕菲列賓調查違反民主活動之特別國會委員會，頃宣布菲共共產黨活動計劃之目的，在以武力推翻現政府，渠會於出長達六十三頁之報告書，內稱：菲共產黨受共產國際所控制，亦即受蘇聯共產黨之控制，菲共產黨利用兩種方法，其一為利用聯合陣線，其二為利用武力，前者以民主同盟，及全國農民工會為代表，後者以民抗軍為代表，此與中共黨之武裝叛亂，該報告指出共產黨政治活動之指導原則與民主同盟者相似，兩民主同盟之組織實因共產黨被菲於高法院宣佈為非法組織，而不能以合法政黨公開出現，故以民主同盟為共產黨煙幕。

〔中央社馬尼剌廿四日專電〕昨深夜馬尼剌警區，中國共產黨員數人，與移民局官員二人發生第一次鬥毆後，今日菲警局以其有違法行為，而逮捕中國共產黨員三人，惟姓名尚未發表，該移民局二警察於搜尋某不良外人（關係共產黨員）之際，遭彼等數人圍擊，僅此數暴徒，對搜捕搜尋者之同志二警察員皆受傷，移民局長法布芮，今午於黎明中稱，此次事件群起毆打，並無正當理由，移民局將盡力使暴徒等受到應得制裁，另悉，共方新聯書店職員二人，於數週前被捕，至今尚在羈押中。

希邊調查委會中　蘇俄聲明反對十國建議

〔中央社日內瓦二十三日專電〕聯合國安理會希臘邊境事件委員會，於今日舉行秘密會議，蘇聯代表於投票反對美國所提之草案時，發表下列聲明：蘇俄代表團，不贊成，英，法，中，巴西，比利時，哥倫比亞，澳洲，及敘利亞提出之建議案，其理由如下：㊀上述各項建議，並非依照委員會調查北部希臘，及其他北部邊境……

實施援助希土法案　美總統授權國務卿

〔中央社華盛頓二十三日專電〕美副國務卿艾克遜（現已辭職）本日發表，將由美國駐希土兩國之顧問團團長，在馬歇爾國務卿指導之下，實施援助希土方案之計劃，杜魯門總統劉昨正選擇該兩顧問團團長之人選，國務院積極着手完成與希土兩國之協定，杜魯門總統於簽署援助希土法案時，將實施該方案之權力賦予國務卿，唯總統有決定一切之最高權力，馬歇爾復以與選之軍人作風，將廣泛權力，授予顧問團團長，並予彼等職以司令之地位，俾發其指令而行事，渠并設特派專官一名，隸屬於副國務卿，作為兩顧問團與國務院之聯繫，將顧問團將有四十人，包括正副團長，處理國外貿易，經濟事務，及行政管理，計劃工作等，艾克遜發表援助方案之執行大綱時謂，即將向衆院撥款委員會提出四億美元之詳細用途，與對外使美國將償付英國自本年三月三十一日（英國原定之撤退日期）以來在希之費用一節，加以否認。

阿富汗否認親俄

〔中央社開羅二十三日合衆電〕此間阿富汗公使館本日對記者稱王子放逐，拘禁未社記者所言阿富汗政府，係親蘇者，譯佔領印度之舉動，加以否認，該公使稱：「阿富汗政府，對於各國均有友好，（土耳其及蘇聯等）曾經聲明阿富汗與印度各回教徒家，爭取獨立之阿富汗人民，欲英國承認阿富汗人民之邦之印度，遭受任何不利，兩國大黨成同盟之願望一旦實現，阿富汗人民將欣悅不已。」

在印尼共和國之控制下　異他黨佔領茂物城

印尼政府官員均被分別拘禁

〔中央社巴達維亞二十三日專電〕據荷蘭通訊社茂物特訊，印尼共和國政府各部公務員，均於今日與異他人民黨黨員佔領，印尼政府官員，均被分別禁於辦公室內，異他人民黨發生，已於城內各處昇起。

〔中央社巴達維亞廿三日專電〕據希，印尼共和國所控制之茂物，今日因異他人民黨之舉事，而情形至爲緊張，印尼共和國人士稱：今晨三時，若干最近擁護脫離共和國之異他人民黨黨徒，奪獲該印尼共和國之政權後，有該黨黨員多人，乘坐衛隊軍車接收該地，佔領印尼共和國之若干機關，且駐守車站，致使茂物與吧城，及蘇甲巫眉（在茂物以北）間之電車交通斷絕，茂物之行政首長及機構，已被迫接受，但其四守衛被軍接管，新報駐茂物記者報道稱：異他黨徒寄在一旁，聲保軍隊之下從事，此次舉事，致報社除對此事，並宣傳「叛亂之決策」，茂物被異他黨佔領之印尼共和國機關，計有機政府，電報局，地方法院，郵局，人民銀行及車站，異他黨代表總印尼政府官員發言人稱，該黨佔領衛隊軍事保衛責任，已允與他黨之請，渠言，自今晨起，上述各項機構，已由荷軍防守，該地荷軍當局之命令，俟一俟即爲荷軍一旅與兵之官稱，不干擾任何印尼共和國之人民，在地印尼政府長官之住宅，則已在荷軍保衛中，「以策安全」。

一克拉克抨擊　俄對奧政策一

〔中央社紐約二十三日合衆電〕前美駐奧佔領軍司令克拉克將軍稱，渠認美蘇關係「惡化之根由」，為猛烈抨擊蘇聯之對奧政策，並認爲杜魯門總統援助土希，以防止共產主義之計劃，爲一挽救美蘇關係之正確途徑，……

英內閣全體會議　通過印度分治計劃

印督如籲請統一印度告失敗　此次分治計劃即將付諸實施

普氏反貫納更求孟省擬建自由邦

〔中央社倫敦二十三日專電〕印督蒙巴頓勳爵所提印度分治之計劃，業經內閣全體會議（首相艾德禮本人出席）於本日最後通過，印督今晚飛返印度，上項計劃即將付諸施行，據悉，印督計劃包括三項步驟，第一：選分印度為印度教及回教邦，各有制憲會議，總督於政權轉移前之過渡期間，為憲法上之元首，第二：英國於六月二日告印度領袖，英國仍認統一之印度為唯一之長久解決方案，惟其內閣請印邁之計劃，仍屬有效，該計劃規定省政府，省集團政府，及權力有其限制之中央政府，第三：……並籲印人自身決定，英國以權力移予何方，蒙巴頓勳爵返印之期，已定爲二十九日，但渠可能參加另一次內閣會議。（或將於廿八日舉行）。

〔中央社倫敦二十三日合衆電〕英內閣本日將行特別會議，討論蒙巴頓擬議之移交印度政權計劃時，蒙巴頓勳爵未出席，內閣會議中，貿易大臣克利浦斯，國防大臣亞歷山大，及外務負交……

經濟新聞

陰雨連綿來源斷　食米身價又增高

陰雨連綿中，昨日米源中斷，市場人心見堅，棧貨持有人一味張宿，帝牌尤未見大增，昨日茶會供開糙米五百三十九担，熟米設百〇一擔，稻子一百五十八担，市價糙被出四萬五六千元，稻子再漲出十萬關，熟米在二十三萬關內，昨日上海米價再昂，較前上揚上白糧高至四十萬，此對本市頗激趨，漲市，縱氣放晴以後，因需價大，蓋天……

吸意大增　棉紗轉昂

捲烟疲風　迄未停息

京市國代民選　調查工作完成

市參會昨舉行地財例會

〔中央社〕本市公職候選人檢覈，自民政局舉行本年度首次公職候選人檢覈，對……

太平路血案　日內即宣判

瘋魔的人羣

男女瘋子鬧夫子廟　癡漢失戀一命嗚呼

〔大聲社〕昨日上午八時許，夫子廟發現一女瘋子，年約廿許，……

〔國光社〕張勇二十三歲，在文德橋一號宏盛祥麵店服務，……

介壽堂六一開幕

〔中國工商社〕……

榮軍職業協導會　定期招待新聞界

兒童閱覽室　新屋即落成

汪祖華倪亮　定日內視事

全市供電恢復　電費並未增加

下關商場　即將續建

婦女事業協會　昨日正式成立

印刷業職工會　辦理會員登記

十年苦守妾命薄　新歡另結郎狼心

南京瞭望台

參會側影

大屠殺案一兇手　田中已移解來京

戰犯法庭已開始偵查

〔民本社〕一手屠殺我國軍民三百餘人，南京大屠殺案中之另一主犯，日戰犯田中軍吉少校，業已於日前由滬押解來京，拘押於戰犯拘留所中，據悉：國防部戰犯審判法庭，已開始偵查其之罪行，俟偵查完畢，即可提起公訴。

疏濬秦淮河　暫時停止

大屠殺案一兇手

田中已移解來京

戰犯法庭已開始偵查

〔民本社〕一手屠殺我國軍民二百餘人，南京大屠殺案中之另一主犯，日戰犯田中軍吉少校，業已於日前由滬移解來京，拘押於戰犯拘留所中，據悉：國防部戰犯審判法庭，已開始偵查渠之罪行，俟偵查完畢，即可提起公訴。

1947.6.22《大公報》 磯谷將公審

白塔山戰事又起
外蒙軍續攻已被擊退
飛機時偵察似圖大舉

【中央社綏化二十一日電】白塔山戰事續起，外蒙軍於二十日拂曉以少數部隊向我軍陣地攻擊，旋經我軍擊退，自十七日以來每日均有由蒙方基地起飛之飛機一二架飛至我陣地上空偵察，各種跡象顯示外蒙軍似有大舉進犯之勢。

冀東礦區共軍受創
津南國軍越馬廠南進
唐官屯戰事尚待展開
漢沽鹽場灰堆等處曾遭襲擾

【本報南京二十一日發專電】保定綏靖公署天津指揮所主任上官雲相二十日由平飛津，二十一日下午二時由津乘車抵京，謁蔣：係奉召來京，報告平津防務，晉謁蔣主席及陳總長後，即返防。平津人心安定，治安無虞。

【中央社北平二十一日電】平行營發言人於今日記者招待會席上答覆詢問，謂津浦北段國軍確握主動有效地位，國境天津外圍之共軍已被逐漸擊潰，國軍正在唐官屯以西、子牙河以東地區掃蕩中，津市穩定，治安絕無顧慮。

【本報訊】冀東礦區附近二十日晚有共軍二千餘人企圖解救小營附近被圍之共軍，經國軍於二十一日晨擊潰後，該被圍之小股共軍亦已被解決。

【本報訊】軍息：津南國軍一小部已過馬廠向南推進中。

【中央社本市訊】津浦北段戰事仍烈，鐵路沿線戰事於唐官屯以北進行中。津靜公路方面國軍已向瓦廠減河南岸出擊。

【中央社本市訊】冀東唐山礦區附近十九日激戰之共軍二十日經國軍擊潰後，楊子鎮東南小營被國軍包圍之殘共五百餘二十一日晨亦經國軍解決，二十日晚共軍曾增援二千餘人企圖解救地之圍，國軍當將其援軍擊潰，被圍之殘共軍亦被殲滅。

【中央社本市訊】津浦北段鐵路沿線戰事二十一日仍在唐官屯以北對峙，情況無大變化，馬廠戰事尚待展開。據悉：共軍主力現集結於唐官屯以南，其人數不下數萬人，滄縣附近已甚空虛，共軍最高指揮部設於大城，並忍瓦廠減河方面小部國軍已渡河向南岸出擊，正相與推進中。

【中央社本市訊】天津縣南之上河陳灰堆於二十一日上午二時突有番號不明之共軍三四十人分三路襲擾，經地方團隊痛擊後，向西北潰退，共軍遺屍一具。

【中央社本市訊】共軍武洪支隊約一二百人於二十一日晚八時許進犯漢沽鹽場，當經國軍擊退。

四平巷戰共軍勢頹
國軍增援南北兩路續進
瀋陽連日會議戰局將有開展

【本報瀋陽二十一日發專電】此間高級將領連日有嚴要會議，戰事之新發展正醞釀中。

【本報瀋陽二十一日發專電】四平爭奪戰仍進行中。昨國軍撤守鐵路西之陣地，現集中在鐵路東核心地區作戰。四平之戰最近幾日為決定性攻守戰。

【本報瀋陽二十日發專電】四平防區爭奪戰昨夜今晨仍血肉相拼，核心地區之房屋均反復爭奪，國軍市區內之防線已縮切斷一部，空軍每日仍有空投彈藥至守軍陣地內。

【中央社瀋陽二十一日電】四平西南市區已發生巷戰，共軍自突破四平西南城防工事後即利用燒夷彈及爆破隊向前節節推進，四平無城垣，由中長路中分為道東與道西兩部，外圍以城防工事，道西過去乃滿鐵附屬地，現政府各機關皆在此，戰事即在該區激烈進行，房屋被毀甚烈，多由火所焚毀，市區大部已落共軍手，守軍一部刻仍堅守據點抵抗。

星期論文
同是在兩大之間

費孝通

國軍深入察北
擊潰蒙共海福龍部
伯旗副旗長談蒙共侵攻經過
共軍一師長被俘即將解張垣

毀路竟無已時
北寧路又破壞十處
路雖修復旅客困惱

平瀋即開航

平保路修復
昨全線通車

颱風襲臺
臺省昨全境大風雨
現向閩浙沿海進行

魯境無大戰

傅作義抵綏

陝北收復靈灣

陳繼承
代孫連仲寓軍職

救濟山西
政府擬定方案即可實施
空運問題亦已獲得協議

蔣經國
石志仁抵津
應召商討運輸

青島外港北岸
美救護船被襲
武裝隊伍並圖搶劫
美艦鳴槍將其逐去
滬美方聲明認中共部隊所為

交涉收回澳門
立院決建議外部
中菲中沙友好條約批准
經濟水利兩部組織修正

本報記者
曾敏之獲釋

五億貸款
傳馬歇爾主張即撥付
並放棄停止內戰條件

修建包寧鐵路
兩測量隊即可出發
工程主持人選亦經確定
後套計畫修渠增裕民食

立院修正條文
公務員服務法

磯谷將公審
下月初旬在京舉行

紡調會昨成立
鄒秉文報告工作重點
謂旨在調節而非管制
紡管會結束業務亦移交

滇越線復航

滬物價上漲

蘇滬艇活躍
北太平洋面

長蘆鹽管局
叢保滋代局長

工業會法
商聯會請擬同

進出口聯鎖

我赴日商務考察團
代表派定組織就緒
團員八人潘序倫任團長
考察計畫在徵詢擬議中

磯谷將公審

下月初旬在京舉行

【本報南京二十一日發專電】戰犯磯谷廉介經國防部審判戰犯軍事法庭調查竣事，定七月八、九兩日在勵志社大禮堂公開審理。

1947.7.16《大公報》 續審磯谷

動員戡亂完成憲政
政院會通過實施綱要
會中辯論熱烈原案略有增删
俟國務會議通過後公布施行

陳誠慰問四平軍民
勉以發揚合作力量求謀安定
郭懺鄭洞國偕行續飛抵長春
撫順東北共軍犯鷄冠山未逞

共軍背信破壞復堤
國軍自衛决予反擊
陳誠通知聯總停止安全保證
派遣共區復堤人員應即撤離
軍事發言人談共軍渡河經過

孫連仲
改今由平飛保

冀南戰事

社評
魏德邁調查中韓

北寧護路部
昨正式撤銷

迪化怪現象
林炎

魯境無劇戰
泰安國軍攻大汶口
魯東方面迫近臨朐

晉局短期難望開展
一般觀察當在秋季
國軍集中掩護各地收割

司徒抵京

馬鴻逵
昨飛京述職

長白山中日軍隱匿
數達四萬尚有日僑十萬
組織裝備俱佳儲糧充足

傅斯年抵美

俞再麟死得慘
暴屍多日幸已尋獲
勉强入殮運抵錦州
北票員工無下落修復困難

津黨部主委
郭紫峻繼任

陳延炯抵長
慰問交通人員

續審磯谷

國大代表配額表
府令制定公布

民社黨兩派對立
新舊互鬩均將開全代會
張東蓀決於本週末飛滬
梁秋水負責革新派北平黨務

張君勱談修明政治
建議實行文人主政原則
今秋普選方式猶在討論

東北河流開始氾濫
水利局派員測水檢查堤防

張嘉璈抵津談話
北方糧食供應商得辦法
我對日恢復貿易無必要

張氏今搭機飛濟視察

漢口勞軍

池逆宗墨

蘇僑返國

續審磯谷

辯論終結下週宣判

【中央社南京十五日電】戰犯磯谷廉介十五日於國防部軍事法庭再度受鞫，案已辯論終結，定二十二日宣判。十五日上午九時審判長石美瑜偕審判官等升庭後即傳磯谷，審訊後辯護律師要求延期辯論，庭上評議結果未准。檢察官乃起立論告，謂被告係日本高級將領，並曾任駐東軍參謀長，其參與侵略大計實無疑義，故犯違反和平罪，且作戰期間在粵、澳、香港以部隊搶掠殺，事實昭然，足以構成戰犯罪及違反人道罪。論告畢，磯谷答辯，飾詞狡賴，謂在其港督任內，爲解決人口問題，始遣疏老之本意遣送返鄉，不能與放逐混爲一談，並否認渠曾直接參與綏靖計畫。至於鴉片公賣問題，實係輔助漸禁辦法，多中營在肅清敗類，保護良民。滔滔說

辯，歷兩小時。被告指定辯護人陳漢清、王淑貞相繼起立爲被告答辯，最後被告續力加爭辯，十二時庭論辯終結，定二十二日宣判，被告還押。

1947.7.19《大公報》 英向我方要求引渡磯谷

動員綱要頒布施行
國務會議昨修正通過
今年決續辦徵實徵借等充實軍糧
中共參政員除名府委等名額取消
俞飛鵬任政委兼長糧食部

實施綱要全文

河間博野相繼收復
瀦龍河沿岸國軍掃蕩

孫立人新職 陸總副總司令

馬鴻逵談片

社評　解放地方

在中國歷史上，中央與地方的關係只有兩種，不是大一統，就是割據分裂。統治者為了自己的政權，對於派出去的地方官吏，必定猜忌防範，而不會在制度上要分權力；結果是統治力強的時候則大一統，統治力弱的時候則割據分裂。從秦代到滿清，一再重複這個公式。其實，不論大一統或割據分裂，都是皇權政治下的形態，與人民根本不相干。現在歷史已走到另一個範疇，政治的基礎不在少數的統治者，而在廣大的人民。國家當然是統一的，但偌大的國家不是中央政府所能獨力照顧，地方的事就讓地方自己管，其權力或由憲法保障，或由法律賦予，皆非中央政府所能隨意收縮。地方自治越發達的國家，民主的程度也越高。世界上民主最成熟的國家，如英國、美國、瑞士，都是植根於深厚的地方自治中。在這種政治形態下，根本不發生中國歷史上的內外重輕問題。

平保鐵路 短期不易修通

增強瓊島防務

晉東戰事

張嘉璈 昨離平飛滬

軍慰團返平

張東蓀抵滬 汪世銘同行

歸還日刼機器
我方反對申請限期
已電顧大使向美方洽商取消

胡適暫不出國

陳誠返平重要會商
李宗仁熊式輝等均參與
陳氏在瀋談話樂觀戰局
大家實行總動員定可獲成功

日本貿易開放與我國南洋市場
丁洪範

魯南激戰情勢趨穩
兗州外圍將為大戰中心
進攻濟寧滕縣共軍北退

魏德邁日內抵京
調查範圍頗廣泛
我經濟有關當局準備資料

柯克將赴滬

選舉辦法

熊斌飛漢口

市民治促進會 今日在平成立

冀南河堤 冒險搶修
共軍仍滋擾未已

中暹民航談判 昨舉行首次會商

引渡磯谷 英向我方要求

反對開放對日貿易
滬工業界贊同緊急建議
一般咸主先定明確對策

東北水患擴大
新民田地十六萬畝被淹

日賠償物資

瀋糧價又漲

振災

偷運毒品 綏西查獲一起

漢稅局舞弊案 愈演愈複雜

簡報

引渡磯谷

英向我方要求

【本報南京十八日發專電】頃聞社訊：日戰犯磯谷廉介案經我國防部戰犯審判軍事法庭兩度公審，並定於本月二十二日宣判。茲悉該犯於我抗戰期間，曾任香港總督，我外部最近接獲英國提送之備忘錄，要求引渡該犯，對我方尚未作何表示。

1947.7.22《大公報》 磯谷今宣判

南京續商北方軍事
李宗仁昨奉召飛京
平漢北段國軍攻定縣
石門東北收復無極衝向深澤

汶上濟寧城關激戰
南麻國軍獲援情勢轉穩
魯西北上國軍攻向鄆城

山東戰局演變
山岳戰事已告一段落
共軍難立足竄隊流竄

社評
中國不要開放對日貿易

熱省軍政
劉多荃談亟須統一指揮
地方團隊實力亦待充實

黃南口險修防

反對共軍暴行

經濟方案審查完成
經委會昨修正通過
全案十五章分金融生產等
今送政院轉國務會議核定

新糧食部長
俞飛鵬視事

張學良
劉仍在臺北

李燭塵談片

日本給中國的教訓
劉子健

張治中談新局嚴重
惟不必以戰爭求解決
中蘇在新可保持親善
中央力足遏亂現行政策不變

選舉經費
全部共九萬億

對日貿易問題
林可儀籲請國內商人準備，我最近將派遣代表團赴日

魏德邁小傳
久歷戎伍對華貢獻尤偉　我方曾贈青天白日勛章

非總統盛意

東北雨多禾苗被淹
瀋陽等縣小麥收成無望
董文琦今將赴海城視察

宣傳計畫

中央團部
昨舉行紀念週

港統制出口

電信會議
昨在南京舉行

中退民航協定

國營事業出售

四平大捷照片
將在平津展覽

磯谷今宣判

簡報

磯谷今宣判

【中央社南京二十一日電】日戰犯磯谷廉介於本月八日、十五日兩次公審終結，國防部審判戰犯軍事法庭定二十二日上午九時宣判。

1947.10.5《大公報》 南京屠殺案續獲新證件

蔣主席昨飛抵北平
擬在故都作短期駐留

【本報南京四日發專電】東北戰起，蔣主席於四日上午十一時許偕夫人暨副秘書長鄭彥棻、軍務局長俞濟時、秘書曹聖芬等專機飛平。據悉：蔣主席抵平後將作短期駐節。

【本報北平電話】蔣主席偕夫人及鄭彥棻副秘書長、俞濟時局長、曹聖芬秘書於四日下午一時五十分自京飛抵平，僅李主任宗仁夫婦、孫主任連仲、陳副主任繼承夫婦、何市長思源夫婦等數人前往機場恭迎。蔣主席將在平作短期駐留。

【本報北平電話】傅主任作義及鄧總司令寶珊於四日下午四時自榆林飛抵平。

【本報榆林三日發專電】（遲到）張垣綏靖主任傅作義三日下午二時四十分專機由張垣抵榆。聞傅氏此來任務係視察解圍後之榆林，並與此間軍事當局有所談商。下午六時赴各醫院慰問傷病官兵。

東北地區激戰未已
昌圖海城被攻情況不明
四平南營口附近均苦鬭
長春安謐東北行轅重要會議

津榆段又出事
警備車觸雷並遭射擊
北戴河附近路軌修復

保外圍戰事
大軍獨一度激攻擊

新疆政情
烏斯滿返阿山

魏使報告暫不發表
白宮發言人羅思談話
美軍事考察團明飛平

四批日賠艦
昨在青接收

救濟物資船

行總遣難民

社評
就月餘來的經過論新外匯辦法

國軍兵臨牟平城下
另路正續攻威海衛

外匯使用報告
已呈交于院長

彭學沛等

瀋陽深秋景象
大戰復起糧煤均堪虞
物價暴跳百姓不好活

綏水利待興

港督返香港

時子周赴平

京工程師會今閉幕
昨討論制度加於建設的障礙
意見整理後將建議政府

論文宣讀
已達四十餘篇

津詐財鉅案
關係人自首

農貸討論會
農行在滬召開

滬電車工潮
法商部分平息

日首批賠償品
我抽得四萬公噸將運回
分配問題政院在研討中
價撥民營部分決定增加

地方稅率
財部擬提高

處理局審議會

民主同盟聲辯
羅隆基答覆董局長談話
謂民盟決不能改變主張

冀糧產貸款
中央決撥五十億

「東北政委會」

自備外匯輸入貨品
處理辦法當局研討中
行政院決定後即實施

國大代表
選舉進程變更

簡報

并破獲毒案

南京屠殺案
續獲新證件

滬金都血案

南京屠殺案
續獲新證件

【中央社東京三日專電】根據檢察處今日下午呈交國際軍事法庭之德國大使館報告，日本在南京之卑汚暴行，即其同盟之德國亦曾爲之震驚，德大使館之報告中謂：目覩日軍之野蠻部隊，在反共運動及解放中國兩派中負主要任務，似足貽笑大方者，並謂：日軍部隊在南京所施之暴行，縱火姦汚及各種罪行，不特表示日本兵士缺乏紀律，抑證明整個日本軍隊無紀律。

1947.11.6《南京新民報晚刊》 殺人比賽兩戰犯今由滬解京公審

試槍不慎子彈射出
漢中路今晨命案
一死一傷　槍手逃逸

「本報訊」漢中路三四〇號聯勤總部軍械第二總廠工場，今晨發生誤殺命案，係槍手申某因該廠……

零丁孤苦流浪南京
小畫家窮途行乞
昨晚自投警局請求拘押

浦口碼頭
一人暴斃

「本訊」昨日下午一時，浦口碼頭……

南京事

在南京的白俄

米站定

刺傷盟弟　大哥免罪
朝陽樓血案今宣判

難民請救

美軍車撞翻三輪車
兩女客被壓受重傷
黃埔路輾傷老翁已斃命

五所村徵地　官民獲協議

市參會六次會
地政局長報告
並答復詢問案

泳平輪上有人跳水

京滬道上

美軍顧問團　捕獲一慣竊

本報專訪

摩登主婦
錯覺
梁琛作

殺人比賽兩戰犯
今由滬解京公審

「本報訊」前在南京「殺人比賽」之戰犯向井敏明及野田二人，昨日由東京押解至滬，首都軍事法庭……

商情表
·南京·

米糧
上熟　500000
中熟　470000
次熟　440000

銀飾　60000

棉紗
32支藍鳳　3200000
……

·上海·

大江來去

收音機秀

娛樂圈
·電影·

殺人比賽兩戰犯
今由滬解京公審

「本報訊」前在南京「殺人比賽」之戰犯向井明敏及伊田毅二人・昨日由東京押解至滬，首都軍事法庭特派主任祕書張體坤率同憲兵司令部人員前往接收，並乘凱旋號夜快車於今晨七時押解來京，石美瑜庭長爲慎重起見，特率領檢察官李璘及審判官龍鍾場親赴下關提出，押赴戰犯拘留所。日內即進行偵訊，依檢察官提起公訴後，即將開庭公審。

據軍事法庭方面消息，向井二人，於民國二十六年日軍入城後舉行殺人比賽，有外籍記者詳細記錄，世界各報均大字登載，罪證確鑿，二犯殘酷，爲世界文明史上一大污點，二犯決依法制裁將舉行公開審判。

1947.11.7《新江蘇報》 南京大屠殺案兩殺人主犯解京

國民黨國代候選人全部名單今日審竣

俟民青兩黨名單送到 總選所一併審核公告

（南京六日電）國民黨國代表候選人名單，已於五日午夜十二時全部審竣，六日晨三時送達選舉總事務所，一俟該所審查完畢，即可正式公布，外傳此項名單將由蔣總裁作最後決定，絕對不確，惟中央及地方負責任之國民黨同志候選人名單，已由中央黨部總裁核定，即總裁希望中央及地方軍政負責同志，除必要者外，儘不參加者可不必參加國代競選，以便讓與其他人士，今晨十時左右，國民黨中央黨部組織部長陳立夫，分別接見民青兩黨負責人，特向彼等說明，余家菊、左舜生、謝東發等，並將兩黨所提競選國代經分配後之候選人名單交還，請其向選總提交，據悉：民社黨徐傅霖、蔣勻田等，已於今日下午接獲名單，向該黨中央請示，青年黨則允於下午召開中常會決定，下午五時青年黨調東若往訪國民黨中央黨部秘書張羣，而青年國不能同意該項名單之分配辦法，鄭氏已將此項意見轉告吳鐵城，陳立夫二氏，即國民黨中央不日將開常會討論此事。

（南京六日電）國民黨提出之國代候選人名單，已於六日晨全部送達選總所，總所以當日下午開，分組審查，迄晚十一時，尚未全部審查完畢，據選總所主委張厲生於六日晚對中央社記者稱：目前總所僅須考慮者，乃全國各級選所意餘人之選舉委員，國民黨各有參加政黨提名者，此種候選人照選舉辦法之規定，不得參加競選，故應照審查程序予以剔除，此項工作可能於七日全部完成，一俟民青兩黨所提候選人名單送來，選總所並經審查後，即行一併公告。

特別委會監督下 成立獨立朝鮮政府

聯大會通過美方計劃

（成功湖五日專電）聯合國大會今晨經通過美國所提在聯合國九人特別委員會監督下成立獨立朝鮮政府之計劃，計劃之中並規定其後朝鮮境內佔領軍撤退之辦法，美國之提案獲得以四十六票對零票四票棄權之絕大多數，在大會政治委員會通過新朝鮮委員會之此項成立，予以確定，然一般人士認爲此案投票，全體大會，雖美國之勝利，不過紙上而已，蘇聯與美國相同在未參加此「中立」之委員會，而其東歐之支持者，並會揚言拒不參加委員會之工作，如何對於朝鮮北部實之，無異對美國之提案施以否決權，政治委員會本日迅速所作之若干表決，及若干方面行動相似，委員會在蘇聯與其前此對巴爾幹問題之拒絕參加下，以絕人之之態度，表決以下各案：一，蘇聯建議同時撤退朝鮮美蘇駐軍案，以六票對二十票，七票棄權，遭否決，二，蘇聯建議朝鮮代表再度聲明，若無朝鮮代表參加即不參加關於美國之作，……委員會即對關於英國提案之若干修正案，從準備短之討論，中國昨日所提之主張在撤退軍隊之辦法完成前，由參加與莫斯科協定之四國先行咨商一案，今晨已因提出新修正案，而由顧維鈞大使撤回，新修正案中……

四聯總處 理事會議

（南京六日電）四聯總處六日上午舉行第三五六次理事會議，由張嘉璈主席主持，通過要案如次：（一）協助加增交通運輸事業，計核定湘桂黔鐵路及隴海鐵路籌起工借款，暨首都電廠，重慶市公共汽車公司等，週轉借款共八件，（二）協助增加工礦生產事業，計核定貸委……

讓售國營事業 採用發售股票方式

全國經委會議昨通過

（南京六日電）全國經濟委員會六日下午三時，舉行二十二次會議，張主席，當通過：（甲）關於棉紗聯合配購案，決定由經濟部擬具試行辦法，提下次會討論。（乙）國營事業出售監理委員會，擬具讓售國營事業，採用發售股票方式，由銀行組織銀團認募辦法，其辦法爲（一）政府得選擇國營事業若干單位，指定國家行局邀請銀行業界，及商僑分別組織國營事業，讓售民營募股銀團……

上海市國大代表 公布候選人名單

（上海六日電）選舉事務所公佈國大代表上海市候選人名單：（一）區域候選人……計二十九人。

王懋功昨招待記者 報告江南治安情形

配合動員戡亂加強民衆自衛

皖北太和城郊激戰 鄂東國軍克黃梅

豫南殘共一部竄抵經扶

杭州地方人士 要求改院轄市

吳市長夫婦 昨返抵滬

王外長將報告 出席聯大經過

國大選舉期近

選舉總所通令各省市 積極準備職分內事務

飛剪號巨機 一律裝雷達

聯合國貿易暨就業會議 我代表團人選決定

計廿一人出席代表金問泗

國府明令修正 蒙藏國大代表

儀徵縣參會 招待本報社長包明叔

推舉爲該邑國大競選人

尋 利淮公司啟事

緬甸獨立 尚未絕望

招商局在煙 成立辦事處

紐約市長杜威 指責杜魯門

南京大屠殺案 兩殺人主犯解京

日內即進行偵察公審

蘇革命紀念 蔣主席電賀

金迎碧輝 死刑定讞

南京大屠殺案

兩殺人主犯解京

日內即將進行偵察公審

（南京六日電）南京大屠殺案中之殺人比賽主犯向井敏明野田巖二名，頃已解來候審，兩犯係於五日由東京解抵上海，經國防部審判戰犯軍事法庭接收，六日晨七時由該庭主任書記官張體坤率憲兵押解來京，石庭長美瑜為慎重起見，特先到京佈置，於今日下午……偕檢察官李璿、審判官龍鍾煜等赴下關車站監察提解，將該兩戰犯遞送戰犯拘留所羈押，聞日內即進行偵訊，俟檢察官起訴後公審。

1947.12.19《大公報》 比賽殺人犯判死

三外長會談昨結束

西德佔區合併將實現

明年初在華盛頓續商

美英合併佔區簽訂新協定

【倫敦十八日廣播】美國務卿馬歇爾於英外相貝文出席下院報告前數小時，在倫敦美大使館邀貝文午餐，結束三天來的英、美、法三外相會談。

【中央社倫敦十七日合衆電】英美已廢止兩國間關於佔領德國所簽訂之舊協定，並同時簽訂一新協定。

貝文惋惜會議失敗

謂已為世界製造了失望

莫斯科指責美英法

抨擊馬歇爾蓄意使會議破裂

並責貝文皮杜爾作美國尾巴

美國務院

將反駁蘇方指責

馬歇爾啓程返美

行前曾晤貝文皮杜爾

今日播講外長會經過

皮杜爾返法

美對蘇宣傳戰

美軍事援土

英蘇貸款

利率減低

償還期限延長

對奧和約

明年初着手起草

葛羅米柯論聯合國

責備美國反對銷毀原子彈

附提聯合國維持國際和平

蘇聯將堅決抵制小型聯大

美對蘇政策

奧斯汀稱將發動鉗形運動

援助各自由國家使其富強

鞏固對和平威脅者之防衛

狄托抵羅京

義國游擊隊

接收日賠艦

華萊士又罵杜魯門

說他將使美國走入戰爭

美進步公民協會擁華氏競選

山東在呻吟

本報記者李宗瀛

綏境蒙旗（上）

本報記者戈衍棣

（一）中公旗——

（二）西公旗——

（三）東公旗——

（四）茂明安旗——

南京昨飄雪

渝銀根轉鬆

陳繼承自唐山返津

昨出席黨政當局招待會

向各界致詞對軍事樂觀

胡適今返平

昆樂擬多振

張繼遺體大殮

蔣主席主持祭禮

國府發表褒揚令

北洋仍盼待劉仙洲

鍾世銘等將再努力促駕

學生方面認經費須先解決

南京大屠殺案中

比賽殺人犯判死

野田等三人罪證確鑿

高橋坦昨亦在京公審

門礦問題新發展

蔣主席令政院具報

昨有電致冀臨參會

周泰瑋案冀高院已受理

徹查門煤配售

聯總教育器材

北方院校請速運

熊希齡忌辰

遺產稅法

財部擬予修訂

平增一小型報

大衆日報今創刊

赫特抵港

平續捕野犬

一切看打仗

人之文字與照片，該犯親此證物，又稱該係作者虛構，以表現皇軍特別英勇

【中央社南京十八日電】前駐華日本大使館武官高橋坦，今日下午四時由國防部審判戰犯法庭於勵志社大禮堂公審。

南京大屠殺案中

比賽殺人犯判死

野田等三人罪證確鑿

高橋坦昨亦在京公審

〔中央社南京十八日電〕南京大屠殺案中曾比賽殺人之野田毅、向井敏明兩戰犯及曾殺人三百之田中軍吉已被判處死刑。國防部審判戰犯軍事法庭今假勵志社大禮堂公審本案，由石美瑜任審判長。三犯於提庭後，訊明年齡、籍貫，檢察官李璿即提出起訴要旨，隨開始個別覆査。首訊田中，據供，渠爲谷壽夫部下，曾於民國二十六年十二月參加進攻南京。庭上以田中本人正在殺害平民及其曾用以殺人逾三百之軍刀照片各一幀交該犯過目，田中自承「確曾用此刀作戰」，惟對殺人照片則發稱係在湖北[illegible]

野田毅、向井敏明在作戰期間連續屠殺俘虜及非戰鬥人員，各處死刑。」庭上繼明判決理由要旨：民國二十六年十二月谷壽夫進攻南京，實行大屠殺，爲世界文明史上一大污點，中國被害三十萬人，該案判決，舉世認定其罪，凡谷壽夫部下參與大屠殺者皆爲共犯，除非能提出特別反證者，而二犯不惟不能提出反證，且有確證證明其參加，田中自承爲谷部下，又認資刀爲己有。野田、向井二人則承認屬中島部隊，亦爲攻南京者。各犯罪證確鑿，乃依據法律判決如上。惟判決書須呈奉我最高統帥核[illegible]

1947.12.31《大剛報》 判處死刑三屠夫獄中草辯書

棚舍十室九毁矣 災民哀號飢寒中
拆棚非市府訓令警所煎迫何急
被拆棚户代表昨請願展緩期限

【本報訊】下關張家圩鐵路棚戶，早自去年多予搭蓋，起初僅十餘戶，今年各處貧苦人家紛就地隙搭蓋，最近達數百戶，連檐櫛比，均爲赤貧。十二月二十二日時，近黃昏，商埠街警察所突來警員二人，自北而南，隨行隨呼：「此鐵路即將動工修築，使大新碼頭至煤炭港通車，以加强軍事運輸，各棚戶注意，一律須拆讓至四所村，不得違拉或延遲，否則强制執行」，唯迄無正式通告貼出。二十三日又有人如此傳呼一次，二十四日亦然。但始終未說確實期限，儘云即將拆除而已，二十五日下午二時又至，稱：「今日你們不拆，明日我們强拆」，唯一語而過，當天下午三時，大批員警突蜂擁而至，聲勢洶大，霎時間不由分說將棚戶拉毀數十間，適天降大雨，數十戶貧民冒雨枯坐已毀棚旁，眼看辛勞費於頃刻，搶地呼天，極爲悽慘。廿六日棚戶則近設法予以援手，請參議員在二十七起下關警察局接洽，暫緩强拆，並照樣逐派市府向市府及參議會請願，參議會當指定由趙僧區，宗長蔣，吳濬三參議員在下關方面就此案實未發生效用。二十八日又有大批員警前往，幷拆齊動，又拉毀數十棚舍，路貧民飢寒焦急，懇情沸騰，二十九日上午代表兩次進城向市府請願，市府請以憑火帶接見請拆房並非市府訓令，不知警察廳係接受何種機關命令，市府自當查明，親其艱苦，酌展期限，再四請求，始允電話通知警察廳特飭商埠街警所暫時停拆，唯强警廳，則始終未予接見，此時請願者遲沒有出城，警所又三次强拆，手段較前尤見嚴厲而澈底，所有棚舍十九拉毀，竹木草蓆，遍地狼藉，迄今棚户均露宿飢寒之中，已成無家，當記者至下關時，渠等哀號告稱：「我們都變成難民了」。

米價漲風戢止 五洋市場續告猖獗

【本報訊】昨日外江到米船五十五艘，連同內河及西南各路來源，當在八千石左右，八天來之食米，後漲勢漸止，暫趨平靜之勢。雜糧亦平穩，僅小麥再漲五萬元，麵粉以北府在滬上收購，小麥市價又不斷上升，故各麩粉價續漲一萬元。食油以產地價格波動未已，京中市價亦再升五萬元，惟食糧方面如天氣保持正常，來源可望繼續開展，糧價就可因此保持平定。

年關期間市場 多入休止狀態

【本報訊】年關期間，各貨市場均入休市狀態，紗布，北貨，西藥，均無變化，僅五洋市場氣勢猶猖獗，各項均漲，西貨五千元之譜，肥皂火柴亦漲萬元，三火油亦漲二萬元。

永動機原理

【本報訊】發明永動機之陸濱祉，近日各報登載關於永動機之消息，與其原意頗有不合處，特來本報申述，謂：「本人經數年之研究，發明萬有引力永動機，水力永動機，氣壓永動機，磁力永動機，電波感應永動機等，除萬有引力永動機之原理可以說明外，茲先將萬有引力永動機原理說明，按本發明品根據牛頓萬有引力……

發明人梁遠猷昨來本報申述

棚戶被拆之後
【本報記者馬林森攝】

拆棚主要原因 傳係有礙觀瞻

【本報訊】下關拆棚達日已達數十家，被拆棚戶因無處可資容身，均逗留原處不顧，流浪街頭，前日有十餘家草棚被拆後，棚戶均於原處以亂草鋪地露宿，宿夜……

棚戶臥在鐵道上
【本報記者馬林森攝】

棚户代表請願 提出要求三點

【本報訊】下關被拆屋棚戶代表，昨日下午四時至市參議會請願，請求參議會予以援助，並向社會呼籲……

電信技術競賽 成績業經評定
優勝人員名單昨已發表

【本報訊】全國電信技術人員，六項電信工作競賽，在交部大禮堂舉行……

廣播募捐結果 將于今日發表

編★餘★漫★談

遊府西街刼案 仍乏重要綫索

公共汽車擅加票價 應該撥送冬賑
市參會兩委會聯席會議議決
公用事業加價須送參會初議

【本報訊】市參議會昨日下午三時半召開社會事業及經濟建設兩委員會聯席會議……

稍籠業糾紛 猶在僵持中
前途堪慮 再不解決

警察廳長·約法四章 星期不休息 不准看白戲

【本報訊】首都警察廳黃參座蕭廳長……

響應冬令救濟運動 法大使捐三千萬

判處死刑二屠夫 獄中草辯書

公教配售辦法 經部擬就送全經會討論 文化從業人員亦予配售

【本報訊】經濟部對於公教人員日用必需品之配售，本部近已與糧食部，財政部，善委會，聯總物資等機關會商決定，擬具供應辦法草案……

名人親筆春聯 義賣競標踴躍

無爲議員來京請願 要求撤換該縣縣長李健文

陳克純等組織 風雲新聞社 已定自元旦起發稿

昨日中央飯店 發生奇巧竊案
冒名旅客開門竊物 傷科醫生失攝影機

【本報訊】昨日東區警局接獲一件離奇巧妙的竊案，失主名於警察……

商情
（單位法幣元）

[illegible]

菜市

[illegible]

上海行情
（十二月三十一日）

[illegible]

各地行情

[illegible]

判處死刑三屠夫

獄中草辯書

【本報訊】日前經我戰犯法庭判處死刑之日戰犯田中軍吉，向田敏明，野田毅三犯，連日在獄中草擬「抗辯書」已告全部完竣，幷於前日呈送戰犯法庭，昨經該庭通譯官譯成華文送達庭長石美瑜，頃悉石庭長已將三犯之抗辯會商各審判官後，簽註意見，幷檢齊各項有關三犯在華罪行之有力證件，呈奉最高當局，一俟核示下來，即可依罪執行，據消息靈通人士觀察，三犯在華罪跡斑斑，縱然抗辯，亦屬必死無疑，且三犯似亦有此預感，據司獄人員語記者稱：犯中所向幷敏最爲頹喪，整日悶坐獄中，寢臥不安，時而修絫家書，時而朝天膜拜，狀堪憐矣，想死期當不在遠矣。

1948.1.29《大剛報》 南京大屠殺三戰犯昨在雨花台槍決

南京大屠殺三戰犯 昨在雨花台槍決
「殺人比賽」者以血還血債

【本報訊】一位先哲說過這麼一句話：「血債必須用同物償還。」這是真理，也是人情，抗戰雖然已經勝利，而且已經過了勝利的二年，但日本軍閥殘殺中國人民的血債，依然鮮明的刻在中國人民的心裏，今天我們來回憶南京大屠殺的慘象，還是不免爲之毛骨悚然，其中最慘酷的是日寇在紫金山麓舉行的「殺人比賽」，在這個比賽中第十六師團中島部少尉炮兵小隊長向井敏明慘殺一百零六人獲得冠軍，其次，富山大隊少尉副官野田岩殺一百零五人獲得亞軍，還有一個第一師團谷壽夫部隊的大尉中隊長田中軍吉在本京西南郊以「助廣」利劍屠殺及俘虜我平民達三百餘名之多，這三個殺人的魔鬼，自日本提解來京已經很久了，前經國防部軍事法庭判處死刑，并呈奉國民政府主席蔣一月廿六日代電核准令飭執行，庭長石美瑜奉令後由滬趕返佈置一切。

昨日上午十時，檢察官李璿，書記官方家模，通譯官朱景秋及武裝憲兵一班，在珠江路小營戰犯拘留所升座臨時法庭，空氣森嚴隆重，庭諭先提野田岩，野田岩年齡在三十四五歲左右，日本鹿兒島人，日本第十六師團富山大隊副官，由二名憲兵押解上庭，雙手上銬，嘴裏還啣着紙烟，到法庭門前駐足片刻，將烟蒂頭扭熄後，始從容入室，立於被告欄內，他身穿灰布棉囚服，領口開敞，滿嘴鬍鬚，亂髮森立，面目猙獰，法官訊明年籍，即高聲宣諭執行命令，如有遺言可由庭上轉述，翻譯官照樣譯出。

野田向井二人朗誦「臨死辭世詞」

野田即刻默然，發音和緩，高聲朗誦其在獄中撰就之「臨死辭世詞」，大意謂：「這次很麻煩中國法庭及律師先生，謹致謝意，但對於虐殺俘虜和非戰鬥人員的罪名，決不承認，死是天命，日本男兒視死如歸，今後我所希望就是我死後對於其他活着的戰爭嫌疑犯，請貴國從寬判處，拜託，拜託，爲了宣傳，爲了政治意味的判決，死得，我們被執行死刑，在雨花台成仁，并不怨恨貴國，我們高興，我們的死不是徒然的，萬歲，中國萬歲，日本萬歲！」說完請庭上轉交遺物及遺書給親友，次傳向井敏明，三十六歲，日本山口縣人，炮兵小隊長！在庭上狂吸紙烟，髮鬚亦長，狀貌比野田岩還要兇惡，也照樣朗讀「辭世詞」，大意謂：「我對天地神明發誓，沒有殺害俘虜及住民，南京事件之罪，斷不承認。死是天命，如今作是很光榮的死法。中國萬歲，日本萬歲，中國萬歲，日本萬歲，向井敏明」。

繼轉向法庭旁聽者，說：「我們安靜地死了，願大家爲中日兩國的前途努力，建設東亞……」此時向井敏明請中國士兵爲其剪髮，寄回故里。

田中軍吉 有遺詩有絕書

田中軍吉做了一首詩，還有絕書。絕詩題名：「甘受死罪」，內容如下：「僞以一身擔受南京大屠殺之罪，甘受死刑：㊀未作罪犧牲，以此身獻給和平之神，願作民衆救星。㊁一個人同心轉意，㊂拯救萬家生佛。」并有絕命詩一首，內容如下……

十一時左右相繼押出，上三輛十輪卡車，浩浩蕩蕩，途經珠江路、碑亭巷、大行宮、太平路、建康路、中華路，直向中華門外雨花台刑場。……

槍聲響處三犯倒地 田中軍吉四彈斃命

十二時正，行刑士兵自後鳴槍，從後腦射入，三犯應聲倒地，其中田中軍吉連中四槍始告畢命，四周觀衆，掌聲雷動，大快人心。茲將國防部戰犯審判法庭所頒佈告錄誌於左：

「查戰犯向井敏明，野田岩，田中軍吉等（即南京大屠殺案共犯）在作戰期間，共同連續屠殺俘虜及非戰鬥人員，證據確鑿，業經本庭依法判決各處死刑，并呈報國防部參謀總長陳轉奉國民政府主席蔣本年一月廿六日（卅七）柱修字第〇〇〇五號子寢代電核准，飭即執行具報等因，遵於本月廿八日正午十二時，由本庭檢察官將該犯向井敏明，野田岩，田中軍吉等三名，提案驗明正身，押赴雨花台刑場，執行死刑，以昭炯戒，除呈報外，合亟佈告週知，此佈」

軍糧是否購自京市
糧部調驗交易憑證

【本報訊】……

長江口內糧食 以流通爲原則

浙處……

市參會臨時大會 定卅一日舉行

【本報訊】京市參議會臨時大會，定本月三十一日舉行，擬假介壽堂舉行，現正接洽中，會前，今日（廿九）整天開分組審查會議，對市預算及其他決議之通行初步審查，三組在文化會堂舉行，一組在交通銀行，二組在中國銀行，三十日下午二時則在文化會堂開綜合審查會議。

討論卅七年度總概算 今日開分組審查會議

【中央社訊】京市參議會爲討論市政府送議遵照中央指示原則與新稅率政數而重編之卅七年度總概算，定今日召開第一屆第五次臨時大會，并於昨日下午三時假公餘聯歡社舉行全體審查會，先予審查，到參議員五十餘人，市政府財政局長陳紹平，民政局長沈祖輝，會計長羅家源等均到會參加，陳議長裕光主席，報告第五次臨時大會所將討論之事項，其中最主要者，爲市府卅七年上半年度地方歲入歲出總概算之審議，并由陳局長即席報告總概算，內容及調整後之各種稅率，希望參議會給予審議，以便下月一日起執行，參議員沈九香，劉守英，王國鴻，孫玉琳，至時，成以改復初；董育華等先後發表意見，以稅收之增加，有關人民負担，審議時不可草率，應先舉行分組審查，然後再開全體審查會，詳具意見，提交臨時大會通過。經主席徵詢衆意後，決定今日上午九時起分七組審查，廿日下午二時舉行全體審查會，卅一日下午二時召開臨時大會討論。

小王府園 破獲毒案

【本報訊】昨日中午十二時，南區警察局中華路警察所據報在小王府園四六號有烟毒犯一名，當即派員……

怎樣預防煤氣中毒？

【本報訊】市衛生局鑒於市區有死於煤氣中毒的人，特別告訴市民：煤氣中毒，是冬季最常發生的一種病，氣中毒病，尤其是燃燒木炭，煤球用以取暖的時候，要是不小心的話，一家大小七八口會同時遭遇到不幸的事件，很可能的。

所以在火盆等移入屋內以前，須將燃燒木炭煤球先行燒透，否則燃燒不透，便會發生大量有毒的氣體（叫一氧化炭），這便是「煤氣中毒」的主要原因。

一般的病狀是頭昏、乏力、頭痛、眼脹、耳鳴、嘔吐、重的時候便進入「昏睡」「知覺喪失」的狀態。

未中毒前預防方法：一、臨睡時務必先將煤爐火盆熄滅，或移出房外。二、室內燃燒煤炭最好用烟囪。三、潮濕的木炭，千萬勿在室內燃燒。四、燃燒煤炭時門窗宜緊閉。五、如果感到室內……

中毒後急救方法：一、應立即開窗，如能打開窗，使空氣對流幾分鐘，更好。二、注意患者的保暖。三、施行人工呼吸。

水中撈出機槍 船伕嚇了一跳

【本報訊】昨（廿八日）上午，下關龍江橋，水面上住有一個船夫，袁姓，早晨起來，撑船時，篙子下水，碰到硬的東西，當時還以爲可以發現一點別人掉下水去的貨色，遂多方打撈，撈知撈上岸後，赫然機關槍一挺，一驚之下，非同小可，隨即報告廟轉解警局，層轉上峯。

單幫客蝕掉命 半途慘遭輾死
鬼臉城對岸躍車跌死人
凱旋號旅客擠跌受重傷

【本報訊】昨日下午時左右中華門外如意橋居民夏松林，跑單幫營生搭乘商車六一三四六號……

周逆學昌 發還更審

到處貼標語 請君防扒竊

輪上賊割包 竊去四千萬

學生拾物不昧 鋼筆招尋失主

增開返鄉車 遊子好過年

選舉舞弊如有證據 可向法院控告
重新開票於法令無根據

快信往往更不快 將改爲特派郵件
風雪交加郵途多受阻礙

市場如無重大刺激 年關可能穩度
米市暗堅紗布續告不振

一片拆棚聲！
山西路蠶食式進行 鼓樓附近限期執行

情殺案兇手馬文達 請從寬發落
被害人的代表 提出民事訴訟

南昌路國民學校學生 捐糖菓費給被拆難胞

編餘漫談

特快車今起行駛 下關至中華門外

今日：晴 溫度續升

商情

菜市

上海行情

各地行情

書

作罪[illegible]，以

此身獻諸和平之神，願作民衆救星。㈢一個人回心轉意，撥[illegible]蕩[illegible]，萬家生佛。」並有絕[illegible][illegible]一首，內容如下

，太平路，建康路，中華路，直向中華門外雨花台刑場

問要不要跪下，旋令南面跪倒。

槍聲響處三犯倒地
田中軍吉四彈斃命

十二時正，行刑士兵自後鳴槍，從後腦射入，三犯應聲倒地，其中田中軍吉連中四槍始告畢命，四周觀衆，掌聲雷動，大快人心。茲將國防部戰犯審判法庭所頒佈告錄誌於左：

「查戰犯向井敏明，野田岩，田中軍吉等（即南京大屠殺案共犯）在作戰期間，共同連續屠殺俘虜及非戰鬥人員，證據確鑿，業經本庭依法判決各處死刑，並呈報國防部參謀總長陳轉奉國民政府主席蔣本年一月廿六日（37）柱膠字第〇〇〇五號子寢代電核准，飭即執行具報等因，遵於本月廿八日正午十二時，由本庭檢察官將該犯向井敏明，野田岩，田中軍吉等三名，提案驗明正身，押赴雨花台刑場，執行死刑，以昭炯戒，除呈報外，合亟佈告週知，此佈」

南京大屠殺二戰犯
昨在雨花台槍決
「殺人比賽」者以血還血債

【本報訊】一位先哲說過這麼一句話：「血債必須用同物償還。」這是眞理，也是人情，抗戰雖然已經勝利，而且已經過了勝利的二年，但日本軍閥殘殺中國人民的血債，依然鮮明的刻在中國人民的心裏，今天我們來回憶南京大屠殺的慘象，還是不免爲之毛骨悚然，其中最慘酷的是日寇在紫金山麓舉行的「殺人比賽」，在這個比賽中第十六師團中島部少尉炮兵小隊長向井敏明慘殺一百零六人獲得冠軍，其次，富山大隊少尉副官野田岩殺一百零五人獲得亞軍，還有一個第一師團谷壽夫部隊的大尉中隊長田中軍吉在本京西南郊以「助廣」利劍屠殺及俘虜我平民達三百餘名之多，這三個殺人的魔鬼，自日本提解來京已經很久了，前經國防部軍事法庭判處死刑，幷呈奉國民政府主席蔣一月廿六日代電核准令飭執行，庭長石美瑜奉令後由滬趕返佈置一切。

昨日上午十時，檢察官李璿，書記官方家模，通譯官朱景秋及武裝憲兵一班，在珠江路小營戰犯拘留所升座臨時法庭，空氣森嚴隆重，庭諭先提野田岩，野田岩年齡在三十四五歲左右，日本鹿兒島人，日本第十六師團富山大隊副官，由二名憲兵押解上庭，雙手上銬，嘴裏還啣着紙烟，到法庭門前駐足片刻，將烟蒂頭揑熄後，始從容入室，立於被告欄內，他身穿灰布棉囚服，領口開敞，滿嘴鬍鬚，亂髮森立，面目猙獰，法官詢明年齡籍貫，即高聲宣諭執行命令，如有遺言可由庭上轉送，翻譯官照樣譯出。

野田向井二人朗誦
「臨死辭世詞」

野田聞判默然，發音粗厲，高聲朗誦其在獄中撰就之「臨死辭世詞」，大意謂：「這次很麻煩中國法庭及律師先生，謹致謝意，但對於虐殺俘虜和非戰鬥人員的罪名，決不承認，死是天命日本男兒視死如歸、今後我所希望就是我死後對於其他活着的戰爭嫌疑犯，請貴國從寬判處，拜託，拜託，爲了宣傳，爲了政治意味的判決，爲了面子，感情的判決，死得高興，我們被執行死刑，在雨花台成仁，幷不怨恨貴國，我們高興，我們的死不是徒然的，中國萬歲，日本萬歲！」說完請庭上轉交遺物及遺書給親友，次傳向井敏明，三十六歲，日本山口縣人，炮兵小隊長！在庭上狂吸紙烟，髮鬚亦長，狀貌比野田岩還要兇惡，也照樣朗讀「辭世詞」，大意謂：「我對天地神明發誓，沒有殺害俘虜及住民，南京事件之罪斷不承認。死是天命，我看作是很光榮的死法。中國萬歲，日本萬歲，中國萬歲，日本萬歲，向井敏明」。

[illegible]又轉向法庭旁聽者，說：「我們安靜地死了，願大家爲中日兩國的前途努力，建設個[illegible][illegible]東亞」。此時向井敏明請中國士兵爲其剪髮，寄回故里。

田中
有遺詩

田中軍吉做了詩，還有絕詩。絕書題名：「甘受死

：「紊亂騷動的日子啊，向神明祈求安定，生在先皇的身邊，回顧嗎？沒有」。下署「昭和廿二年十二月向東

駛去，沿途市民，扶老攜幼，爭相追蹤，車抵中華門外時，已是人山人海，途爲之塞，抵刑場時已十一時十五

东京审判

根據《波茲坦公告》嚴懲戰犯的要求，1946 年 1 月 19 日，由 11 個同盟國代表組成的遠東國際軍事法庭在日本東京成立，負責審批日本甲級戰犯。中國方面，由立法院委員、法學家梅汝璈擔任法官，倪徵燠爲首席檢察官顧問。

遠東國際軍事法庭從 1946 年 1 月成立至 1948 年 11 月 12 日宣判，歷時近三年，共開庭 818 次，審訊記録達 48000 多頁，最後形成判决書長達 1280 頁，宣讀了 8 天之久。法庭共審判甲級戰犯 28 名，其中除 2 人病死獄中，1 人因精神問題逃脱處罰外，東條英機、廣田弘毅、土肥原賢二等 7 人被判絞刑，木户幸一等 16 人被判處無期徒刑，東鄉茂德等 2 人被判處有期徒刑。

南京大屠殺是日軍侵華戰争中最爲嚴重和典型的罪惡之一，法庭爲此設立專案審判，法庭首席檢察官季南還曾派遣檢察官專門赴南京調查取證，并在判决書中對南京大屠殺予以專項説明，認定日軍在占領南京後進行了長達 6 個星期的大規模强奸、縱火與謀殺，判處與南京大屠殺負有直接責任的鬆井石根、武藤章絞刑。

南京軍事法庭

日本宣佈無條件投降後，根據同盟國協議，日本乙、丙級戰犯由犯罪地所在國組織法庭進行審判，中國、菲律賓、新加坡、緬甸、越南、（前）蘇聯等國均設立了軍事法庭。

1945 年 12 月 6 日，國民政府成立戰爭罪犯處理委員會，之後分別在南京、上海、北平、漢口等 10 個城市成立軍事法庭。南京軍事法庭成立於 1946 年 2 月 15 日，直屬於陸軍總部，全稱“中國陸軍總司令部審判軍事法庭”，石美瑜爲庭長，王家楣爲主任檢察官，統一審判由日本引渡和各地法庭移交至南京的重要日本戰犯。同年 7 月，國民政府國防部成立後，改稱“國防部審判戰犯軍事法庭”。

南京大屠殺是南京軍事法庭的審判重點。直接指揮入侵南京中華門一帶，屠殺南京居民的乙級戰犯谷壽夫，以軍刀屠殺 300 餘人的戰犯田中軍吉，在紫金山下進行“殺人比賽”的丙級戰犯向井敏明、野田毅 4 人被該庭判處死刑，後在南京雨花臺執行槍决。

南京調查敵人罪行委員會

抗戰勝利後，爲了對日本戰犯進行審判，國民政府組織開展了大規模的對日本戰争罪行的調查工作。南京光復後，首都地方法院檢察處奉令調查敵人在南京的罪行。1945 年 11 月 7 日，首都地方法院檢察處聯合南京市政府、首都警察廳、國民黨南京市黨部、憲兵南京市區司令部、軍事委員會調查統計局、國民黨中央調查統計局、三青團南京支部、南京市工會、農會、紅卍字會南京分會、商會、首都地方法院、首都醫師工會、律師工會共 14 個機關團體成立南京調查敵人罪行委員會。委員會刊登文告，呼吁市民前來提供證據，同時由各單位展開調查，搜集罪證。經過委員會的努力，到 1946 年 2 月，共獲得資料 500 餘份，内容涉及日軍在南京的屠殺、傷害、奸淫、搶奪、破壞、强制服役等罪行 295882 種。東京審判開始後，委員會又展開了針對南京大屠殺的重點調查。1946 年 6-9 月，在對之前調查結果進行復查的基礎上，針對南京市民開展個案調查，查證具有確實人證案件 2784 件。根據調查結果製成被害人傷亡統計表、侵華日軍罪行各類統計表、可出庭作證人住址姓名表及南京大屠殺慘案述要，爲南京軍事法庭和遠東軍事法庭審判日本戰犯提供了大量證據。

鬆井石根

戰犯鬆井石根，1878 年出生於日本愛知縣，畢業於日本陸軍大學。南京大屠殺時爲日軍華中方面軍司令官，是攻打南京的日軍最高指揮官。日軍占領南京後，幾次發佈大規模搜捕與屠殺中國戰俘的命令，公然違反國際公約。鬆井石根於 1937 年 12 月 17 日舉行入城儀式并在南京城内停留了 5-7 天，在聽説并親眼目睹了日軍在南京城内的暴行後，并未加以有效的阻止，他的縱容與默許使南京城内的大規模屠殺、強奸、搶劫、縱火等一係列行爲持續了 6 周之久，對南京大屠殺負有不可推卸的責任。1945 年被盟軍逮捕，1948 年 11 月 12 日被遠東軍事法庭判處絞刑，12 月 23 日執行。

谷壽夫

戰犯谷壽夫，1882 年生於日本東京。畢業於日本陸軍士官學校和陸軍大學，制造南京大屠殺的罪魁禍首之一。南京大屠殺時爲日本華中方面軍第六師團師團長，率部最先由中華門攻入南京城內。入城後，大肆屠殺放下武器的戰俘和平民，之後會同其他攻入南京的部隊，在各區展開大規模屠殺、强奸、搶劫等暴行。1946 年 2 月被盟軍總部逮捕，8 月移送南京受審。經調查、取證和多次提審，1947 年 3 月 10 日，法庭以破壞和平罪和違反人道罪判處谷壽夫死刑。谷壽夫不服判決，兩次上訴要求重審，均被駁回。4 月 26 日，被執行死刑。

田中軍吉

戰犯田中軍吉，1905 年生於日本東京，畢業於日本陸軍士官學校。在南京大屠殺期間任谷壽夫師團大尉，用“助廣”軍刀在南京砍殺平民 300 餘人。1947 年 5 月引渡至中國，12 月在南京公審，拒不認罪，法庭以連續屠殺俘虜及非戰鬥人員判處其死刑，1948 年 1 月 28 日執行槍決。

向井敏明

野田毅

戰犯向井敏明，日本山口縣人；戰犯野田毅，日本鹿兒島人。南京大屠殺期間爲日軍第16師團片銅聯隊少尉。兩人在攻占南京過程中，進行殺人比賽，相約誰先殺滿100人爲勝。最終向井敏明殺106人，野田毅殺死105人。《東京日日新聞》連續4天發表新聞，介紹“比賽”情况，時間、地點、殺人過程及數字十分詳細，并配有照片。兩人於1947年10月被引渡至中國，12月18日公審，拒不認罪。法庭以連續屠殺俘虜及非戰鬥人員判處2人死刑，1948年1月28日執行槍决。

圖書在版編目（CIP）數據

見證. 中文報刊中的南京大屠殺罪犯審判報道 / 徐小躍主編. —南京：江蘇鳳凰美術出版社，2017.12

ISBN 978-7-5344-7732-4

Ⅰ. ①見… Ⅱ. ①徐… Ⅲ. ①新聞報道—作品集—世界—現代②南京大屠殺—史料③侵華—戰犯—審判—史料–日本 Ⅳ. ①I15②K265.606

中國版本圖書館CIP數據核字（2017）第285876號

責任編輯 王林軍 趙 天
裝幀設計 趙 天
責任校對 呂猛進
責任監印 朱曉燕

書　　名 見證. 中文報刊中的南京大屠殺罪犯審判報道
主　　編 徐小躍
出版發行 江蘇鳳凰美術出版社（南京市中央路165號 郵編：210009）
出版社網址 http://www.jsmscbs.com.cn
制　　版 南京新華豐制版有限公司
印　　刷 南京精藝印刷有限公司
開　　本 889mm × 1194mm 1/16
印　　張 22.5
版　　次 2017年12月第1版 2017年12月第1次印刷
標準書號 ISBN 978-7-5344-7732-4
定　　價 128.00圓

營銷部電話 025-68155790 營銷部地址 南京市中央路165號